U0088822

臺灣歷史與文化 研究輯刊

七 編

第 4 冊

從道場到戰場：試論武道的轉化機制
——以殖民地台灣爲例

馮 啟 斌 著

現代到後現代
——戰後台灣現代詩的空間書寫研究

沈 曼 菱 著

花木蘭文化出版社

國家圖書館出版品預行編目資料

從道場到戰場：試論武道的轉化機制——以殖民地台灣為例
馮啓斌 著／現代到後現代——戰後台灣現代詩的空間書寫研
究　沈曼菱 著—初版—新北市：花木蘭文化出版社，2015
〔民104〕
目 2+106 面／目 2+112 面；19×26 公分
（臺灣歷史與文化研究輯刊 七編：第 00 冊）
ISBN 978-986-404-174-9／978-986-404-175-6（精裝）
1. 武士道 2. 日據時期 3. 臺灣／1. 臺灣詩 2. 新詩 3. 詩評
733.08　　　　　　　　　　　　103027815／103027816

ISBN-978-986-404-174-9

ISBN-978-986-404-175-6

9 789864 041749

9 789864 041756

臺灣歷史與文化研究輯刊
七 編 第四冊　ISBN：978-986-404-174-9／978-986-404-175-6

從道場到戰場：試論武道的轉化機制
——以殖民地台灣爲例
現代到後現代
——戰後台灣現代詩的空間書寫研究

作　　者　馮啟斌／沈曼菱
總 編 輯　杜潔祥
副總編輯　楊嘉樂
編　　輯　許郁翎
出　　版　花木蘭文化出版社
社　　長　高小娟
聯絡地址　235 新北市中和區中安街七二號十三樓
　　　　　電話：02-2923-1455／傳眞：02-2923-1452
網　　址　http://www.huamulan.tw 信箱 hml 810518@gmail.com
印　　刷　普羅文化出版廣告事業
初　　版　2015 年 3 月
定　　價　七編 10 冊（精裝）新台幣 20,000 元

版權所有·請勿翻印

從道場到戰場：試論武道的轉化機制
——以殖民地台灣為例

馮啟斌　著

作者簡介

馮啟斌，政治大學新聞系、交通大學社會與文化研究所畢業，現就讀東京大學總合文化研究科。半路出家的台灣史、台灣文學學習者，希望藉由每一份渺小的研究作業一步步瞭解自己出生的土地。

提　　要

　　為了確實掌握在殖民地台灣的武道修練是如何對殖民地人民產生影響，本文將「武道」與「武士道」視為被發明的傳統，在日本近代國家成立以後，融合近代國家國民道德所創造出來「武（士）道」，係透過與兩個他者的對話所產生。一是歷史上長久以來對日本具優位性的中國，對話的過程中產生「中國＝尚文＝懦弱」／「日本＝尚武＝勇猛」的二元對立結構。二是 19 世紀末狹帶強大、先進器械與科學逼迫日本的諸西方帝國，在與西方文明來往的過程中，「西方＝智＝物質主義」／「日本＝德＝精神主義」的二元對立結構逐漸成型。藏在近代「武（士）道」背後的這兩組對立結構，直接影響殖民地台灣人民對武道修練的認知，以及透過武道修練的目的。

　　總動員戰爭的出現，使得國家權力大幅介入人民生活的每個面向，前述兩組二元對立結構往兩極發展而愈形偏激。武道修練隨著國家需要大量忠君愛國的人力資源而大幅獲得發展空間，殖民地台灣人民因此較為普遍地接觸武道。然而，武道修練並非只是單純強身健體，在國家機器的強力介入下，藉由將「道」的修練空間，從特定的道場轉為無時無刻、無所不在的「道場」，生活中的每個面向都是實踐國民之道、臣民之道的場所，理由在於總動員戰爭（總力戰）要求國民無分前線、銃後，無分戰鬥人員或平民，人人一心為國家犧牲、奉獻。在這個時代脈絡下的武道修練，是將人民從修練武術的特定道場帶向戰場的機制。

目

次

第一章　緒　論

第一節　緣起

　　數年前首度到日本東京自助旅行，參觀明治神宮時，偶然在神宮弓道場「至誠館」前看到弓道教室的招生公告。我對弓、箭向來有莫名偏愛、打定這輩子若有什麼非做不可的事，習射即爲其一。那張海報喚醒我習射的宿願、也同時引起我對「弓道」的好奇。一般常見的射箭競技（西洋射箭），在日文中是以片假名寫「archery」這個單字來表示（即アーチェリー），日本傳統射箭術則以漢字寫成「弓道」。由於當時我不懂日文，只能讀漢字，偶然喚醒我學習射箭的契機因此不是西洋射箭，而是日式射術：「弓道」。

　　旅行返台後的新學期，母校政治大學湊巧有同學準備成立弓道社，聽聞此消息，我毫無遲疑地加入社團、開始接觸這項日本傳統武術。除了技術層次的練習，也從知識層面上對「弓道」產生好奇。在台灣，一般對劍道、柔道或許並不陌生，但對弓道卻幾乎未曾聽聞。我曾數次拿著弓走在路上，手上的弓被誤認爲釣魚竿、曬衣竿甚至甘蔗，穿著「稽古着」（練習服）則總被認爲是劍道或柔道的學習者。這些經驗指向一個問題：劍道和柔道在戰後國民黨政府的統治下，雖一度因帶有日本色彩被短暫禁止練習、推廣，其後皆因實用目的再度復興，唯弓道在戰後五、六十年間未見公開活動，爲什麼？〔註

〔註 1〕平安時期源義家向臥病在床的白河天皇獻上弓矢，一方面象徵戰爭的功績、另一方面有驅邪破魔的效用，舉這件逸事爲例，可知弓矢或弓道有很強烈特定象徵意義。柔、劍道或可因其在格鬥或鍛鍊體魄的實際效用，即使在戰後

1〕循著這個疑問，我認識到原來在中世紀的日本，武士的技能或者習風通常用「弓馬之道」或「弓矢之道」來指稱。相對於劍道、柔道的實際效用，弓道較著重禮儀、道德、精神修養層面，料想正是因其日本色彩太重，在強調中國正統的戰後國民黨統治典範下，才始終沒有重新於這塊土地復甦。不只是國民黨政府，戰後的聯合國最高司令部也曾下令禁止日本人修練武道，理由是其與軍國主義關係密切。這便引奇我的好奇：曾經受日本殖民統治的台灣人民，是否也曾經受到「與軍國主義關係密切」的武道影響？

讓我產生前述提問的另一個偶然是，在我加入弓道社團的大四這年，我開始接觸台灣歷史。中學時代我所學習的教材不若今日已大幅調高台灣史、地的比例，加上大學並非台灣歷史、文學相關科系，我對自己成長的這塊土地一直很無知，甚至很少意識到自己的無知。在參與台灣史相關的研討會和閱讀後，方才深深察覺過去竟對這麼多與自己切身相關的人、事、物視而不見，念碩士班後，便決定轉而面對台灣史的相關問題。

這兩個偶然結合在一起，非但引領我開始學習日文，也讓我追問：日本政府爲什麼要將武道修練引入殖民地台灣，是否以之爲手段教化殖民地人民？而殖民地台灣人又是如何面對這項日本傳統武術？等等諸多疑問領著我找到一篇日本時代末期著名的小說：〈奔流〉。

第二節　作爲提問原點的〈奔流〉

王昶雄〈奔流〉的主述者「我」，因父親逝世不得不放棄在東京的附屬醫院臨床醫師職位及解剖學教室研究生身份，回到故鄉台灣接任父親的內科診所。以此爲故事開端，「我」回到故鄉後，正爲封閉單調的生活感到沉悶時，結識了伊東春生。伊東春生本姓「朱」，在日本求學時攻讀國文（日文），返台後擔任中學國文科教師，與日本人妻子及妻子的母親同住，並改成日本姓氏「伊東」。這篇小說即以主述者「我」、伊東春生及伊東的姪子林柏年爲中心開展。

對於林柏年來說，伊東春生是個「拋棄自己的父母過著那樣的生活，只

不同的政權統治典範底下仍能被接受，但弓道則很可能因爲缺乏實際效用，同時是儀式性十分強烈的技藝，被視爲日本精神、日本傳統的象徵而遭禁止。另外，相較於劍、柔道，弓道在練習場地及練習器具的需求較嚴苛，也是造成弓道傳承困難的主因。

認為自己過得快樂就好」〔註2〕的人，林柏年對伊東春生為了成為日本人而拋棄生父母的行為非常不諒解，並在態度上表現出對伊東的反抗，然而伊東春生將林柏年對自己的反抗等同於本島人的劣根性，需要透過教育從根本改造，他說：

> 長久的教育生活中，這樣的場面，也應該考慮到。不知道是誰說的，陶冶學生，不僅是磚塊的堆積，每天的經營，多半需有等時性。尤其本島人學生常有的乖僻的性情，非從根柢重新改造不可。〔註3〕

面對伊東春生拋棄生父母的行為以及鄙視本島人自視優越的態度，林柏年選擇透過修練劍道以及在劍道比賽中打敗日本人來超越對伊東的怨恨：

> 無論怎樣艱苦，一定要堅持下去。本島人每天像三頓飯一般地被罵成怯懦蟲，實在受不了。還有，在打垮那些身為本島人，卻又鄙夷本島人的傢伙的意義上，我也要拼命〔註4〕。

爾後本島人在全島劍道比賽取得勝利，「我」說：

> 那並不是做夢，本島人終於把劍道，變成自己的東西了。多半是心和技一致了，所謂能虛心坦懷地應戰的結果吧，或是激烈如噴火的鬥志，壓倒一切了吧。無論如何，獲勝了。州下的稱霸，和全島的稱霸是一樣的。被欺侮為膽小如鼠的事，現在已成古老的故事了。現在就要吹滅卑屈的感情，本島年輕人正要開始飛躍了。我欣喜之餘，氣都喘不過來了。胸部無端地膨脹起來，無法抑制活活的血正在奔躍。〔註5〕

在劍道比賽取得優勝便得以超越「身為本島人，卻又鄙夷本島人的傢伙」背後的邏輯為何？「我」所說的「把劍道，變成自己的東西」意謂著什麼？在獲勝後，本島人「被欺侮為膽小如鼠的事」即成為「古老的故事」的想法，是在什麼樣時代脈絡下成立的言說？這些問題涉及包含武道的修練目的等相關問題：日本統治者是如何定義武道的內涵？在統治層面上武道有什麼功能？被統治的本島人透過修練武道能達成什麼？

　　本文將「武道」或「武士道」視為應被問題化的概念，以及一套「轉化」

〔註2〕 王昶雄，〈奔流〉，《王昶雄全集：小說卷》（台北：台北縣政府文化局，2002年），頁340。
〔註3〕 同前註，頁339。
〔註4〕 同前註，頁350。
〔註5〕 同前註，頁351。

機制，透過這套機制，德行的具體實踐將順應國家意志在「適當」的地方發生。當然，這套機制的運作必須放在特定的時空脈絡下才得以成立。主要的時空軸線有二：戰爭與殖民地。本文將以日本統治下的殖民地台灣為例進行考察。台灣係因日本在 1895 年戰勝中國清朝才成為日本殖民地，以這場戰爭為始，經由戰爭產生的價值觀便已開始影響日本統治者對殖民地人民的評價法則。爾後，第一次世界大戰出現總力戰（總動員戰爭），使世界各國更積極地將非前線戰鬥人員、一般人民召喚到戰爭的力場內，這鼓拉力一鼓作氣連結到日本三〇年代的十五年戰爭時期，直至第二次世界大戰。從日清戰爭（中日甲午戰爭）致使日本領台、第一次世界大戰以至十五年戰爭時期，本文以戰爭為主要時間軸線，針對這些時間帶上出現的武道相關言說與主張提出分析與討論，以殖民地台灣人民為例，說明作為「轉化」機制的「武（士）道」是如何運作並影響人民。

第三節　文獻回顧

　　關於台灣日治時期的武道發展，已有數篇論文從不同角度切入研究，根據現下累積的研究成果，在日本統治下的台灣人民，無疑曾經接觸、知悉甚至修練過各種武道。根據陳信安 〔註6〕 在〈臺灣日治時期武德殿建築之研究〉中的考察，修練武道的場所：道場或武德殿，在日本領有台灣的五十年間，遍佈全島各大小鄉鎮，總督府亦常在武德殿舉辦各種公共性質的活動（不限於武道活動），可以推測對於殖民地台灣人民而言，武道及武道修練空間並不陌生。

　　推廣武道最重要的組織，當屬明治二十八年（1895）成立的大日本武德會。辛德蘭的文章〈日治時期臺灣的大日本武德會（1900～1945）〉〔註7〕便以《臺灣警察協會雜志》及總督府公文和《臺灣日日新報》等相關資料，整理、分析大日本武德會臺灣分會的組織發展狀況如會員、例行公事。陳義隆〔註

〔註 6〕 陳信安，〈臺灣日治時期武德殿建築之研究〉（台南：國立成功大學建築研究所碩士論文，1997 年）。

〔註 7〕 辛德蘭，〈日治時期臺灣的大日本武德會（1900～1945）〉，《兩岸發展史研究》（第二期，2006 年 12 月）。

〔註 8〕 陳義隆，〈日治時期臺灣武道活動之研究〉（桃園：國立中央大學歷史研究所碩士論文，2008 年）。

8〕在〈日治時期臺灣武道活動之研究〉中，除了交待大日本武德會的成立脈絡外，更進一步深入討論大日本武德會臺灣支部的組織架構、會員以及各項定期行事。鄭國銘的〈日治時期臺灣社會體育組織及其運作的歷史考察〉〔註9〕以及林丁國，〈觀念、組織與實踐——日治時期臺灣體育運動之發展（1895～1937）〉〔註10〕二篇博士論文，從體育發展的角度切入，對於台灣日治時期體育組織的發展各有相當詳盡、深入的討論與描繪。大日本武德會作為體育組織的一種，在鄭國銘與林丁國的研究中皆有所鋪陳討論。透過這些前行研究的成果，我們對台灣日治時期的武道發展已有頗為基本的理解與掌握。

　　總的來說，目前累積的研究成果，多半偏重在組織發展層面的討論。然而，大日本武德會的成立不單只是一個統籌武道發展的組織成立，更涉及近代「武道」的成立。雖如陳信安已提及「武術」更名為「武道」的歷史事實，卻未對這段歷史過程多加描述，其他研究則多半將「武道」視為一不證自明、已有固定、特定內涵的概念來使用。若不將「武術」更名為「武道」的歷史事實問題意識化，自然就無法注意到大日本武德會的成立，恰是日本邁向近代國家的過程中，國家角色強化並介入、主導對事物詮釋權的代表作之一。如此也就沒辦法更切實地瞭解修練武道對於殖民地台灣人而言可能的意義何在。此為本文將試著提出來討論的重點之一。

　　另外，在前述現有的研究成果中，經常將「武道」等同於「武士道」也等同於「武術」。若將三個概念混為一談，不加以仔細釐清的話，非但無法理解近代「武道」如何成立，也無法掌握近代的「武道」修練為何能發揮教化國民的效用。為此，我認為——如前所述——必須理解「武術」如何成為「武道」外，更要重省「武士道」究竟是什麼？與「武道」關係又是什麼？當然，「武術」和「武士道」的關係十分密切，無法徹底分割討論，但也正因為兩者關係密切，才更需要清楚掌握這些用語的內涵與相互關係，我相信這個作業可以幫助我們更清楚地瞭解推廣「武道」的重要性與必要性以及目的何在。

　　林丁國的研究〈觀念、組織與實踐——日治時期臺灣體育運動之發展（1895～1937）〉和鄭國銘的〈日治時期臺灣社會體育組織及其運作的歷史考

〔註9〕鄭國銘，〈日治時期臺灣社會體育組織及其運作的歷史考察〉（台北：國立臺灣師範大學體育學系博士論文，2009年）。

〔註10〕林丁國，〈觀念、組織與實踐——日治時期臺灣體育運動之發展（1895～1937）〉（台北：國立政治大學歷史學研究所博士論文，2009年）。

察〉研究發表時間相近、主題也十分類同。鄭國銘的研究較偏重在組織發展，林丁國則以「體育」的觀念爲中心，描繪近代體育成形的歷史，並討論來自西方的體育文化如何輸入日本、影響日本的「體育」，又如何在日本領有台灣後影響殖民地台灣的體育發展以及時人對體育的看法。這部份的討論相當具啓發性，例如體育與國力的討論等，對本文的反省有直接影響。然而，鄭國銘與林丁國皆將武道置於「體育」的視野下來理解，如此便只能窺見「武道」中身體鍛鍊也就是武術的成份，而忽視「武道」之所以是「武道」，很重要的部份在於其蘊含「武士道」道德體系。「武士道」作爲思想體系，顯然與「體育」觀念的發展屬於不同發展脈落，若將「武道」簡單地視爲體育的一種，在理解「武道」能達成的效用以及修練「武道」者意欲達成的目標時，很可能會失去效度。這部份也是我在這篇論文中試圖討論的另一個面向。

第四節　核心論點與章節安排

　　殖民地台灣的武道歷史發展，多篇前行研究皆已整理得十分詳盡，本文不擬詳細重述武道在殖民地台灣的發展概況，僅在必要的時候，援引現有的研究成果，略述武道在各時期的台灣發展情況。我的重點將放在分析與武道相關的論述，藉由代表性人物的重要發言，和散佈在報章雜誌上關於武道的陳述爲材料，從中指出推廣武道修練的必要性、以及使該必要性成立的思考邏輯、價值體系。「武道」或「武士道」在本文中被視爲必須被重省的概念，在釐清其構成的邏輯後，其次我將指出「武道」在戰爭的時代背景下，對於殖民地台灣人而言是一種轉化的機制，探討這個機制如何運作，是本文最核心的問題意識。

　　爲此，在第二章我將從三個方向交代近代「武（士）道」成立的背景。首先是關於大日本武德會的成立，以及「武術」成爲「武道」，亦即現代「武道」成立的脈絡。其次，由於「武術」成爲「武道」的歷史過程，與所謂「明治武士道」有十分密切的關係，因此我將概述武士道的發展脈絡，由於這個問題涉及面向太廣，亦非本文核心，僅能簡要帶過。在這個部份我想呈現的是，所謂「武（士）道是日本固有國粹」的說法，事實上是種被發明的傳統，而這個「傳統」被發明的邏輯，深刻影響後人對「武道」修練的認知，並與國家如何教育國民的問題直接相關，一國影響人民最深遠者莫過於透過基礎

教育體制，因此在本章最後一節，我想提出武道與教育體系的問題，點出日本近代國家如何想像、期望「武（士）道」、並用以教化國民。

第二章將指出近代的「武（士）道」成立邏輯是依據兩組二元對立結構，這兩組二元對立結構直接、深刻地影響武道修練在殖民地台灣所扮演的角色。第三章承接這部份的討論，以武德會會長大津麟平在日本領有台灣之初、針對武道修練必要性的重要發言作爲引子，指出在最初武道傳入台灣時，日本明治以來成立的「武（士）道」內涵與邏輯便已開始發揮效用。在第三章我也將意圖指出，對日本而言，十九世紀末兩場關鍵性的勝戰，大幅強化在第二章討論中歸納的二元對立結構。第一次世界大戰出現新的戰爭形式：總動員戰爭，使得武道獲得推廣的舞台，同時也加強武道作爲日本國粹的主張與論述。當日本社會面臨危機，提出這項「日本國粹」作爲解決方策的同時，亦不斷強化日本民族的獨特性以及異於西方文明的特質，這與日本 1930 年代後進入十五年戰爭時期後，出現「精神立國」的主張實爲一脈相承。

延續「精神立國」成立的討論，在第四章將討論兩個直接影響人民生活的場域：初等教育及社會教育。在日本精神優於西方物質的二元對立思考模式，以及因應戰爭動員大量人力、物力的需求下，統治者在正規學校教育體系中持續加強國民道德教育，同時則在學校以外的教育場域創造出另一種教化模式：「道場」。此處的「道場」不止指涉宗教或武術修練的場所，而是作爲一種理念或一種方法論，使得所有進入此類設施的學員在離開道場後，藉著具體的行爲實踐，將所有的生活、工作場域轉化爲「道場」。其所實踐的「道」，則是在天皇中心主義支配下的「臣民之道」。在這個章節將會提出一些史料，以武道修練爲例，說明在道場裡修練的道德規範如何轉化到戰場上實踐。最後將重回最初的討論對象：在〈奔流〉以及張文環留下的文字中，皆能發現從道場到戰場轉化機制的運作痕跡。

第二章　被發明的「武（士）道」

　　要釐清在殖民地台灣發展的武道的功能，我認為不能簡單地將「武（士）道」視為固有、自明概念，而必須將語詞或概念的歷史發展脈絡納入視野。依據前行研究對近代武士道成立歷史的考察，可知所謂「日本固有傳統」的「武（士）道」，實則是日本進入明治時代後才成立。

　　本章第一小節將先交代日本明治以來扮演推廣「武士道／武道」的重要推手：「大日本武德會」的發展過程。武德會的成立，意味著明治初期一度遭到官方鄙視、排斥的武術，在重新詮釋其價值與功能，並建立現代化體系後，成功地官方願意將武術（道）納入國家體系，甚至以國家力量推廣。然而，何以當日本進入明治時代、力主西化、汲汲營營於濟身西方列強式的近代國家之際，仍舊需要舊時代的武（士）道？在第二節中將概略陳述「武（士）道」的歷史脈絡，藉以瞭解現下我們熟悉的「武（士）道」的來由，同時也能更瞭解統治者將「武（士）道」納入國家體系的動機。第三節則討論武道納入學校教育體系的歷程，審視請願書的言說與主張，可一窺時人對武道教育在日本近代國家的正規教育體制中的想像及其所能擔負什麼功能。

第一節　大日本武德會的成立與武道的現代化

　　眾所周知，日本自明治維新以來，傾全力輸入西方文化並同時積極廢除原有日本傳統事物，劍術等傳統武術技法也不例外：明治九年（1876）年頒布廢刀令後明令禁止練習劍術，將「練習劍術者與破壞國家政治與秩序者同

罪」〔註1〕，明治十三年（1880）的京都府諭令非但將劍術視爲無用、不合於當世，甚至「有害健康」〔註2〕。

在「文明開化」的風潮以及明治政府廢藩置縣的政策下，武士階級喪失德川江戶時期的地位，甚至連生計也陷入困境。無法在新政府內獲得官職的武術家們爲求生存，只好賣藝求生，在淺草等地表演劍術、柔術、相撲等。這種表演充滿譁眾取寵的遊戲性質，與過去作爲戰鬥技術的武術大異其趣，武術的「興行化」（綜藝化）招來低俗、破壞社會風俗的批評。同時，由於武術馬戲團聚集許多失去生計和地位的武術家，引發政府疑慮和警戒，便明令禁止這種表演〔註3〕。雖然武術馬戲團引來諸如「墮落的劍道」等批評，但也有人認爲這種表演團反倒保留了劍術、武術的命脈〔註4〕。

社會對武道的評價持續低下期間，西南戰爭於明治十年（1877）爆發，在這場戰役中，由東京警官隊選出的拔刀隊在戰場上表現活躍，替武道贏回一些正面評價，甚至成爲日後警視廳獎勵修鍊劍道以及武道復興的遠因〔註5〕。

明治二十八年（1895），政府預計在京都舉辦第四回內國勸業博覽會暨桓武天皇遷都紀念祭典，在活動前兩年的籌備計畫中，原定在祭典當天邀請藝人歌唱舞蹈以娛樂大眾。京都府稅務長鳥海弘毅得知此消息後十分憤慨，他認爲桓武天皇將都城定於平安京後，大力鼓勵武術修練，而今人卻以藝妓舞蹈作爲娛樂來祭祀桓武天皇，有違敬神的本意。包括鳥海弘毅等人在內的反對者，據此主張當日應舉辦演武大會，以武術家展示武技的方式對神靈致敬。可惜最後因反對者眾而一時無法如願。主事者鳥海弘毅在倡議失敗後並未放棄，轉而尋求具地位與名望的有力者支持。〔註6〕

明治二十七年（1894）日清戰爭（中日甲午戰爭）爆發，隔年日本取得勝利，成爲復興武道的契機。鳥海弘毅成功邀請京都的有力人士共襄盛舉，包括皇族的小松宮彰仁親王擔任總裁，京都府知事渡辺千秋任會長，副會長

〔註1〕 山本禮子，《米國對日占領政策と武道教育──大日本武德會の興亡─》（東京：日本圖書センター，2003年），頁79。

〔註2〕 井上俊，《武道の誕生》（東京：吉川弘文館，2004年），頁7。

〔註3〕 同前註，頁3～5。

〔註4〕 山本禮子，《米國對日占領政策と武道教育──大日本武德會の興亡─》（東京：日本圖書センター，2003年），頁79～80。

〔註5〕 同前註，頁80。

〔註6〕 同前註，頁81。

爲平安神宮宮司（神社負責人）壬生基修伯爵。高官政要如內閣總理大臣伊藤博文，時任第一軍軍司令官的山縣有朋、陸軍大臣大山巖、海軍大臣西鄉徒道、大蔵（財務）大臣松方正義等亦聯名贊同〔註7〕。從明治二十八（1895）年公佈的〈大日本武德會規則〉中明載「推舉皇族爲本會總裁」及「推舉皇族爲本會名譽會員」等規定可知，武德會顯然有意圖藉「有力人士」的力量發展會務、拓展組織〔註8〕。另外「爲加強與全國警察聯繫，追加田中貴道（京都府警部長）爲發起人」，山本禮子便指出，大日本武德會在成立之初就已經和政界、警界關係密切，往後也有許多政府官員擔任武德會幹部〔註9〕。從這點來看，大日本武德頗有政府外圍組織的味道。

曾在前述西南戰爭時帶領拔刀隊立下戰功的大浦兼武，於明治三十四年（1901）接任武德會副會長。大浦曾於明治三十一年（1898）至三十三年（1900）間擔任第十二任警視總監，並在明治三十四年（1901）至三十六年（1903）再任第十四代警視總監，與警察體系關係非常密切。此外，又曾任遞信大臣（主管郵政與通信）、農商務大臣及內務大臣，並在明治三十九年（1906）到大正四年（1915）這段期間擔任大日本武德會會長，政界、警界與武德會的關係可見一斑〔註10〕。大浦兼武在明治三十四年（1901）就任副會長一職後，積極利用各地方政府的警察組織吸收武德會會員，武德會的組織規模在他擔任副會長這段期間迅速擴張〔註11〕，至明治四十二年（1909）年，會員人數已超過一百五十萬人，同年成爲財團法人組織、並確立各地分支組織制度，將所有支部及委員部收歸爲大日本武德會本部直屬，強化中央集權體制〔註12〕。臺灣支部也是在大浦兼武擔任副會長乃至會長、迅速擴張武德會規模的這段期間成立。

明治二十八年（1895）年成立的大日本武德會，其組織宗旨與目標，包

〔註7〕 井上俊，《武道の誕生》（東京：吉川弘文館，2004 年），頁 103～104。

〔註8〕 〈大日本武德會規則〉，收錄於中村民雄，《史料　近代劍道史》（東京：島津書房，1985 年），頁 28～31。

〔註9〕 山本禮子，《米國對日占領政策と武道教育──大日本武德會の興亡─》（東京：日本圖書センター，2003 年），頁 82～84。

〔註10〕 井上俊，《武道の誕生》（東京：吉川弘文館，2004 年），頁 104。

〔註11〕 同前註。

〔註12〕 山本禮子，《米國對日占領政策と武道教育──大日本武德會の興亡─》（東京：日本圖書センター，2003 年），頁 87～88。

括每年舉辦一次武德祭以慰神靈，並透過武德祭召集全國武道家來傳揚武道，以求武德得永世流傳等等〔註13〕。然而傳承武術並不只是單純繼承、延續，也涉及創造與重新詮釋傳統武術，使武術得以合乎時局、爲國所用。大日本武德會的發起人之一嘉納治五郎即爲這項工程的重要人物。嘉納於明治十五年（1882）建立「講道館」以推廣柔術，當他建立講道館時，便已經將「柔術」稱爲「柔道」〔註14〕。嘉納治五郎曾在很多地方解釋過他爲何要將「柔術」改稱爲「柔道」，主要理由有三：第一，如同本節前面所提，明治時代以後，部份武道家、武士爲求生存而將武術綜藝化、馬戲團化，再加上「文明開化」的風潮下人們鄙視傳統事物的價值觀，武術給世人一種「粗暴、野蠻、危險」等不良形象〔註15〕，爲了洗刷世人對武術的看法，「新的名稱有其必要」〔註16〕。其次，嘉納治五郎認爲「『術』這個字的意義比較偏向應用層次，爲了表現「應用」的「原理」，故選用『道』這個字〔註17〕」。第三則是歷史傳承的問題。雖嘉納治五郎企圖讓世人重新認識柔術，但他認爲自己是繼承諸多師範的教導，根據歷史資料，部分柔術古流派曾經使用過「柔道」這個詞，爲了呈現自己是傳承師範教誨並且「對柔術的悠久歷史與傳統表達敬意」，選用「柔道」一語〔註18〕。

　　從「術」轉換成「道」的過程，不僅是語詞使用方式的變更，語詞所指涉的內涵也有所轉換。以嘉納治五郎的講道館柔道來說，嘉納即是透過研究各流派的技術與書籍，截長補短打造出在講道館教授的柔道。由於技術性問題的討論並非本文重點，在此不談。簡而言之，嘉納治五郎「藉著（將柔道）理論化、系統化」，講道館的柔道不再像過去的柔術修練幾乎只能透過身體來傳授、學習，而是成爲一套可以用語言說明的體系〔註19〕。除了理論化以及系統化分類以外，井上俊統整出嘉納治五郎對柔術進行近代化改造工程的要點：

〔註13〕〈大日本武德會規則〉，收錄於中村民雄，《史料　近代劍道史》（東京：島津書房，1985年），頁27～31。

〔註14〕井上俊，《武道の誕生》（東京：吉川弘文館，2004年），頁15。

〔註15〕同前註，頁17。

〔註16〕同前註，頁16。

〔註17〕同前註，頁17～18。

〔註18〕同前註。

〔註19〕同前註，頁21～24。

一、比較古來各種柔術派別並將之分類及理論性地建立成一套系統。

二、爲了提高學習者的學習動機，建立段級制度。

三、確立比賽規則與裁判法則。

四、將講道館建立爲財團法人，使之成爲近代化的組織。

五、強調柔道修行的教育價值。

六、透過演講、著作和發行雜誌等言論活動來推廣講道館柔道。

七、很早就構想將柔道「國際化」並努力介紹、推廣到國外。

八、承認女性入門學習並在講道館設立女子部，意圖將柔道推廣給女性。

九、藉由推廣紅白對抗以及學校或地區性的對戰，使武道發展爲「可觀戰的運動」。〔註20〕

這些變更並不只對柔道發展產生影響，由於嘉納治五郎身爲大日本武德會要員，他以及他的門生皆對武德會在發展武道的方針上產生不小的影響，例如建立段級制度、統一評判的標準，以及制定一個全國通用的「形」〔註21〕等，雖這些改革最初可能僅針對柔道項目，往後也逐漸擴及劍術與弓術等其他傳統武術〔註22〕。

嘉納治五郎將「柔術」改爲「柔道」，大日本武德會之後亦將原本的官方稱呼：「劍術」、「柔術」於大正八年（1919）定案爲「劍道」、「柔道」。「弓術」的更名稍晚，較爲廣泛地改名爲「弓道」，要到大正末年、昭和初期這段時間（1920年後半），舉例來說，在高中裡稱爲「弓藝部」或「弓術部」的社團名稱，都是相對較晚期才更名爲「弓道部」，如仙台的二高在修正名稱時的理由：「廢止遊戲性質較重的弓術一詞，採用可表現人格修養之義的道這個字。」〔註

〔註20〕井上俊，《武道の誕生》（東京：吉川弘文館，2004年），頁9～10。

〔註21〕劍道、柔道、弓道等武道皆有「形」的概念，就字義上理解，可以說是武道修練時顯現在外的「外觀」，是一套身體應如何擺置的規範體系。「外觀」、「形」不只牽涉修練方式、技巧等技術層面的問題，也牽涉到對技術問題的看法等理念上問題。各種武道流派過去因實際需求不同、指導者的想法及強調的重點不同，依不同派別發展出各種不同的「形」，但在大日本武德會這類與國家關係緊密的組織成立之後，便力求制定統一的「形」。或許此舉在推廣上可求方便，然而後來卻造成若非合於該統一組織制定的「形」便會被判定爲不正確的情況，此事態一直到今天仍舊存在。

〔註22〕井上俊，《武道の誕生》（東京：吉川弘文館，2004年），頁104。

〔註23〕同前註，頁114～115。原文如下：「遊戲的意義を多分にもつ弓術の字を廢し、人間的修行の標語とされる道の字を採る」。

23） 此處所謂「人格修養」的「道」具體內涵爲何？又是如何發展出來的？這
些問題必須放在日本的「武士道／武道」的發展脈絡來理解，才能掌握較完
整的面貌。下一小節將簡略描述武士道的發展，這有助我們理解在明治時代
以後，「人格修養」的「道」是如何產生以及爲何產生。

第二節　近代發明的「武士道」思想

　　若要完整追溯日本武士的歷史及其發展過程，其工程太過耗大、非本文
能力所及，亦非本文主旨，在此藉由日本學者已有的研究成果，來概括描述
現下我們熟知的「武（士）道」的成立過程。

　　根據日本中世文學研究者佐伯眞一的考證，「武士道」一語雖在戰國時代
後期開始出現在歷史記載上，但在之後的文獻記載上並不多見，直到明治三〇
年（1897）後，此語才普遍流傳開來。事實上「武士道」一語很難找到精確的
定義，無論過去或現在，有關「武士道」著述者，經常依自己喜好的武士形象
或武士道論來定義「武士道」一語，故其涵蓋內容非常廣闊。據此，佐伯眞一
認爲，「武士道」一語的定義若概略地說是「爲了描述武士的精神等而使用的
權宜之詞。其內容則因語詞使用者對武士觀點不同而有很大差異。」〔註 24〕

　　依循佐伯眞一的考察，以下將簡略描述歷史上使用「武士道」一語的發
展脈絡。佐伯指出，「在中世，所謂的『道』大多是指專門技能。〔註 25〕」平
安時代〔註 26〕及鎌倉時代〔註 27〕「『兵之道』、『弓箭之道』或『弓馬之道』等
語，大致上是指武士般的能力或習慣，乃至與生存方式各方面廣泛相關的詞
語，並不特別指涉倫理、道德。〔註 28〕」隨著專司戰鬥的武士們逐漸確立自
己的生存方式，在文字記載中與倫理、道德有關聯的「弓矢之道」等用語也
逐漸增加〔註 29〕。然而，這種在室町時代〔註 30〕以後出現諸如「弓矢之道」

〔註 24〕 佐伯眞一，《戰場の精神史　武士道という幻影》（東京：日本放送出版協會，
　　　　 2004 年），頁 192～194。
〔註 25〕 同前註。
〔註 26〕 約爲西元 794 年至 1185 年。
〔註 27〕 約爲西元 1185 年至 1333 年。
〔註 28〕 佐伯眞一，《戰場の精神史　武士道という幻影》（東京：日本放送出版協會，
　　　　 2004 年），頁 195。
〔註 29〕 佐伯眞一，《戰場の精神史　武士道という幻影》（東京：日本放送出版協會，
　　　　 2004 年），頁 196。

或「弓馬之道」的稱呼，主要是對應於貴族、宮廷等「公家」重視詩歌音樂等「文」的才能，專司戰鬥的武士們透過相對於「文」的才能、建立「武」的概念，用以指涉不同於貴族的能力〔註31〕。

　　室町幕府時代以降，隨著武士的生存方式漸漸確立，開始出現「武士之『道』」或「武之『道』」等概念，佐伯眞一認為這或許可以視為「武士道」或「武道」的濫觴〔註32〕。不過，剛在歷史舞台上登場的「武士道」或「武道」的語詞用法並未產生固著的定義，而是「依使用這個語言的人想強調『武士』的哪個面貌而產生各式各樣的用法」，其中最大宗的使用者，是將「武士道」或「武道」的重點放在「兵法」上〔註33〕。「兵法」是指「用兵之術」，以在戰場上獲勝為首要目標，為求勝利不擇手段，透過謀略或欺敵來達到勝戰目標，以及在戰場上無論如何都必須存活下來以求取最後勝利等等的行為準則才是當時的主流想法。以獲勝為最高準則的話，這類要求並不難理解，然而這與今日我們熟知的「武士道」內容，包括與敵人公平對戰，以及英勇赴死等要求截然不同。

　　進入江戶承平之世以後，武士們在戰場上求生及求勝的處事方式與技能，不得不轉化成一套合於當時社會情境的體系。戰國時代「武士道」的最有力繼承者當屬「依據儒學使之改造為合於太平之世的『士道』。〔註34〕」一般認為山鹿素行〔註35〕是「士道」的創始者，但佐伯眞一指出，在山鹿素行之師北条氏長〔註36〕的著作《士鑑用法》裡已有討論武士存在的必要性及社會責任，《士鑑用法》的討論架構將武士視為儒家所談的「士農工商」中「士」。值得注意的是，中世室町時代相對於貴族之「文」而成立的「武」，至此開始轉化為「士農工商」中的「士」，佐伯眞一認為「這很顯然是為了適應新時代的武士論。」〔註37〕

〔註30〕約為西元 1336 年至 1573 年。
〔註31〕佐伯眞一，《戰場の精神史　武士道という幻影》（東京：日本放送出版協會，2004 年），頁 196～203。
〔註32〕同前註，頁 199。
〔註33〕同前註，頁 205。
〔註34〕同前註，頁 223。
〔註35〕1622～1685 年，江戶時代初期著名的儒學者、軍事學者。
〔註36〕1609～1670 年，江戶時代初期著名的甲州流兵法家。
〔註37〕佐伯眞一，《戰場の精神史　武士道という幻影》（東京：日本放送出版協會，2004 年），頁 222～224。

　　向北条氏長學習兵法的山鹿素行，則將「士道」更進一步系統化並推而廣之。在山鹿素行眼中，武士階級的社會責任「已經不是戰鬥專家，而開始被要求必須遵循忠、信、義等儒教德目」並扮演人民的楷模〔註38〕。不過，並不是所有儒學者對於「武士道」都採用這種接受而後轉化的態度，同樣也對兵法知之甚詳的荻生徂徠〔註39〕就將武士道視為「落伍的戰國風俗」，甚至認為在當下（江戶時代）這種文治社會下，不需要拘泥於以「下賤的舊武士之名」來要求「士」作為民眾的模範〔註40〕。佐伯真一認為這類儒學者對「武士道」的批判，形成另一種與過去「文」（貴族）／「武」（武人）的對立截然不同的新對立模式。重視「武」的人們，反對強調「文」的價值並尊崇中國文化的儒學者們，「隨著『文』的內涵從過去『文＝公家（朝廷）』轉換成『儒教＝中國』，『武』的位置因而轉變成『日本』的象徵」並且與之後的民族主義合流〔註41〕。而這套對立的思考方式，不僅是「日本武國論」的起源，亦是往後與國家主義者、民族主義結合的「武士道」之所以大流行的根本原因〔註42〕。

　　幕府末期，西方帝國主義的觸手伸進亞洲、開始對日本與中國造成威脅。日本一方面必須面對西方強權威脅，另一方面，過去長期以來尊崇的中國，在鴉片戰爭中卻遭英國擊敗，對日本來說，「文＝儒教＝中國」權威性不再，強調「武＝日本」的「武士道」聲勢漸隆〔註43〕。儒教中國此後無法再扮演對立結構中與武士日本相對的另一端，幕末乃至日本進入明治時代，日本人更需要正視的他者，是全面進入日本社會的西方文明。

　　佐伯真一指出，「戰國時代末期誕生的『武士道』，其樣貌到江戶時代後半產生改變，到了明治時代以後則重生為另一個完全不同的語詞。〔註44〕」倫理學學者菅野覺明亦認為「『武士道』是明治時代的語言…是明治時代的人們假借『武士道』之名來創造新的日本精神主義，和近代以前武士們的思想

〔註38〕同前註，頁 225～227。
〔註39〕1666～1728 年，江戶中期著名的儒學者與思想家。
〔註40〕佐伯真一，《戰場の精神史　武士道という幻影》（東京：日本放送出版協會，2004 年），頁 231。
〔註41〕同前註，頁 233～236。
〔註42〕同前註，頁 239。
〔註43〕同前註。
〔註44〕同前註，頁 245。

沒有關係……〔註45〕」因而將明治時代以後的「武士道」命爲「明治武士道」，用以將之與明治以前的「武士道」概念區分開來。那麼明治以後的「武士道」有何特色？山岡鐵舟〔註46〕於明治二〇年（1887）口述完稿、明治三十五年（1902）出版《武士道》，該書談論的「武士道」是「肯定祖先崇拜、皇室崇拜、道義、佛教、儒教等日本傳統精神，相對地，將科學、西洋文明、物質主義、利己主義、主張權利等視爲危害日本傳統之物而加以批判。而前者的代表就是『武士道』。〔註47〕」他甚至認爲正是代表日本傳統精神的「武士道」衰退才導致社會混亂。佐伯認爲這類言論承繼日本武國論的歷史軸線，也是「之後大爲風行的『武士道史觀』的原型。〔註48〕」

像這樣與西方價值對立、代表日本傳統精神的「武士道」，隨著日本於明治二十八年（1895）日清戰爭（中日甲午戰爭）中打敗中國滿清政府建立自信，終於膨脹成「世界人類的一大精華」。大日本武術講習會在明治三十一年（1898）所發行的雜誌《武士道》，其中提到歐洲人對世界各地人類的經濟剝削，將之形容爲弱肉強食的世界觀，而能對抗這種行爲的只有日本，因此必須振興作爲「世界人類的一大精華」的武士道。佐伯眞一便嘲諷道：「明明以前剛誕生時的『武士道』才是最講究優勝劣敗、弱肉強食思想，在對抗西洋文明的物質主義或以自我爲中心的功利主義時，一轉成爲日本傳統的、精神性價值的象徵，透過這點，『武士道』終於被讚揚爲『世界人類的一大精華』。〔註49〕」

中英鴉片戰爭中國的敗戰，使得「儒教＝中國」不再具有權威性。時至明治二十八年（1895），日本在日清戰爭（中日甲午戰爭）中親自打敗過去崇敬的天朝中國以後，中國對日本的權威完全崩潰，「日本人迅速輕蔑中國。因此對抗西方列強的精神性基礎，就不得不從日本固有的東西中尋找。〔註50〕」促使日本站上國際舞台的另一場重要戰役：日露戰爭（日俄戰爭）於明治三十七、三十八年（1904～1905）間爆發。此戰最後以日本戰勝結束。近代以來一直受到列強壓迫的小國日本，竟能戰勝傳統強權國俄國，這場戰役的結

〔註45〕 菅野覺明，《武士道の逆襲》（東京：講談社，2004 年），頁 18。
〔註46〕 1836～1888，後受封子爵，係日本幕末、明治初期活躍的武士與思想家。
〔註47〕 佐伯眞一，《戰場の精神史　武士道という幻影》（東京：日本放送出版協會，2004 年），頁 246。
〔註48〕 同前註。
〔註49〕 同前註，頁 251。
〔註50〕 同前註，頁 252。

果撼動了世界。趁著這場勝仗，「武士道」也登上世界舞台。

　　新渡戶稻造以英文所寫的《武士道》（原書名爲"Bushido，The Soul of Japan"）於明治三十三年（1900）在美國出版，雖然甫出版即頗受好評〔註51〕，但這本書眞正廣爲流傳正是在日本打敗俄國後、被譯成各種語言，造成西方國家的「武士道風潮」〔註52〕。新渡戶稻造的「武士道」論影響之深遠，甚至到今天一般所認知的「武士道」仍舊受到新渡戶稻造的著作左右。然而，新渡戶稻造的《武士道》事實上「是從發展至今的（武士道）歷史斷裂開來、是新的「武士道」。〔註53〕」佐伯眞一引用新渡戶稻造本人的記述指出，新渡戶到《武士道》出版三十餘年後才知道歷史文獻上早有「武士道」的用語，當他在寫作該書時，對於此語的歷史是完全無知的。佐伯眞一認爲：「說得極端點，新渡戶所說的『武士道』與《甲陽軍鑑》以來各書籍所使用的『武士道』，只不過是偶然地在文字排列上一致而已。〔註54〕」

　　新渡戶稻造書寫《武士道》動機，自始即明顯是以西方世界爲對話對象，他在第一版的序文中自述：

> 約十年前，我受比利時法學大家、故德拉維勒葉教授招待數日，某日散步時，我們聊到宗教的話題。這位令人尊敬教授問我：「您說貴國的學校沒有宗教教育，是嗎？」聽到我回答「沒有」後，他吃了一驚，突然停下腳步說：「沒有宗教！那要怎麼進行道德教育？」他反覆說了好幾次，令我難以忘懷。這個問題讓當時的我爲之一愣，我沒辦法立刻回答，因爲我年少時學到的道德教誨，並不是在學校學的。於是我開始分析形成自己正邪善惡觀念的各種要素，最後我發現養成我這些觀念者，是武士道。寫這本書的直接理由，是我的妻子常常問我，爲什麼日本普遍會有某些想法或風俗。我試著提供令德拉維勒葉及妻子滿意的回覆。〔註55〕

〔註51〕佐伯眞一，《戰場の精神史 武士道という幻影》（東京：日本放送出版協會，2004年），頁253。

〔註52〕太田尚樹，《明治のサムライ——「武士道」新渡戶稻造、軍部とたたかう》（東京：文藝春秋，2008年），頁106。

〔註53〕佐伯眞一，《戰場の精神史 武士道という幻影》（東京：日本放送出版協會，2004年），頁253。

〔註54〕同前註，頁254～255。

〔註55〕新渡戶稻造著，矢內原忠雄譯，《武士道》（東京：岩波書店，2010年），頁11。

眾所周知，新渡戶稻造的妻子是美國人。新渡戶稻造爲了回應德拉維勒葉教授對道德教育的疑惑，以及妻子對「日本」乃至「日本人」的好奇，他找出的答案是「武士道」。佐伯眞一指出，新渡戶稻造從自身經驗「找出」的「武士道」與過去的歷史有極大斷裂，而這其實是日本明治近代以來的武士道相當普遍、共通的問題，「並非新渡戶稻造個人的問題。」〔註56〕

在國外引發風潮的《武士道》於明治四十一年（1908）譯爲日文在日本出版，並伴隨著「日本武國論」的發展，影響日本人對「武士道」的認知〔註57〕。值得注意的是，知識系譜與西方較爲接近、也是基督徒的新渡戶稻造所詮釋的「武士道」，除開原本就是爲了西方人所寫以外，其間有透過與基督教教義對比、連結的成份。雖說新渡戶稻造的《武士道》在國外大紅大紫後重新傳回日本國內，但畢竟與「日本武國論」的軸線不同。佐伯眞一認爲兩者與其說是「合流」，「還不如說是像水和油那樣的關係〔註58〕」。菅野覺明則指出：「概略來說，典型的明治武士道有兩類，一是像井上哲次郎這種國家主義者，另一類是像新渡戶稻造、內村鑑三、植村正久等基督教徒。〔註59〕」雖然在「兩者皆把武士道視爲日本民族的道德、國民道德。〔註60〕」這點是共通的，但畢竟理念、目標各異。

曾著《勅語衍義》以官方立場詮釋往後影響日本教育甚深的《教育敕語》、並確立與普及近代日本國家主義式道德體系思想的重要推手井上哲次郎，將「武士道」視爲日本民族的精神與自我，是日本諸多問題的最終解決方案之一。與之相對，基督教徒們眼中的「武士道」只是一條可以引導日本人通往基督教精神的橋樑。內村鑑三就曾發表文章，主張武士道雖爲日本最善之物，但並不能拯救日本，應以武士道爲臺階連結基督教，基督教才是世界最善者、才能拯救日本與全世界〔註61〕。國家主義者與基督教徒的衝突，明治二十四年（1891）的「不敬事件」可爲最著名的代表。此事件主角正是前述的內村

〔註56〕 佐伯眞一，《戰場の精神史　武士道という幻影》（東京：日本放送出版協會，2004年），頁259～260。
〔註57〕 同前註，頁263。
〔註58〕 同前註。
〔註59〕 菅野覺明，《武士道の逆襲》（東京：講談社，2004年），頁260。
〔註60〕 同前註，頁261。
〔註61〕 詳細討論請見同前註，菅野覺明，《武士道の逆襲》（東京：講談社，2004年），頁260～271。

鑑三，而對內村提出嚴厲批判者即包括井上哲次郎。武士道與基督教義的關聯，以及基督教在近代日本所扮演的角色、或者與井上哲次郎等國家主義者的衝突，並非本文主旨故在此打住。

藉由這些考察「武士道」的前行研究，我想指出的是，無論前述兩種「明治武士道」重詮、宣揚「武士道」的終極目標為何──誠如菅野覺明所言──他們大致上都同意「武士道」是日本民族、國民的道德價值，而這正是在前小節提及，大日本武德會將武道修練視為人格修養的產生條件。其次，「武士道」並非如一般我們所想像的是「日本古來的傳統」。在日本歷史上的確有「武士道」或「武道」的用語，但其內涵不是在自然發展的歷史脈絡下成立，而是有目的地被創造、發明的產物。一方面近代的「武士道」其成立和過去日本各時代類同，多少是在回應某個他者後逐漸產生並確立內容──從一開始武人與貴族的對比，之後與儒學者的對立，乃至與中國以及西方的對立皆然。在不同的歷史脈絡下，每個時期的「武士道」都擁有不同內涵。另一方面，明治時期的「武士道」產生巨大、斷裂式的轉變。明治初期的文明開化風潮，大量輸入西方思想與器物制度，固然對傳統事物產生巨大的破壞與毀滅，同時也伴隨許多傳統事物的「再創造」。

「明治武士道」被詮釋為日本民族特有、固有的精神，且應該成為日本國民的道德準則，同時，武術修練也透過大日本武德會的革新，成功轉型為合於明治以後近代價值的「傳統」，武（士）道儼然已浴火重生，找到新的社會功能與角色。國民道德準則若欲推及全體國民，近代國家下的義務教育無疑是最有效率、最方便的手段，下一個小節，便以武道納入學校教育的發展經過為主題。武道與教育體系的關係，不止映射出近代國家的日本如何看待這項「日本傳統」，也能為我們指出由國家主導的教育體制在教化國民的重要性。在下一章審視武道在殖民地台灣發展時，這項作業會幫助我們理解武道如何發揮功能、發揮什麼樣的功能。

第三節　武道與學校教育

中村民雄指出，明治以降，鼓吹將武道列為學校正式課程的風潮共有四次：一、明治十年左右，民權論與國權論激烈對抗之際；二、中日、日俄戰爭前後，國粹主義興起；三、滿州事變爆發後，日本轉變為天皇制法西斯國

家的戰時體制時期；以及四、從二戰後聯軍佔領末期到締結和平條約、開始右傾化的這段時間。民間人士向政府提出學校正式課程應納入武道訓練的時間點，都是在政治、社會上產生變化、危機意識高漲之際〔註62〕。顯見「武道／武士道」被視爲可以帶領日本度過危機或提供解決方案。

在明治初期第一波推動將劍術修練納入教育體系時，文部省曾詢問各地方政府，並要求地方政府調查將武道納入正規教育是否適切。依調查方式及各地情況不同，贊成與否的意見並不一致。贊成的意見中提到武道可以「矯正懦弱的氣風、端正奢侈的風俗，鍛鍊膽識、涵養勇氣〔註63〕」；反對意見則認爲武道的教授法並未統一，也不是爲了兒童發育所設計的體育活動，貿然施行並不妥當。政府最後雖沒有將武道修練納入正式課程裡，卻也默許課外活動進行武道修練〔註64〕。

明治二十七、八年（1894、1895）年，日本戰勝中國清廷，國際地位大幅提升，並重新發掘傳統事物以界定自我並確立民族自信心。在這個時代背景下漸漸普及的是「和洋折衷」的「武術體操法」，將武術和西方傳入的體操融合，以消除武術中被視爲不利於兒童發展的操練部份〔註65〕。然而，政府方面以一、對身體的發育缺乏平衡；二、容易流於粗暴；三、教學方式未統一；四、從衛生層次來說，衣服和道具的清潔難以維持〔註66〕，等理由，仍未將武道列入正式課程。即使如此，教育現場將武道列爲課外活動的學校數量持續增加〔註67〕。另一方面，部份倡議者直接向帝國議會提出請願。從這些來自地方人士的請願書，我們可以觀察到幾個在當時倡導武道者眼中武道具有的價值與功能。

這些請願者主張武道的歷史悠久，且因日本古來尚武，才能在歷史上多次抵禦外敵、爲日本帶來榮耀。長野修武館長柴田克己與水戶東武館長小沢一郎在請願書中，便主張日本至今三千年仍能夠在東洋屹立不搖的理由，是

〔註62〕中村民雄，《史料　近代劍道史》（東京：島津書房，1985年），頁115。

〔註63〕這段話是來自福島縣答覆政府的調查意見，中村民雄，《史料　近代劍道史》（東京：島津書房，1985年），頁115。

〔註64〕同前註，頁115～116。

〔註65〕同前註，頁116。

〔註66〕山本禮子，《米國對日占領政策と武道教育》（東京：日本圖書センター，2003年），頁95。

〔註67〕中村民雄，《史料　近代劍道史》（東京：島津書房，1985年），頁116。

「……上下尚武、人心一致衛國之結果〔註68〕」如元朝曾來犯、意圖併吞，我方與之肇戰後擊退來敵、使之膽顫心寒，又如豐臣秀吉曾震撼朱明，這些都是「我國武道剛強的史實處處可爲明證。〔註69〕」乃至明治三十七、三十八年（1904、05）的日露戰爭（日俄戰爭），舉國上下尙武的風氣蓬勃高漲，正是因爲「……終究從先祖繼承下來的遺物得以時俱變、得以充份激勵（國民）〔註70〕」並使得陸海軍在戰場上戰無不勝、攻無不克，此爲「我國固有武士道所帶來的功效〔註71〕」。曾三次針對武道納入正課提出議案的衆議院議員星野仙藏，在第二十一帝國議會〔註72〕衆議院提出的建議案中亦指出，和世界強權的俄國開戰以來連戰皆捷，可以說是日本已經成爲世界一大強國的顯著證據，而日本所以能成強國的原因在於「所謂建國尚武之美風〔註73〕」，而「此建國尚武之美風，即大和魂、即武士道，流傳至今。此所謂大和魂、武士道者，乃忠君愛國之義氣，以之爲旨，粉身碎骨、死而後已之熱誠。〔註74〕」然而明治以來，武道遭到罷黜，對社會、人民風氣造成諸多影響，關重郎治在請願書寫道：「細思當今天下形勢，總的來說流於文弱、武脈衰微，古來國史未曾有今日衰弱之情事。……蓋國家大要乃文武二途。文

〔註68〕 柴田克己、小澤一郎，〈撃劍を中學校の正科と爲す建議書〉，於明治三十年（1897）年向第十次帝國議會提出，後刊載於《越佐教育雜誌》第144號（1902年6月）。收錄於中村民雄，《史料　近代劍道史》（東京：島津書房，1985年），頁144～145。本段原文如下：「蓋天祖降臨以來上下武を尚ひ、人心一致して國を衛るの結果なり」

〔註69〕 同前註。原文：「我國の武道に剛なる史乘の伝ふる所歷々徵すへし。」

〔註70〕 同前註。原文：「畢竟祖先時代より繼承する遺物が時變に應じて能く奮興せしものに他ならず。」

〔註71〕 柴田克己、小澤一郎等數十人，〈劍術を學校の正科に加ふるの建議書〉，《體育》第138號，明治三十八年（1905）五月。收錄於中村民雄，《史料　近代劍道史》（東京：島津書房，1985年），頁146～147。原文：「……我國固有の武士道の與へたる功果にほかならず。」

〔註72〕 明治三十七年（1904）十一月三十日至明治三十八年（1905）二月二十七日

〔註73〕 星野仙藏，〈體育二關スル建議案（星野仙藏君他十一名提出）〉，《第二十一帝國議會衆議院委員會議錄》。收錄於中村民雄，《史料　近代劍道史》（東京：島津書房，1985年），頁148～158。原文如下：「是ガ所謂建國尚武ノ美風ト雲フモノデアリマス、我邦ガ今日ノ強國二至ツタ原因デアルト考ヘマス。」

〔註74〕 同前註。原文：「此建國尚武ノ美風ガ、即チ忠君愛國の義氣デアリマシテ、ソレガタメニ、骨ヲ粉ニシ身ヲ碎キ、斃レテ而シテ後止ムノ熱誠トナツテ、溢ルルノデアリマス。」

乃美化治世之具、武爲平定亂世之用。……文雖與日精進，武之日衰，我日
本魂已沒入地平線。〔註75〕」現下雖爲治世，仍應居安思危。「流於驕奢、
耽於利益」的風氣，顯示當今人們已經遺忘國家仍然面臨中、英、俄等強國
威脅的危機。「我國乃武國，武威不振猶如人之死脈。〔註76〕」他說，蜂尚
且有針、螳螂尚有斧保護自身，何況是萬物之靈的人？習武術（劍術）是爲
了「一防身，二保家，三衛國，四則鍛鍊全身體力，使虛弱抑鬱者健康，激
勵義勇忠烈之心、使精神活潑。〔註77〕」現今社會雖已文明，「智」得到充
份發展，但「仁勇」之心卻非常不足。國家的普通學校是「培養人民善良忠
義種子的場所〔註78〕」爲了養成義勇之心，關重郎治主張應將學校中的體操
改施以擊劍（劍術）訓練〔註79〕。在柴田克己與小沢一郎的建議書中亦提到，
「劍道可鼓舞一國人士之志氣，教導青年子弟修練，不只在體育上有益，在
精神教育上亦有莫大功用。兵式體操雖能教導秩序和紀律，但在精神鍛鍊
上，還是不及劍術。〔註80〕」因此應該和體操並行，在學校教授劍術。若從
平常便對青年學子施與劍術教育，「可鍛鍊手腕、養成氣概，亦可一振神州固

〔註75〕 關重郎治，〈皇國民兵奮起見込〉、〈現行體操課目中劍道編入請願書〉，《關　重
　　　　郎治文書》。本文引用者收錄於中村民雄，《史料　近代劍道史》（東京：島津
　　　　書房，1985年），頁128～137。〈皇國民兵奮起見込〉一文所記載的日期爲明
　　　　治二十七（1894）年一月；〈現行體操課目中劍道編入請願書〉提出日期則爲
　　　　明治二十七年（1894）十二月。原文如下：「方今天下ノ形勢ヲ精考スルニ、
　　　　總テ文弱ニ流レ、武脈衰ヒ、古來國史ニモ未タ今日ノ如キ衰弱ニ至リシ事
　　　　アラズ。……蓋シ國家ノ大要ハ文武二途ニアリ。文ハ治世ヲ修飾スルノ具
　　　　ニシテ、武ハ亂世ヲ平治スルノ具ナリ。……文ハ日ニ進ムト雖も、武ハ日
　　　　ニ衰ヒ、我日本魂モ已ニ地平線ニ没セントス。」
〔註76〕 同前註，關重郎治提出這篇請願書時，正是日清戰爭（中日甲午戰爭）之際。
　　　　原文：「夫我國ハ武國ナリ。武威ノ衰ヒタルハ猶人體の死脈ニ等シ。」
〔註77〕 同前註。原文：「一ニハ身ヲ守リ、二ニハ家ヲ守リ、三ニハ國ヲ守リ、四ニ
　　　　ハ我全身體力を練リ、虛弱鬱症ナル者ヲ健康ニシ、義勇忠烈ノ心ヲ勵シ、
　　　　或ハ精神ヲ活潑ナラシムルニアル。」
〔註78〕 同前註，頁135。原文：「……皇國一般ノ學校ハ、人民善良忠義ノ種ヲ蒔所
　　　　ナル……」
〔註79〕 同前註。
〔註80〕 同註77。原文：「謹で惟ふに、劍道は一國人士の志氣を鼓舞するものに有之、
　　　　これを青年子弟に教授するは獨り體育上有益なるのみならず、精神教育上
　　　　大功有之候。彼の兵式體操の如きは、秩序と規律とを教ゆるの効あれども、
　　　　精神鍛鍊に至りては、尚劍術に及ばざるものあり。」

有的尚武美風。〔註 81〕」藉此穩固尚武精神後，便能「篤定往後面對戰鬥的覺悟，並以之奉獻國家。〔註 82〕」

然而，關重郎治與柴田克己等人的請願案皆未受到政府方面的認可。眾議員星野仙藏在第 21、22、23、24 連續四次的帝國會議〔註 83〕上皆提出建議，第 22 次帝國會議通過中學及同等級學校的體育正課中可從劍術、柔術或練膽操術（以劍術爲基底的一種體操）擇一教授。直到第 24 次帝國會議，在星野仙藏鍥而不舍的提案下，帝國議會終於決議在中等學校的體育正課中納入劍術、柔術或練膽操術〔註 84〕。雖議會通過決議，但在實際執行層面上，卻受限於有能力教授劍術、柔術的師資嚴重不足，縱使之後的第五十回帝國議會通過「關於武道普及的建議案」（〈武道普及ニ關スル建議案〉），要求政府應加速武道普及、將武道列爲小學的正式課程以及中學的必修課程，但師資缺乏造成武道普及困難，執行面上的障礙到第五十回帝國議會的大正年間都未獲得解決，中村民雄指出，這層執行層面上的困難，使得昭和六年（1931）政府在制度上規定中學校以上的男子應修習劍道與柔道之前，中等學校的武道課程實際上只能以選修課程的方式施行〔註 85〕。

大正中後期乃至昭和初期，一次世界大戰以來的經濟成長告終，日本同樣受到世界經濟大恐慌波及，社會陷入動盪不安的氣氛之中。爲了解決經濟上的困境，以加強對在中國的殖民地的支配爲基本戰略方向的軍部，意圖建立高度國防國家及總動員體制，武道界也積極回應這個方針，當時的武德會會長本鄉房太郎便發表演說，表達在該戰略方向下武道訓練有助於建立健全的總動員體制〔註 86〕。由於本鄉房太郎的這篇演說，不只在日本開始建立總動員體制之際積極表態支持，更直接影響之後幾位會長的領導方向、成爲大日本武德會在日本的十五年戰爭期間的基本方針。其內容和此處所討論的推

〔註 81〕 同註 74，頁 175。原文：「且夫平素子弟をして此の術を講習せしむる時は、其手腕を鍛錬し、其氣概を養成し、神州に固有せる尚武の美風を興起するの功少しとなささるへし。」
〔註 82〕 同註 77。原文：「……今後の戰鬥に對する覺悟を固め、之に依て國に奉じ……」
〔註 83〕 自明治三十七年至明治四十一年。
〔註 84〕 中村民雄，《史料　近代劍道史》（東京：島津書房，1985 年），頁 118。
〔註 85〕 同前註，頁 119。
〔註 86〕 同前註。

動武道列入學校教育較無直接關聯，待後面章節再提出來討論。然而，可以確定的是，由於大日本武德會積極應和國家政策，此時來自武道界要求將武道訓練列入正課、必修的呼聲愈加高漲，進入中村民雄所指出的第三波武道列爲正課請願的高峰。

第三波請願運動的另一個背景，是政府開始意識到青年學子的思想問題，例如昭和三年（1928）年四月十七日的文部省訓令第五號便指出，若未來將成爲國家基礎的年輕學子受到與國體不相容的思想汙染，那麼「恐怕會破壞國家存在的基礎」〔註87〕，一方面開始從教育體制對學生思進行導正，另一方面也清算宣揚左翼思想的學者、教授〔註88〕，明治以來原則上以天皇主義爲中心的一般民眾教育，以及以西歐知識爲中心的菁英教育的二重結構教育政策，此後又重新編成爲一元的、以天皇主義爲中心的教育體系〔註89〕。由於將學生思想問題的原因視爲是「針對國體觀念的教育不夠徹底」〔註90〕，向來被認爲能充份教導日本傳統精神的武道／武士道教育，作爲修正學生思想問題的其中一項對策被提出，而有其發展空間。

前述大正十四（1925）年的第五十回帝國議會眾議院中提出「關於武道普及的建議案」（〈武道普及ニ關スル建議案〉），山本禮子指出當時支持者的

〔註87〕 寺崎昌男、戰時下教育研究會編，《總力戰體制と教育　皇國民「錬成」の理念と實踐》（東京：東京大學出版會，1987年），頁11。
〔註88〕 面對學生運動及學生思想問題更直接、激烈的手法是：日本政府於昭和三年（1928）公佈治安維持法後，思想員警針對激進的左派大學生進行逮捕、思想改造，迫其發表「轉向」聲明，放棄原有諸如廢除天皇制、反對滿州事變等，在日本共產黨代表人物佐野學、鍋山貞親發表「轉向」聲明後，「轉向」一語在學生間廣爲流行，也成爲政府對學生進行思想改造時的代表性用語，鶴見俊輔認爲「轉向」一語的出現與流行「主要意義在於，在國家權力下造成思想的轉變是可能發生的。這個現象有兩個層面：其一是國家強制力的運用；其二是個人或團體在面對壓力時，他或他們自己所選擇的反應。對這個現象來說，強制力的作用和自發性，是兩個不可或缺的層面。」我認爲這種國家權力造成人民思想改變的兩個面向（強制力和個人自發性），不只在「轉向」的議題，也同樣有助於我們思考在殖民地台灣推行武道所造成的效果。殖民地臺灣的部份待後再述。關於前述「轉向」，參考鶴見俊輔，《戰爭時期日本精神史1931～1945》（臺北：行人，2008年）。
〔註89〕 寺崎昌男、戰時下教育研究會編，《總力戰體制と教育　皇國民「錬成」の理念と實踐》（東京：東京大學出版會，1987年），頁11。前引鶴見俊輔亦談及此點。
〔註90〕 同前註。

主要論點在於「武道不可與強國壓倒小國的軍國主義相提並論，其能修養精神、振興國民精神並養成質實剛健的風氣，因此十二、三歲的兒童就應該開始修練。〔註91〕」。第五十回帝國議會的貴族院裡也提出類似的議題：「對於鍛鍊那些被外來思潮支配的青少年的身心修養而言，具實踐性的磨練、武道教育最爲適切。〔註92〕」武道現代化的重要推手──嘉納治五郎對此表示贊成，認爲將來應基於生理學和教育方法，以這種體育和精神教育上最有效用者來訓練、養成學生，並指出，教育雖必須考量整個世界，但「在教育層面上必須同時重視日本的歷史、國史等這類課程」〔註93〕。

　　時至一九三〇年代，日本逐漸邁入戰時體制。被視爲修正學生思想手段的「武道」，納入正式教育體制的腳步也隨之加速。雖中等學校在明治末年依據帝國議會決議，可於體育正課中施行劍、柔術，但如前所述，因教師不足的問題難以解決，始終都只是選修課程，實際教學執行層面上可謂困難重重。舉一則昭和四年（1929）臺灣日日新報的報導爲例。該報導指出文部省正對隸屬於體操科的武道（柔劍道）教育進行通盤、根本的檢討與改革研究。依規定武道科爲正式課程，但有些地方仍因學校狀況僅定爲隨意科（選修），文部省希望針對柔劍道兩科進行調查，一律將之列爲正課並「嚴格規定授課時數」〔註94〕。到昭和十一年（1936）政府公佈「第二次改正學校體操教授要目」（〈第二次改正學校体操教授要目〉），明治四十四年以來，中等劍、柔道課程一直沒有教授要目（授課大綱）可依循，在這項「教授要目」成立後，總算在名實上確立劍、柔道在體操科目的地位。此後，倡議武道列入學校教育的運動，只剩下列入小學校正課以及向社會推廣二大目標〔註95〕。

　　昭和十二年（1937）支那事變、中日戰爭爆發，也就在這年，眾議院在第七十回帝國議會中通過將劍道列入小學校及青年學校的正式科目，大日本武德會更趁勢主張不應只是在學校中實施武道修練，而應將武道推廣到整個社會〔註

〔註91〕山本禮子，《米國對日占領政策と武道教育》（東京：日本圖書センター，2003），頁98。

〔註92〕同前註，頁99。

〔註93〕同前註。

〔註94〕〈中等學校の武道獎勵法　正科にすべく研究中〉，《臺灣日日新報》，1929年8月9日，8版。

〔註95〕中村民雄，《史料　近代劍道史》（東京：島津書房，1985年），頁119。

〔註96〕同前註，頁120。

96〕。兩年後的昭和十四年（1939），劍、柔道被列入準正課，並於同年公佈武道教學的教師手冊：《小學校武道指導要目》。透過這項指導手冊，可以一窺當戰爭進入緊鑼密鼓之際，武道是如何被詮釋和鼓吹，這部分的討論留待後面章節再討論。從制度層面來看，推動武道列入學校正式課程的運動，到昭和十四年（1939）可謂大功告成。然而，之後卻因戰況緊迫，一直到第二次世界大戰結束，武道課程始終並未徹底普及於全國各地〔註97〕。

從推動武道列入學校教育的運動過程來看，每當日本面對危機或重大事件之際，日本傳統的「武（士）道」，便會作爲渡過難關的選項之一被提出來，顯見至少在武道擁護者的眼中，武（士）道在解決國難上是有具體效用的。另一方面，政府方最初對於將武道納入學校教育一事並不積極，民間人士多次請願皆未見效果。大正中、後期，因經濟狀況不佳，軍部漸漸奪權並以對外擴張爲解決經濟問題的方策，受左翼思想影響的學生發起學生運動並反對政府政策，使得政府意識到學生的思想問題。在考量對學生思想的再教育時，向來被視爲是日本精神的武道教育便浮上檯面。從鼓吹者對武道強調的面向來看，武道因其武術成份而是體育，但又不是單純的體育，毋寧說武道鼓吹者更強調武道修練所能帶來的精神教化功能。

殖民地臺灣並不外於這一小節將武道納爲學校正課的發展過程。畢竟若國家要能有效率地將特定思想或價值觀灌輸給人民，最便宜的方式莫過於國家教育體制。更何況是原本並不屬於日本民族的殖民地台灣人民，教化、收編的力道恐不下於日本本土的強度。

第四節　小結

從武道界人士如大日本武德會對武道修練的詮釋可知，在殖民地臺灣推行的「武（士）道」雖有其歷史淵源，但所謂的「歷史傳統」卻未必盡如鼓吹武道修練人士所主張係爲日本固有國粹。明治維新後的日本政府爲求趕上西方列強的腳步，大量拒斥日本舊時代事物並將之定義爲落後、有害，同時全面引進新的西方思想、價值、器物與制度，加以明治政府訂定四民平等，武士階級潰散，武道因而被時代排除在舞台之外，一蹶不振。爾後爲重新復興武道，武道界人士開始大力推動成立全國性武道組織。日本取得日清、日

〔註97〕中村民雄，《史料　近代劍道史》（東京：島津書房，1985年），頁120。

露兩場戰爭的勝利之後，自信大增，促使日本人重新找尋、發掘凝聚民族自尊的「傳統」，因而成爲武道復興的絕佳機運。明治以來全面輸入日本社會的西方現代化思想，亦對傳統武術修練產生影響，從嘉納治五郎等人對武道改革、現代化所下的功夫，乃至作爲近代國家組織的大日本武德會成立，不難發現在明治之後的武道修練開始有科學化、合理化、系統化等現代文明色彩。爲了讓武道能重新爲時代接受、在社會中有發揮功能的位置，勢必要進行一番革新以洗刷無用、落後的舊名，這些工程則產生出一個與過去歷史發展而來截然不同的「武（士）道」詮釋。

　　明治維新以前的武（士）道發展，和進入明治以後重新找尋自我定位類同，處在各個不同時代背景下所謂的「武（士）道」，也是透過不斷區分我群與他者來定義。從早期與貴族詩歌音樂等技能相對的戰鬥技能之「武」，到江戶承平時期後，將戰鬥階級的武士重新詮釋爲儒家所說「士農工商」的「士」，以使武士們在和平時代有其社會功能與角色。然而，如荻生徂徠等儒學者卻將「武士道」視爲戰國時期的鄙俗風氣，因而形成中國儒教（儒學者）與武士（道）之間的對立。這種將中國儒教視爲優越的價值觀，在江戶末期乃至明治初期西方列強進逼日本時開始遭受挑戰，時至日清戰爭（中日甲午戰爭），日本打敗中國清朝，天朝儒學的神聖性就此徹底潰滅，中國儒教之「文」與日本武士之「武」的二極，因而出現「文弱」與「武」之強盛的形象對比。與此同時發生的歷史軸線是：在中國對日本的權威性不再、由西洋文明取代對日本的權威地位以後，日本必須應對、回應的對象轉而成爲西方文明，在重尋日本爲何能異於亞洲其他國家、能與西方列強競逐的理由時，「武士道」被提出。新渡戶稻造的著作，正是這波風潮下的成果，也反過來助長這種自我認知方式。然而，誠如諸多日本歷史學者指出，新渡戶稻造所論述的「武士道」，其內涵未必與此前循著歷史發展而來的武士道思想有直接關聯，而是爲了向西方人展示「日本」所創造出來的「傳統」，在內涵上更參照、融入許多近代民族國家對國民應有的道德要求。

　　站在這些認識前提上，回頭看日本統治者在殖民地臺灣宣揚「武（士）道」的理由，可以得到更完整的認識：建立在日本擊敗清朝後，將中國儒教視爲積弱不振，日本的尚武則是取勝之因。原屬清朝屬地的臺灣，人民當然也被認爲是文弱的一方，在改隸日本後，爲了成爲合格的日本人民，則必須擺脫過去怯懦文弱的性格，就此埋下殖民地人民需自我改造的種子。

　　在日清戰爭（中日甲午戰爭）中取勝而將日本之「尚武」視為國家強盛之道，在戰勝俄國後，更將這種理念膨脹到與西方文明對比，此時登上舞台的則是新渡戶稻造所詮釋的「明治武士道」，殖民地臺灣的人民因而在「日本尚武／中國文弱」的價值判斷、以及明治以來回應西方文明所產生的「武道／武士道」的呼喊下，逐漸踏入修練的道場。

第三章　邁向戰時體制的武道修練

　　武道在台灣的發展狀況，已有前行研究做過相當完整的考察，本文不擬贅述。我想將焦點放在關於武道推廣的論述，特別是推行武道的大日本武德會領導者的看法，能夠幫助我們瞭解當時的人們是如何看待武道。本章伊始，便提出武道在台灣正式開展之際，武德會會長針對推廣武道的發言作爲討論材料。隨著教育政策成形及硬體空間完備，進入大正時期後，武道在殖民地臺灣漸漸有了充份的發展條件。除了這個內在條件以外，當時世界的情勢變化也助長推廣武道的動機。第一次世界大戰期間，雖然日本沒有直接參與戰爭，但爲了因應新的戰爭形式，在報章雜誌上開始有文章呼籲人們應該平時就養成足以面對戰場的身心特質。除開建立總動員國防體系的必要性以外，另外則是大正末年、昭和初期蓬勃的左翼學生運動，使日本政府意識到青年學子的思想問題。在十五年戰爭期間之際，大日本武德會會長發表了一篇往後影響武德會方針以及人們對武道認知的文章，透過這篇文章可以更清楚理解在十五年戰爭期間，武道修練被期許什麼樣的功能。在瞭解當時對武道修練的角色後，對於將武道列爲初等教育必修課程的理由應能有更清楚的認識。

第一節　武道在殖民地台灣的開展

　　如前章所陳，大日本武德會的創建與官僚體系、警察系統有密不可分的關係。在剛取得臺灣時，日本政府十分仰賴軍警體系維護治安，因此大日本武德會在殖民地臺灣發展經過與臺灣總督府及軍警監獄制度有直接聯繫。最早在臺灣引進武道修練的途徑正是透過警察和監獄系統。爲了讓警察修練武藝、強身健體，修練武道的武德殿建築也隨著警察體系的拓展在殖民地臺灣

普及〔註1〕。

明治 28 年（1895）日本政府剛接收臺灣時，行政制度沿用清制三縣一廳，分別爲台北縣、臺灣縣、臺南縣及澎湖島廳。明治 29 年（1896），日本政府修正爲臺北縣、臺中縣和臺南縣，這個行政區劃分制度直到明治 34 年（1901）才改訂。

最初在臺灣設立的大日本武德會組織，與在日本的設立邏輯相同，依循臺灣的行政區劃分方式，分爲臺北縣、臺中縣、臺南縣三個委員部。委員長由該縣知事（縣長）擔任，幹部則大多爲縣書記官、警部長等警政官僚任職〔註2〕。此時臺灣並沒有統籌各地組織的單位，各縣的武德會委員部獨立處理轄下事務，並向京都的武德會總部負責〔註3〕。

明治 34 年（1901）年，臺灣總督府改革地方制度，廢除舊清縣制、設二十廳，原有大日本武德會縣委員部亦隨之廢除：「大日本武德會臺北縣支部在廢縣後，與本島各支部共同直屬於總督府。」〔註4〕自此，臺灣的大日本武德會在各廳設立支部，而各支部則由設於總督府的「武德會臺灣地方委員部」統籌管理〔註5〕。

誠如第一節提過的招募會員方式，臺灣武德會同樣透過警察體系擴張，使得會員人數及募金迅速增加。明治三十九年（1906）之際，武德會臺灣地方委員部的會員突破五萬人：「於此間得多數會員至三十九年四月。全島會員數。實達五萬四千三百二十五人。武德會委員部以該會大勢隆興。」〔註6〕由

〔註1〕 陳信安，〈臺灣日治時期武德殿建築之研究〉（台南：國立成功大學建築學系碩士論文，1997 年），第二章頁 11。關於日治時期武道及武道相關組織的發展，因已有相當仔細的研究成果，在此不再仔細提出討論，僅大略帶過。請參考鄭國銘，〈日治時期臺灣社會體育組織及其運作的歷史考察〉（台北：國立臺灣師範大學體育學系博士論文，2009 年）、林丁國，〈觀念、組織與實踐——日治時期臺灣體育運動之發展（1895～1937）〉（台北：國立政治大學歷史學研究所博士論文，2009 年）以及陳義隆，〈日治時期臺灣武道活動之研究〉（桃園：國立中央大學歷史研究所碩士論文，2008 年）的研究。

〔註2〕 鄭國銘，〈日治時期臺灣社會體育組織及其運作的歷史考察〉（台北：國立臺灣師範大學體育學系博士論文，2009 年），頁 37～40。

〔註3〕 林丁國，〈觀念、組織與實踐——日治時期臺灣體育運動之發展（1895～1937）〉（台北：國立政治大學歷史學研究所博士論文，2009 年），頁 113。

〔註4〕 〈武德會と演武場設置〉，《臺灣日日新報》，1902 年 6 月 12 日，2 版。

〔註5〕 鄭國銘，〈日治時期臺灣社會體育組織及其運作的歷史考察〉（台北：國立臺灣師範大學體育學系博士論文，2009 年），頁 42。

〔註6〕 〈武德會臺灣支部基金募集〉，《臺灣日日新報漢文版》，1907 年 7 月 10 日，2

於在募集會員和資金獲得長足進展，武德會臺灣地方委員部向京都的武德會總部提出申請，期能正式設爲武德會臺灣支部。明治 39 年（1906）5 月，於京都本部召開的全國大會中，舉行武德會支部授旗儀式，並於同年 7 月攜支部旗返抵臺灣〔註7〕。明治四十年（1907）5 月 26 日的武德會臺灣支部始會儀式，官報臺灣日日新報刊載了武德會會長大津麟平的致辭〔註8〕：

> 帝國以武王天下。弓矢與劍皆□援之武器也。相傳至今。萬世一系我武維揚威武用張尚武之風。遂造成今日之強國。非偶然也。故武士道者（英人□之孫朗）幾爲大和男子特有之國粹者也。強兵之與富國猶軍之有雙輪。鳥之有兩翼。蓋有相□密接而不可離之關係也。夫強兵者實富國之前提也。先驅也。果欲富國。未有不先之以強兵者。使一國尚武之氣餒而流于文弱之風。猶欲國家之隆昌興起者。未之有也。我帝國以極東之小島帝國。而能勝世界大國之滿清。膺一等強國之斯拉夫族。國威顯楊。一躍而與歐美之列強伍果何爲哉。其原因雖多端。而惟武士道之德。實其重因也。此新渡戶博士所著之武士道。一時洛陽紙貴各國人士。爭研究焉。有由來也。是故武士道者。以不文之倫理。無言之德教支配我國之十人。與古武術有形影表裏□關係。不可掩之事實也。然則古武術即我武士道精神之所寓焉。不可不保護而擁衛之也。所以使我國民修固有之武術。練其體力。涵養武德。以養成進取勇爲之風道不外是也。時勢之變也。兵器武術。有因而□遷者。即體育方法。亦不能不隨之而一變。故與武士道有密接關係之古武術。不免漸即于衰頹。雖以我國民之腦裏扶植之武士道根蒂已深。必不與古術武共終始而消長。然古武術衰頹。是即武士道之衰之慚也。深慮遠謀之有識者。固不輕而忽之也此日清戰後。武德會之由創設也。其意在古武術之保護獎勵及武德之涵養養成而不怠者。伏見宮殿下總裁以下。暨青木大浦諸氏之所以熱心□力于是也。今全國之會員。已達三十五萬之多。基本財產有數十萬圓之譜。基礎鞏固。設壯大之武德會殿于京都。當局者更

版。

〔註7〕 〈武德會臺灣支部〉，《臺灣日日新報》，1906 年 7 月 12 日，2 版。

〔註8〕 林丁國，〈觀念、組織與實踐──日治時期臺灣體育運動之發展（1895～1937）〉（台北：國立政治大學歷史學研究所博士論文，2009 年），頁 113。

進而圖大發展。行種種有益之計畫吾儕于古武術之復活。武士道之
重興。不得不爲之祝福也。本島改隸以後當局者直以我國固有之武
士道。及尚武之風氣鼓吹本島。故于武德之涵養武術之鍛練。認爲
獎勵之必要者。遂以昨年四月二十三日。設置支部。昨日舉行盛大
之發會式而現在之會員。已有七萬八千二百十一人之數。義金有七
萬八千八百四十八圓九十七錢之額。洵爲同會可慶祝之事也帝國臣
民之所在□。無非武士道之彌綸。武德之涵養。其可怠乎。況新殖
民地。動有流于文弱放縱而赴浮華輕躁之弊。尚武氣風之振作。視
內地可謂尤急者。臺灣支部。以當局者之鼓舞。而盛況如斯自本島
固有之武術參加其間。而島人之入會。更日益夥將來甚有多望也吾
儕當時之發會式。而謝大浦會長遠涉之勞。竝大島以下理事之盡力
尤爲本支部之前途祝焉。（節譯和文）〔註9〕

大津麟平的發言原本是以日文刊載於明治 40 年（1907）年 5 月 25 日的《臺
灣日日新報》第 2 版，次日譯爲漢文刊出，兩個版本略有出入。在日文版的
第一段，提到因會運隆盛而在前一年成立支部，並在今年舉行開會儀式。漢
文版的首段則是「帝國以武王天下。弓矢與劍皆□援之武器也。相傳至今。
萬世一系我武維揚威武用張尚武之風。遂造成今日之強國。非偶然也。故武
士道者（英人□之孫朗）幾爲大和男子特有之國粹者也。」漢文版的目標讀
者，顯然是無法閱讀日文的台灣漢人，在將武士道／武道帶入殖民地台灣並
推廣之際，理應讓在地能讀、能寫的士紳階級理解何謂武士道。因此，漢文
版的第一段，或可解讀爲日本殖民者在面對作爲他者的殖民地人民時，對自
國的武道／武士道傳統的詮釋。從「武士道者幾爲大和男子特有之國粹者」
以及「萬世一系我武維揚威武用張尚武之風」的陳述可知，「武士道」被視爲
歷史悠久的日本固有傳統，但此處提出的「武士道」已是「新渡戶博士所著
之武士道」，其出版造成「一時洛陽紙貴各國人士爭研究焉」，換句話說，大
津麟平及當時的人們所認知、推廣的「武士道」是──如前述章節所討論─
─明治時期以後才成立的「武士道」。考慮到新渡戶稻造的《武士道》一書所
談論的「武士道」是基於回應西方近代國家對國民施行道德教育手段所創造
出來的「日本特有」的體系，那麼「是故武士道者。以不文之倫理。無言之
德教支配我國」的說法則可視爲回應日本近代民族國家成立後，爲了凝聚民

〔註 9〕 〈武德會支部發會式〉，《臺灣日日新報》，1907 年 5 月 26 日，2 版。

族、團結國民才創造、追認的日本「固有國粹」或「民族精神」。這種日本民族獨特的「國粹」或精神，無論是從新渡戶稻造為了回應德拉維勒葉教授才「找出」答案的角度來看，還是「我帝國以極東之小島帝國。而能勝世界大國之滿清。膺一等強國之斯拉夫族。國威顯揚。一躍而與歐美之列強伍果何為哉。其原因雖多端。而惟武士道之德。實其重因也。」的說法來看，都是建立在以世界（西方）對比／對話對象的前提之下〔註10〕。

　　明治維新後全面西化、引進西式兵術和軍械後，傳統武術修練被視為沒有實用價值甚至象徵落後與不文明而急速式微。大日本武德會以保存、發揚傳統武術為旨，無疑必須找出傳統武術在新時代中的價值，在這段演說中有此主張：

> 故武士道者。以不文之倫理。無言之德教支配我國之十人。與古武
> 術有形影表裏□關係。不可掩之事實也。然則古武術即我武士道精
> 神之所寓焉。不可不保護而擁衛之也。所以使我國民修固有之武術。
> 練其體力。涵養武德。以養成進取勇為之風道不外是也。

此「德教」與「武術」說是表裏關係，只有透過修練武術，才能習得「武士道」這種道德的思想、養成人格。在論述中，「武士道」被視為是日本民族「特有」、「固有」之物，但倘若是日本民族原本就擁有的話，也就不必再透過其他手段獲得。換句話說，論者刻意指出「武士道」與武術是表裏關係，反映在該時代背景下武術並不獲重視，意圖推廣武術修練的人們，在「武士道」重新被認為是日本民族至寶之際，將武術和「武士道」論述成一體兩面之物以及涵養「武士道」、武德的手段，藉此讓世人重新認可修練武術的重要性。各項武術在往後改名為武「道」（劍道、柔道、弓道），理由是：在為原本的格鬥技術重新找尋其社會功能時，開始將之轉化為達成精神修練、人格養成的手段。強調精神或思想的「武士道」與技術、手段的「武術」便成為不可分割的同一物：「武道」。武術修練最後甚至變成涵養「武士道」精神的唯一方法（在戰爭時期更加明顯）。另一方面，武術或武藝是指格鬥技術，屬身體操練而能收強身健體之效，在總動員體制成立後，國家要求人民平時應擁有強健體魄以支應作戰（無論是直接地從軍或後備支援），並同時在心理層次上

〔註10〕在日文原文中，並沒有「一等強國之斯拉夫族」的說法，而是直接稱為「露國」，推測應是為了讓讀者更容易理解，因而與其稱遙遠不可想像的「露國」，不如稱「強國之斯拉夫族」更易瞭解。

對國家、民族擁有絕對認同。在這種必須同時養成「國民之心」和「國民之力」的需求下，武道進一步獲得更大的發展空間。

大津麟平的演說辭中，另一個值得注意的是他提到在殖民地臺灣推行武道的必要性：「況新殖民地。動有流于文弱放縱而赴浮華輕躁之弊。尚武氣風之振作。視內地可謂尤急者。」透過修練武道、養成尚武精神，可以矯正「文弱放縱而赴浮華輕躁之弊」。這段主張必須放在前一小節提到的「文之中國」與「武之日本」的對立下來理解。明治二十八年（1895）打敗中國的日本，代表「文」的中國成爲弱者，在這場戰爭中取得的新附地臺灣原本由中國清朝所治理，依循這個脈絡，將臺灣社會與人民視爲「文弱」且必須改造的一方亦屬自然。日本的武勇與臺灣人的文弱呈現了一組對立結構。這個對立結構令人想起的〈奔流〉中來自日本人對劍道修練要求勇猛氣勢，以及在對本島人怯懦的批評。雖前述文稿發表於明治 40 年（1907），距離王昶雄發表〈奔流〉還有三十餘年之久，但由此可知，王昶雄在小說中所呈現的價值觀，並不是直到他所活躍的皇民化政策時期才出現在歷史舞台上。

透過這篇文稿多少可以掌握日本統治者對「武士道」的認知版圖、對武道修練的期待以及以武道爲手段所建立出來的評價機制。從先行研究及目前可掌握的統計資料來看，在日治前期，修練日本傳統武道者仍以日本內地人爲限。日本政府領台後，爲求鎮壓反日勢力及平定蕃害即積極建立警備制度。因初期警備人力不足，領台伊始即有徵用本島人擔任巡察之情事，最早擔任警察職務的本島人是由台北士紳推選的三名警吏管理人及二十八名警吏，駐守在城內、艋舺、大稻埕，然而，當時並沒有要求他們修練武道〔註11〕。

武道發展、推廣與軍警體系的關聯，使得武道修練活動隨著警察體系帶入殖民地臺灣，地方警察機構因此在武德會於各地設立分支時扮演要角。日治前期的武道活動主要集中在警察、憲兵與監獄系統之中，陳義隆據此推測，直到臺灣人大量參與警政體系以及武道教育納入國民教育之前，無論是教育體系或警察體系，臺灣本島人與日本內地人在參與武道修練上仍有差異，武道人口在數量上也不顯著〔註12〕。

隨著日本對台統治基礎日趨穩定，各方面的政策制定也漸次完備，進入

〔註11〕陳義隆，〈日治時期臺灣武道活動之研究〉（桃園：國立中央大學歷史研究所碩士論文，2008 年），頁 74。
〔註12〕同前註，頁 76～77。

大正時期以後，逐漸可以看到臺灣人活躍於武道競爭場合。例如辛德蘭指出，在大正十三年（1924）一月十三日淡水修武館的劍道競技中，「淡水郡警察課臺籍巡查（低階警員）李金龍、李阿逢、林獻廷、張以、陳水木、張金英、鄭世傳等人分別取得優勝成績。」〔註13〕根據臺灣日日新報的記載，往後的武道大會中亦多有本島人在劍、柔道競技中獲得佳績。

　　雖然軍警體系是武道在臺灣擴散開來的主要管道，但要普及於一般民眾，仍必須透過教育體系。陳培豐將在臺灣施行的同化教育政策分為「同化於民族」及「同化於文明」兩個面向來分析，其中「同化於文明」指涉在教材中教導近代文明如醫療、衛生、電氣、火車等實學內容；「同化於民族」則教導學生關於日本精神、日本傳統、軍國主義等日本文化相關內容〔註14〕。誠如前引述在日日新報上對武道的詮釋，以及後續章節將提出的武道教科書內容，反覆強調日本傳統尚武精神的武道教育，無疑屬於「同化於民族」這個面向。

　　日治五十年間，雖然大致上朝著「同化」的政策方向前進，實則在不同時期的政策方針及實施內涵上皆有所差異。「同化」的奠基者伊澤修二將臺灣人變成日本人視為最高目標，達成此目標的前提是必須先擁有豐富的近代化知識，藉此擁有作為日本人的道德觀，對伊澤而言，「『同化』的順序先是『同化於文明』，爾後『同化於民族』。」〔註15〕與伊澤修二的理念相異的是在明治三十一年（1898）擔任民政長官的後藤新平。後藤顯然將臺灣視為殖民地，因而對臺灣的教育方針採「無方針主義」，也就是盡可能壓抑臺灣人受教育的機會，主張「臺灣教育應以實業教育為中心，教育內容則以低程度較妥。」〔註16〕明治三十六年（1903）接任總督府學務課課長的持地六三郎延續後藤新平的政策方針、同樣將臺灣視為不需要教育普及的殖民地，甚至進一步將後藤新平的「無方針主義」詮釋為「不實施教育的方針」〔註17〕。陳培豐指出「如果不勸導或不獎勵臺灣人就學，抑制公學校的增設並將有關近代化的教育內容減少，繼而把實施教育的對象集中於特定部分人士，本島人『同化於文明』

〔註13〕辛德蘭，〈日治時期臺灣的大日本武德會（1900～1945）〉，《兩岸發展史研究》2（2006年12月），頁10。
〔註14〕陳培豐，《「同化」的同床異夢》（台北：麥田，2006年），頁32～44。
〔註15〕陳培豐，《「同化」的同床異夢》（台北：麥田，2006年），頁103～104。
〔註16〕陳培豐，《「同化」的同床異夢》（台北：麥田，2006年），頁105～125。
〔註17〕同前註，頁134～150。

之進展或實現必然趨向緩慢化、局部化。以臺灣人的文明停滯不進為由，差別統治的長期化或持久化就能得到正當性。〔註18〕」因此以陳培豐的分析框架來看，後藤新平乃至持地六三郎的同化教育方針是「走出民族之外、走向文明之中〔註19〕」。

然而，壓抑教育的政策方向終究抵擋不住臺灣人學習近代文明的需求。時至明治末年，臺灣人已對公學校數量不足以及中學校等進一步升學管道受阻而累積不少怨懟與不滿。隈本繁吉即在此際（明治四十四年，即 1911 年）接任持地六三郎就職總督府學務課課長〔註20〕。隈本繁吉必須面對的問題，除開原本來自地方人士要求增加公學校數量及設立中等學校的強大壓力之外，1911 年在中國大陸推翻滿清舊政府、以建立近代國家為旨的中華民國成立，日本當局憂慮這將喚起臺灣人對日本人的抵抗意識。再者，辛亥革命後，歐美等國意圖在沿海地區、香港設置教會學校，這將對在臺灣壟斷接觸近代化知識管道的日本政府形成威脅，畢竟歐美各國是當時文明化的主要源頭，加以中國與臺灣的地理距離不若日本，不必老遠跑到日本內地留學，是為較經濟且具誘惑力的選擇。在如此內外情勢交迫的情況下，「以往在島內一昧封鎖臺灣人就學之路的統治方策，幾乎已經到了山窮水盡的地步。〔註21〕」

針對這個棘手事態，隈本繁吉的解決策略反而是選擇積極普及教育，如此便能繼續藉由壟斷臺灣人的教育管道，控管臺灣人吸收近代文明的質與量。陳培豐指出，隈本繁吉重視普及國語教育的做法，表面上似乎和日治初期的伊澤修二類似，然而實際上「乃為阻止所謂『本島人的民族運動』之擴大和影響，不得不然的方策。〔註22〕」隈本繁吉的同化方針，是「把臺灣人希求『同化於文明』的願望巧妙地加以過濾，置教育重點在『同化於民族』的強化方面，讓學校盡量壓制『同化於文明』的實施〔註23〕」，在這個政策方針下，進入大正時期以後的殖民地臺灣學校教育，成為「培養馴良日本國民之場所。〔註24〕」，而「統治者對臺灣人實施差別待遇的根據，開始從文明落

〔註18〕陳培豐，《「同化」的同床異夢》（台北：麥田，2006 年），頁 150。
〔註19〕同前註，頁 154 表格 3.3。
〔註20〕同前註，頁 224～225。
〔註21〕同前註，頁 267。
〔註22〕同前註，頁 269。
〔註23〕同前註，頁 270。
〔註24〕陳培豐，《「同化」的同床異夢》（台北：麥田，2006 年），頁 270。

後轉移到國民精神面之不足；在新的『同化』原理設計上，達成『同化於民族』被視爲實現『一視同仁』的條件之一，換句話說，臺灣人如果要爭取平等待遇，強調自己在精神觀、道德觀或價值觀上業已日本人化，也是一種談判籌碼。〔註25〕」大正初期，臺灣中部地方士紳林獻堂登高一呼、要求設立本島人中學校，迅速得到各地有力人士呼應，這波運動成爲制定臺灣教育令的契機〔註26〕。第一所本島人中學校（台中中學校）於大正四年（1915）成立，大正八年（1919）臺灣教育令正式公佈，陳培豐指出，在此教育令下，「有關涵養『德性』的文句，全部都以重要旨趣的方式，正式成爲條文的一部份。〔註27〕」

　　在限本繁吉的方針下，即使設立中等學校或表面上制定與日本內地相同的學制，然而就教育內容來說，殖民地臺灣的學校教育程度皆比同級的日本內地學校低。不過，臺灣教育令的頒布確實使得教育體制更加完備。大正十一年（1922），對應「日臺共學」的政策方針所發佈的新「臺灣教育令」及相關法令，可發現在政策面上對體育課程內容的規定更爲詳盡。大正十六年（1927）公佈實施「學校體操教授要目」後，「臺灣初等教育的公學校體育課程，在內容上已於日本內地趨於一致」；大正六年（1917）二月總督府發布訓令第九號「學校體操教授要目」，對體操科授課內容作更完整的訂定，大正十四年（1925）文部省公布「陸軍現役將校學校配屬令」，由陸軍現役官兵擔任體操課教練以增加日本精神立場；而大正八年（1919）公布敕令69號「臺灣公立實業學校官制」，著重養成農、工、商業等專門技術人材以送往南洋發展，由於特別重視強健體魄，除體操科以外尙且加入柔、劍道。根據這些體育政策的發展歷程，林丁國認爲在「大正中期以後（約一九二〇年代以後），不論政府部門、民間社會或學校團體，臺灣各項體育運動風氣有日漸興盛的發展趨勢。」〔註28〕

　　另外，從昭和8年（1933）臺灣體育協會的統計來看〔註29〕，各級學校的武道社團大多成立於大正末年、昭和初年（1926）左右（見表1），陳義隆

〔註25〕同前註，頁366。
〔註26〕同前註，頁257～261。制定臺灣教育令過程中，限本繁吉與法制局、總督府乃至樞密院的折衝過程，此處不擬多提，請參考前引書，頁272～283。
〔註27〕同前註，頁282。
〔註28〕林丁國，〈觀念、組織與實踐——日治時期臺灣體育運動之發展（1895～1937）〉（台北：國立政治大學歷史學研究所博士論文，2009年），頁81～87。
〔註29〕陳信安，《臺灣日治時期武德殿建築之研究》（國立成功大學建築研究所碩士論文，1997年）第五章頁5。

認為這段時期「一方面可以發現在學生武道的領域在此階段，已經非常頻繁的舉辦。而社團的大量出現，一方面應與武道教育的正常化以及當然大量的武德殿完工，可供利用的武道空間大量增加，有著相對的關係」〔註30〕。

表1：昭和八年（1933）各級學校武道社團成立時間表

學 制	校 名	所在地	部 名	設立時間
大學	台北帝國大學	台北市富田町	劍道部	1928
			柔道部	1928
			弓道部	1932
高等學校	台北高等學校（高等科）	台北市古亭町	劍道部	1925
			柔道部	1925
			弓道部	1925
	台北高等學校（尋常科）	台北市古亭町	體育部（含柔、劍道）	1922
	台北州立台北第一高等女學校	台北市文武町五一	弓道部	1924
	台北州立台北第三高等女學校	台北市西門町三丁目十一番	弓道部	1932
	新竹州立新竹高等女學校	新竹市新竹字東門外一番地	弓道部	1932
	台北高等商業學校	台北市幸町一一七番地	柔道部	1919
			劍道部	1919
			劍友會	1931
	台南高等工作學校	台南市三分子、後甲、旭町	武道部	1931
中學校	台北州立台北第一中學校	台北市龍口町一丁目十一番地	劍道部	1908
			柔道部	1908
	台北州立基隆中學校	基隆郡七堵庄八堵	劍道部	1927
			柔道部	1927

〔註30〕陳義隆，《日治時期臺灣武道活動之研究》（國立中央大學歷史研究所碩士論文，2008年），頁110。

	私立淡水中學校	淡水街淡水字砲台埔六七	柔道部	1927
			劍道部	？
	新竹州立新竹中學校	新竹市	劍道部	1926？
	台中州立台中第一中學校	台中市新高町一一八番地	劍道部	1915
			柔道部	1915
			弓道部	1919
	台中州立台中第二中學校	台中市頂橋子頭五十八番地	劍道部	1930
	台中州立台中商業學校	台中市新高町二十九番地	劍道部	1927
			柔道部	1927
			弓道部	1921
	台南州立台南第一中學校	台南市三分子二百五十一番地	劍道部	1917
			柔道部	1917
	台南州立台南第二中學校	台南市竹園町丁目二番地	劍道部	1923
			柔道部	1923
	台南州立嘉義中學校	嘉義市三子頂	劍道部	1924
			柔道部	1924
	私立台南長老教中學校	台南市後甲四二三	劍道部	1931
	高雄州立高雄中學校	高雄市三塊厝百五十九	武道部（劍道部、柔道部）	1922
師範學校	台北第一師範學校	台北市文武町五丁目四番地	劍道部	1927
			柔道部	1927
			弓道部	1927
	台北第二師範學校	台北市下內埔	劍道部	1927
			柔道部	1927
			弓道部	1927
	台南師範學校	台南市桶盤淺七番地	武道部（柔道、劍道）	1930
醫學專門學校	台北醫學專門學校	台北市東門町六番地	劍道部	——
			柔道部	——

農林學校	台北州立宜蘭農林學校	宜蘭街金六結字七結三十番地	劍道部	1931
	台南州立嘉義農林學校	嘉義市宮前町一丁目十七番地	劍道部	1929
			柔道部	1930
	高雄州立屏東農業學校	屏東街歸來七百九五番地	劍道部	1932
			柔道部	1932
			弓道部	1932
工業學校	台北州立台北工業學校	台北市大安字十二甲百八十五番地	劍道部	1929
			柔道部	1930
商工學校	財團法人私立臺灣商工學校	台北市幸町四十番地	柔道部	1932
			劍道部	?

資料來源：陳信安，《臺灣日治時期武德殿建築之研究》，附錄 4，頁 21～23。

　　教育方針的轉變，使得殖民地台灣的教育制度愈加完善，同時隨著社會狀況穩定硬體設施（武道場）的建設亦如火如荼地進行，二者並行的結果，使得武道修練逐漸從軍警、監獄體系擴散到一般台灣人民的生活中。透過教育體制，越來越多台灣人修練武道，雖然並非最受喜好的運動項目，但象徵日本傳統精神的武道，在教化、改造殖民地台灣人上也開始產生影響，其力道在往後的歲月中持續增強，而大幅提升武道影響力的要因，莫過於「總動員戰爭」戰爭形式登場。統治基礎的穩固，以及總動員戰爭對武道發展的影響，從刊登在報章雜誌上武道論述的質與量可以得到證明。以臺灣日日新報爲例，在明治時期刊載關於武道的報導並不多，且多半屬於記事，記載武德會行事或者各地武道場落成的消息。大正時期以後，在報章雜誌上便散見針對武道修練對國家、社會的意義等相關討論。下一小節便針對這些論述進行梳理。

第二節　第一次世界大戰的覺悟

　　大正三年（1914）第一次世界大戰爆發，這場戰爭直到大正七年（1918）才結束，日本雖未直接參與戰事，卻也注意到歐戰中出現的新戰爭形式：總動員戰爭。當時的報章雜誌上也出現呼籲國家應投入建設總動員戰爭體制的文章。總督府臺灣體育獎勵會於大正五年十月（1916 年 10 月）至大正八年四月（1919 年 4 月）所發行的雜誌《運動と趣味》（運動與趣味），內容除涵蓋各種

運動的介紹、體育賽事情報外，也包括各種休閒活動〔註31〕。該雜誌主編本西溪風在大正七年（1918）發表〈戰時與國民的覺悟〉（〈戰時と國民の覺悟〉），透過歐洲的戰亂來提醒自國國民應有什麼準備。本西溪風直指「國民的身心鍛鍊與國家興亡有直接關聯。〔註32〕」主張勝負關鍵在於平時的國民訓練程度：

> 觀察現下世界的情勢，能夠最有效使用其國民身心之力的國家必定繁盛，反之則有逐漸衰亡的傾向，現下正在發生的歐戰亦然，勝敗幾乎全繫於其國民是否平常有依此原則鍛鍊。
>
> （今日世界の大勢を見るに、國家としても其の心身の力を最も有效に使用するものは榮え、然らざるものは漸次衰亡に傾いて居るのであって、目下の全歐大戰爭に於ても、その勝敗は其の國民が平素この原則を鍛鍊したか否かに因って殆んど決せられて居るのである。）〔註33〕

雖然當時大戰的勝敗尚未分曉，但可以肯定的是，未來世界的競爭將日趨激烈，現在正是認真面對這個狀況、做好準備的時刻〔註34〕：

> 國民須準備的第一要件是，必須要有廣及全體國民、如火燃燒般的愛國心。
>
> （國民が準備の第一要件としては國民全般に互って燃ゆるが如き愛國心が無ければならぬ。）〔註35〕

他提到當時的德國無論年輕人或婦女都充滿愛國心，因而震驚世界。日本帝國國民的愛國心絕不會比他國差，一旦國家有難，義勇奉公的「美麗的大和魂〔註36〕」正是無與倫比的驕傲。培養這種愛國心，本西溪風認為最好的方式是建立在「能夠最有效使用個人日常身心之力的體育原則」〔註37〕之上。

〔註31〕 林丁國，〈觀念、組織與實踐——日治時期臺灣體育運動之發展（1895～1937）〉（國立政治大學歷史學研究所博士論文，2009年），頁29。

〔註32〕 本西溪風，〈戰時と國民の覺悟〉，《運動と趣味》第三卷第三期（臺北：臺灣體育獎勵會，1918年），頁2。

〔註33〕 同前註。

〔註34〕 同前註。

〔註35〕 同前註。

〔註36〕 同前註，頁3。原文：「美しい大和魂」。

〔註37〕 本西溪風，〈戰時と國民の覺悟〉，《運動と趣味》第三卷第三期（臺北：臺灣體育獎勵會，1918年），頁3。原文：「各人が日常心身の力を最も有效に使用すといふ體育の原則に基く」。

　　同年（1918）九月，本西溪風又發表名為〈戰時與國民皆兵論〉（〈戰時と國民皆兵論〉）的文章，這篇文章呼籲人人都應該從平常即開始鍛鍊體魄，「並不只是為了個人，而是作為國民必要的責任與義務。倘若體力無法負荷，就算義勇奉公的心思再強烈，終究不可能盡國民的本份。〔註38〕」因此鍛鍊身體、加強體力是「我們作為國民必須努力的國家義務。〔註39〕」同時「在精神方面，培養規律服從的精神並非只是軍事上的必要，也是作為一般國民道德應好好努力者。在物質文明發達的現下，每個人皆只顧及自己的利益，完全忘記社會或團體的生活，其結果造成規律服從的精神從一般社會中漸漸消失。〔註40〕」在精神層次上要求國民必須意識到國家而非僅止於個人，為了有朝一日能為國家付出，必須從平時就加強體力。精神與體力上的這兩點訴求，則與第一次世界大戰有直接關聯：「藉著觀察現在的歐洲戰爭，來推測未來的戰爭，未來將不只是軍隊與軍隊、而將演變為國民與國民的戰爭已無庸置疑〔註41〕」

　　第一次世界大戰時擔任德國主將的埃里希・魯登道夫〔註42〕在 1935 年出版《總體戰》〔註43〕一書，該書是初次具體闡述「總動員戰爭」的著作。魯登道夫藉著一次大戰經驗指出戰爭形式的改變：往後的戰爭中，敵方將從心理層次上打擊擔任後援角色的國民，例如宣傳戰以及物資封鎖帶來的生活困頓──這正是德國在一戰中實際遭遇的情況，因此他認為「今天的所謂戰場就其實際意義而言，已經括展到了作戰國的全部領域……總體戰不僅是針對

〔註38〕　本西溪風，〈戰時と國民皆兵論〉，《運動と趣味》第三卷第七期（臺北：臺灣體育獎勵會，1918），頁3。原文為「……故に日常吾人が身體の鍛鍊に意を到す事は、單に自己一身の爲めのみならず、國民として當然爲さざるべからざる責務なり、如何に義勇奉公の念盛なりと雖も、體力の之に應ずるなくんば、結局國民としての本分を盡す事不可能なればなり。」

〔註39〕　同前註，頁4。

〔註40〕　同前註。原文：「……精神的方面に於ても、規律服從の精神を涵養する事は獨り軍事上必要たるのみならず、一般國民道德としても亦大に努むべきなり。現時物質文明の發達は漸次其影を潛めんとしつつあり……」

〔註41〕　同前註，頁5。原文：「……現今の歐州戰爭より觀測して將來の戰爭を推考すれば單に軍隊と軍隊に止まらずして、國民と國民の戰爭い至る事論を俟たず……」

〔註42〕　Erich Friedrich Wilhelm Ludendorff，1865～1937。

〔註43〕　本文參考的是中國出版的譯本：戴耀先譯，《總體戰》（北京：解放軍出版社，2004年）。該書於1939年由間野俊夫翻譯、三笠書房在日本出版。

軍隊，也是直接針對人民的。〔註44〕」。由於新的戰爭形式將把非戰鬥人員捲入戰爭、將戰場擴及交戰國每一個角落，這使得「所有參戰國的人民造成巨大的精神負擔。只有當整個民族的生存真正受到威脅，全民決心投入戰爭時，總體戰才能付諸實施。〔註45〕」這種戰爭方式的「本質需要民族的總體力量，因為總體戰是針對民族的。〔註46〕」魯登道夫預言：「將來，軍隊對人民，尤其對人民精神團結的依賴性，肯定不會減弱，反而會加強，甚或超過1914年～1918年世界大戰的程度。〔註47〕」為了因應這種全面性的戰爭形式，「總體政治必須在平時就為戰時民族生存的鬥爭做好充份準備，加強這種鬥爭的基礎，使其堅如磐石，穩如泰山，不會在戰爭的嚴峻時段發生動搖，出現裂痕或被敵人摧毀。〔註48〕」所謂「鬥爭的基礎」，指的是「民族精神的團結」。他主張「精神力量在維持民族生存的鬥爭中是必不可少……精神團結能最終決定這場爭取民族生存戰爭的結局。〔註49〕」若要達到精神團結，必須將「種族遺產和民族信仰協調統一」。

　　日本意圖建立總動員體制時，也同樣強調民族精神團結的重要性。陸軍省調查員永田鐵山於大正九年（1920）寫下影響日本總動員政策方針甚鉅的〈國家總動員に關する意見〉（關於國家總動員的意見），他指出，「國家總動員極度要求國民的愛國奉公心及犧牲精神」，精神動員事實上是「國家總動員的根源，且必須與各種通盤的有形動員形影不離。」學者清水康辛據此認為「將精神動員視為國家動員時『支配全局者』，正是永田的人力資源論的特色。〔註50〕」

　　「人力資源論」（人的資源論）是將人視為「資源」思考，以人的數量、能力來掌握並涉及此資源的的動員與分配問題，此乃「國家總動員體制的基盤」，人力資源政策有以下四個要件〔註51〕：

〔註44〕埃裡希‧魯登道夫著，戴耀先譯，《總體戰》（北京：解放軍出版社，2004年），頁7。
〔註45〕同前註，頁6。
〔註46〕同前註，頁13。
〔註47〕同前註，頁12。
〔註48〕同前註，頁13。
〔註49〕同前註，頁15。
〔註50〕寺崎昌男、戰時下教育研究會編，《總力戰體制と教育——皇國民「錬成」の理念と實踐》（東京：東京大學出版會，1987年），頁7～8。
〔註51〕寺崎昌男、戰時下教育研究會編，《總力戰體制と教育——皇國民「錬成」の理念と實踐》（東京：東京大學出版會，1987年），頁6。

一、確保必要的人口數量

二、強健的身體

三、精神力及技術能力

四、人力資源的妥善運用及分配方式

不過，清水康幸引用昭和十二年（1937）〈國家總動員準備の概要〉（國家總動員準備概要）指出，身體強健、技能優越和智力秀異固然是人力資源的屬性，「然而，毫無疑問的是，美善的道德才是最根本、最有用的資源。〔註52〕」這種「判定應動員對象作爲人的各種能力標準，其理據不在每個人身上，而是將總力戰的要求擬爲普遍性價值，並從這套價值觀推導得來〔註53〕」在這層意義上，清水康幸認爲，只靠教育敕語中在個人及社會層次要求的道德準則，已無法合於國家總動員的目標，因而需要「能夠從超個人、超歷史的層次賦予總力戰道德價格的意識形態〔註54〕」，例如昭和十年（1935）以降的「國體明徵」運動乃至「八紘一宇」、「肇國精神」等呼喊聖戰的意識形態〔註55〕。只有「確立足以擔當總力戰的道德主體，才是人力資源論的立足點，也正是有此前提，各種能力的存在依據與歸屬才得以明確〔註56〕」

如前一章所提及，在大正末年、昭和初期之際，日本軍部爲了解決日本內部困境，以建設高度國防國家、總動員體制爲基本戰略方向，在這大方向指導下，大日本武德會也積極擔負建立總動員體制的使命。關於這點，可從當時的武德會會長本鄉房太郎在多處發表的文章和演說一窺端倪。中村民雄指出，當時身爲會長的本鄉房太郎的演說詞〈精神立國と武德の鍛鍊〉（精神立國與武德鍛鍊）不僅揭示當時武德會的方向，後繼的會長也繼承這套想法，成爲日本自 1930 年滿州事變後的十五年戰爭期間中，大日本武德會的基本方針〔註57〕。事實上，本鄉房太郎在發表〈精神立國と武德の鍛鍊〉（精神立國與武德鍛鍊）演說前，便曾在多處發表類似論調。例如他在《臺灣警察協會雜誌》上發表〈精神立國は現代の急務〉（精神立國乃現下急務）一文，質疑：「和平論者認爲：『歐洲大戰後，世界上的戰爭已完全根除，得以永遠和平。

〔註52〕同前註，頁 8。

〔註53〕同前註。

〔註54〕同前註。

〔註55〕同前註。

〔註56〕同前註，頁 9。

〔註57〕中村民雄，《史料　近代劍道史》（東京：島津書房，1985 年），頁 119。

國際聯盟與軍縮會議爲其保證，實爲萬幸。』真的是這樣嗎？〔註58〕」他認爲各國之間在表面上看來似乎一片和平，但私底下列強諸國仍舊努力整頓、充實陸海空軍的戰備，那麼，「有誰能斷言以後世界絕對不會有戰爭呢？〔註59〕」他在〈精神立國と武德の鍛鍊〉（精神立國與武德鍛鍊）則更進一步指出，大戰後各國在幾次軍縮會議中，或廢棄軍艦、或減少常備軍人數，但——

> 那只不過是表面。若仔細觀察內部情況，會發現即使在裁軍會議中，各國往往致力於取得在他國之上的優勢，且各國都在暗地裡盤算著整頓、充實陸海空軍的實力及計劃增加兵員數量，爲了達到國民皆兵的目標，以童子軍爲始，在學校教練、青少年訓練乃至市民野外教練等各種訓練上相互競逐、付出極大努力，這是眾所皆知的事態。換句話說，爲了拯救大戰參戰各國疲軟的經濟，以及爲了免除軍備競賽帶來的國民過重的負擔，至今幾次裁軍雖是必然，但也不過只是一時的現實。

> （……それは單に表面のことであって、仔細に裏面を窺ふ時は、軍縮會議に於いても常に自國より優勢ならしめることを力め、各國皆齊しく暗黙の裏に陸海空軍の內容の整頓と充實とを圖り、充員兵數の增加を企て、更に國民皆兵の實を擧げんがため、ボ——イスカウトを始めとし、學校教練に、青少年訓練に、乃至市民野外教練に競ふて多大の努力を拂いつつある狀況は、既に世間の熟知してゐる通りである。即ち、幾回かの軍縮も大戰參加諸國の經濟的疲弊を自ら救はんがため、又軍備競爭に基く國民負擔の過重より免れんとする必然的にして且つ一時的現象に外ならない。）〔註60〕

本鄉房太郎認爲國與國之間終究還是有國際聯盟、裁軍會議以及締結非戰條約

〔註58〕本鄉房太郎，〈精神立國は現代の急務〉《臺灣員警協會雜誌》第129期，頁28。原文：「平和論者は斯く言ってゐる。『歐州大戰後、世界には戰爭が根絕して恆久の平和が齎らされる。これを保證するものに國際連盟あり軍縮會議あり、真に慶賀すべきである。』と。果して然るか？」

〔註59〕同前註。頁29。原文：「誰か、將來の世界に絕對に戰爭無しと斷言し得る者があらうか。」

〔註60〕本鄉房太郎，〈精神立國と武德の鍛鍊〉（1930年），於大日本武德會本部。收於中村民雄，《史料　近代劍道史》（東京：島津書房，1985年），頁173～194。頁175～176。

也無法解決的問題，這些問題最後會回到爭鬥的層次上解決。一旦問題變成戰爭的層次，那麼就必須擁有充足的國防武力。由於世界總是以勝者為王、敗者為寇的邏輯運作，倘若戰敗，非但會被視為是不正義的一方，甚至必須背負一切戰爭責任，一國的風俗、國民性也將被踐踏蹂躪，國家的獨立性也將不復存〔註61〕，因此國家的軍備是必要的。由於「今日的戰爭決非只是陸海軍的戰爭，事實上是國民全體的戰爭。舉國一致、萬民協力、拼命奮鬥才可能獲得最後的勝利。國家總動員的必要性由此而生，因此從平常就必須了無遺憾地整備妥當。〔註62〕」為了因應這種舉國上下參與其中的總動員戰爭，國民必須擁有「健全的」精神，本鄉房太郎因此指出，「當下日本的第一要務，與其說是產業立國，不如說必須要以精神立國。國民必須磨練、砥礪國民道，以期達成精神立國的目標。〔註63〕」而精神立國的方法，只有透過三千年傳統的武道。

　　第一次世界大戰改變了人類的作戰方式，總動員戰爭的出現，使得戰時與平時（非戰時）的區別逐漸消失，涉入戰爭的人員也不再只是軍人，而是一國所有國民，換句話說，戰場已全面擴大到交戰國的全部領域。因應這種戰爭方式，國家將國民視為一種可量化的資源，意圖更全面地掌握國民身、心的數量與素質。在國家急欲養成、召喚足以擔負總動員戰爭的國民之際，「精神立國」的主張也揭示在這場作戰中，武道能為國家發揮什麼作用。在下一節將討論與總動員體制呼應的武道，是如何被論述、操作。

第三節　「精神立國」的武道

　　大日本武德會會長本鄉房太郎演說辭〈精神立國と武德の鍛鍊〉（精神立

〔註61〕同前註，頁 177～178。這個看法顯然和第一次世界大戰戰敗國（特別是德國）的下場有直接關聯。

〔註62〕本鄉房太郎，〈精神立國は現代の急務〉《臺灣員警協會雜誌》第 129 期，1928年 3 月 1 日，頁 29。原文：「本日の戰爭は、決して陸海軍のみの戰爭ではなく、實に國民全體の戰爭である。舉國一致、萬民協力、懸命に奮鬥してこそ、始めて終局の勝利は得らる々のである。國家總動員の必要此處に生じ、從って、平常より是れが整備に遺憾なきを要する所以である。」

〔註63〕本鄉房太郎，〈精神立國は現代の急務〉《臺灣員警協會雜誌》第 129 期，頁32。原文：「現代日本の急務は產業立國と雲ふよりも、寧ろ精神立國であらねばならぬ。國民たるもの須らく國民道を研磨砥礪して精神立國の大成を期すべきである。」

國與武德鍛鍊）〔註 64〕，非但直接導引十五年戰爭期間武德會的發展方向，也清楚指出戰爭期間武道所擔負的功能，對與掌握戰爭期間的武道功能可謂十分關鍵。該文共有十個小節：

一、神州尚武的國體與世界和平（神州尚武の國体と世界の平和）

二、世界的實際面貌與軍備的必要性（世界の實相と軍備の必要）

三、國家總動員與國民的個人鍛鍊（國家總動員と國民各個人の鍛鍊）

四、國防的三要素與國家總動員的四大準備（國防の三要素と國家
　　　總動員の四大準備）

五、個人人格的國家訓練（各個人格の國家的訓練）

六、國家人格者的訓練與武道修行（國家的人格者の訓練と武道の
　　　修行）

七、現在和將來的戰鬥與武道修行（現在將來の戰鬥と武道の修行）

八、國體信念的涵養與振興國民精神（國體信念の涵養と國民精神
　　　の作興）

九、振興國民精神與大日本武德會的使命（國民精神の作興と大日
　　　本武道會の使命）

十、武道修行須知（武道修行の心得）

初步、簡單地從諸如「國家人格者的訓練與武道修行」等標題來看，便能夠輕易瞭解本鄉房太郎主張武道可以養成「足以擔當總力戰的道德主體」。對於像本鄉房太郎的武道界人士來說，傳統武術修練是如何在新戰爭形式（總動員戰爭）中扮演一角？又具有什麼樣的功能、才使之能夠符合國家動員體制的需求？循著本鄉房太郎的論述邏輯，首先從總動員體制下的國防建制談起。

　　　誠如前一小節所述，本鄉房太郎認為在第一次世界大戰後，雖一時國際間看似和平，但沒辦法保證將來不再有戰爭發生。一旦國家之間產生爭執、衝突，兩造雙方永遠都會有自己的道理，惟有當自己的力量不輸給對方時，才不必屈從對方。反之，當自國的力量不足抗衡時，「受苦的是誰？這是要賭上國家的命脈被迫起而抗爭的。因此，武力是和平的保障，完備的國防是防範戰爭於未然，也正是如此，國防應為最優先建立者。〔註 65〕」而國防的要

〔註 64〕 本鄉房太郎，〈精神立國と武德の鍛鍊〉（1930 年），於大日本武德會本部。收
　　　　於中村民雄，《史料　近代劍道史》（東京：島津書房，1985 年），頁 173～194。
〔註 65〕 本鄉房太郎，〈精神立國と武德の鍛鍊〉（1930 年），於大日本武德會本部。收

素可區分為人、事、物三個面向。「物」包括兵器、彈藥等「直接軍需品」、製造軍需品的銅、鐵等原料以及製造產品的機械乃至碳和石油等物資。在軍需品以外，一般國民生活所需的動、植、礦產等所有物資，完備的國防也應有充份的儲藏量。「事」則指指揮、管理、通訊系統和「政治、教育、衛生、產業、運輸、交通等一切事項」。唯有從平常就建立良好系統，才能打造出「完備的國防」〔註66〕。換句話說即必須建立完善的國家總動員體制。本鄉認為，健全的總動員體制須從以下四個方向準備：

第一、涵養國民精神力。

第二、加強國民召集力。

第三、增加國民財富力。

第四、增加國民工業力。

唯此四項完備時，才談得上充實國防。〔註67〕

其中最重要者，莫過於「涵養國民精神力」。若全國人民皆能「涵養義勇忠烈、篤信奉公的精神，再加以鍛鍊強健的體力而為身心兼備的國民」〔註68〕，那麼便能造就「良民良兵之實」、國民的召集力自然會隨之提高。只要「有堅定的信念、拼命下功夫、以不輸給任何人的熱情去做，任何事情都會成功。如此，第三項的財富力隨即增加、第四項的工業力也會進步。〔註69〕」

於中村民雄，《史料　近代劍道史》（東京：島津書房，1985年），頁178。原文為：「……力が到底及ばないと認めた場合には、誰が何を苦んでか、國家の生命を賭して爭を敢へてしようぞ。であるから武は平和の保障である。國防の完備は、戰爭を未然に防止するものである。斯くてこそ、初めて國防は最上乘を得たものとなるのである。」

〔註66〕同前註，頁179。

〔註67〕同前註。原文：「……又國家總動員の準備として四大事項を列擧する。其の第一は國民の精神力を涵養する事。第二は國民の招集力を多くする事。第三は國民の富の力を殖す事。第四は國民の工業力を增す事。此の四つのものが完備して始めて國防の實が擧るのである。」

〔註68〕同前註。原文：「義勇忠烈以て公に奉ずるの堅固な精神が涵養せられ、之に加へるに強健なる體力の鍛鍊を以てし、心身兼備の國民が、全國の津々浦々に滿ちて居たなれば……」

〔註69〕本鄉房太郎，〈精神立國と武德の鍛鍊〉（1930年），於大日本武德會本部。收於中村民雄，《史料　近代劍道史》（東京：島津書房，1985年），頁181。原文：「確乎たる信念を以て、一生懸命に工夫して他に負けぬやう、熱心に働きさへすれば、何事でも成功せぬことはない。斯くすればやがて第三の富

　　所有的「物」和「事」不過是「死物」，只有「有生命的人也就是國民才能活用、運用，正因如此，人才是根本問題。〔註70〕」事、物的整備上即使有缺陷也能靠人來補強。因此「人」是國防三個要素裡最根本者，需要所有國民共同參與：「今天擔任國防者，若非年老力衰、年輕幼小或有殘疾者，只要是國民，一個也不能少，必須國民全員共同參與。……站在戰場前線的已經不只有軍人。誠如從最近的世界大戰明確學到的教誨，甚至連過去從未受過軍事訓練的人，多數的男性都必須站上前線。〔註71〕」而其他國民則負責生產戰備物資或使各項事務順暢運行。

　　在這段論述中必須留意的是「死物」的概念。武德會主事中川次郎於昭和二年（1927）年一月一日發表的〈現代の武士道觀〉（現代的武士道觀）中提到：「歐美文物輸入的同時，驕奢氣風亦漫延開來，不禁令人心寒。……不健全的思想亦即極端的個人主義或如以肉欲爲本位的自然主義……〔註72〕」在同年發表的〈武士道の將來と我が民族〉（武士道的將來與我民族）亦提到：「方今世態，偏重物質文明、強調智力，忽視品性陶冶、人格修養等，其結果是世風流於浮華輕佻……〔註73〕」在本文第二章討論近代「武士道」的成立時，曾提到面對在日清戰爭（中日甲午戰爭）後，象徵「文＝弱的中國」

の力も増加し、第四の工業の力も進步する。」

〔註70〕同前註。原文：「が併し、夫等一切の事は皆死物で、生きた人即ち國民を待って始めて活用せられ運用せらせるものであるから、人が根本の問題となる。」

〔註71〕同前註，頁180。原文：「今日國防を擔任するものは、老衰者ならざる限り、幼少者ならざる限り、不具廢疾ならざる限り、苟も國民たるものは、只の一人も缺くる事なく、國民全員であらねばならぬ事を注意して置く必要がある。……戰線に立つべき者は啻に軍事のみではない。最近世界大戰が明確に教誨した通り、嘗て只の一度も軍隊教育を受けなかったもの迄、男子といふ男子の大多數は、皆戰線にたたねばならぬ。」

〔註72〕中川次郎，〈現代の武士道觀〉《臺灣員警協會雜誌》第115期，頁42。原文：「歐米の文物輸入と同時に驕奢の氣風蔓延し、頗る寒心に堪へざるものあり。……不健全なる思想即ち極端なる個人主義、又は肉慾本位の自然主義の如き……」

〔註73〕中川次郎，〈武士道の將來と我が民族〉《臺灣員警協會雜誌》第125期，頁32。原文：「蓋し、方今の世態、只管物質文明の一方にのみ趨り、智力是れ重んじ、品性の陶冶、人格の修養の如きは之を等閒に附する結果、遂に世を擧げて浮華輕佻に流るる傾向あるに不拘……」

其對日本原有的權威性不再，日本所面臨的新他者，是在器物、制度上較日本進步的西洋文明。也就是說，幕末乃至明治從西方輸入日本的各種先進科技、器物及政治社會制度，被視爲是西方的代表，與之相對者則是日本民族所擁有的是優越的精神與道德，因而形成「西方＝智＝物質主義」與「日本＝德＝精神主義」的二元對立結構。先進的器物固然重要，但若缺乏擁有「健全」精神的人來操作、運用，那麼進步的機械或制度也不過就是「死物」。以下分別就「西方＝物質主義／日本＝精神主義」以及「西方＝智／日本＝德」這兩個二元對立論述進一步展開討論。

現今的戰爭方式已和過去大爲不同，何以在建立現代國防時，仍舊需要像過去武士時代那樣修練劍術或柔術？替武道在該時代背景下找到修練、推廣的意義及必要性，向來是武道界在明治時代後不斷努力回應的問題。本鄉亦回應了這個質疑，試圖爲武道修練在建立現代國防時找到位置。他認爲「無論武器隨著科技再怎麼進步，終究也不過是死物，其活用與否存乎使用者的精神。」，此處的「精神」是「自古至今始終一貫」的「大和魂、武士道」〔註74〕。在強調機械的現代戰爭中，武道可發揮的功能在於養成人格：

> 武道的修行，目的在鍛鍊人格，以及無論面臨如何危急的情況都能保持堅毅、不迷惘、不慌張，宛若絲毫不差地把機械或科學的功能發揮得淋漓盡致一般，武道修行不正是培養這種人格特質的手段嗎？
>
> （武道の修行は人間を鍛錬して、如何なる危急の場合に際しても、尚ほ毅然として惑はず周章てず、泰然自若、機械や科學の効用を寸毫の遺漏もなく竭し得る如き人格を練成するの方便ではないか。）〔註75〕

這是「最近的大戰雄辯式地證明、教導我們的事。〔註76〕」。大戰是指第一次世界大戰。本鄉提出一次大戰後西方國家對人力資源的重視，反過來強調日本更應該加強培養具適當人格特質的人力資源：

> 戰後英、美等國曾非常輕視無法與機械匹敵的步兵肉搏戰，然而在前

〔註74〕 本鄉房太郎，〈精神立國は現代の急務〉《臺灣員警協會雜誌》第 129 期，頁 29～30。

〔註75〕 本鄉房太郎，〈精神立國と武德の鍛鍊〉（1930 年），於大日本武德會本部。收於中村民雄，《史料 近代劍道史》（東京：島津書房，1985 年），頁 182～183。

〔註76〕 同前註，頁 184。

年三月，美國陸軍依據六年的經驗發表一份聲明，其要點是：戰爭中
首要者是「人」。無論再怎麼精密的機器都沒辦法補充『人』。……（中
略）工業力和財力萬能的美國也已經開始意識到這點並宣揚精神立國
的必要性、鍛鍊個人以養成戰鬥力。並且，耳聞現今在歐美各國流行
研究我國的柔道和劍道、取其長處，然而作爲（劍道和柔道）本家的
日本，財力也好、工業力也好皆遠遠不及外國，可以仰賴的只有武道
精神，但我國竟對於普及國粹中最精華的這種精神怠慢不前，卻有拾
他國牙慧的傾向，這是國民必須要深刻反省的地方。

（世界戰後英國や米國などでは、步兵の肉彈戰は到底機械戰には葉
はねものと頗る輕視してゐたのであるが、一昨々年の三月、亞米利
加合眾國の陸軍省は、六年の經驗に依って聲明書を出してゐる。其
の要旨は、戰爭に第一に必要なるは人間である。人間は如何に精巧
なる機械を以てしても、之を補充することはできない。……彼の工
業力萬能、富力の米國が既に此の點に著意し、精神立國の必要を呼
び、各個人を鍛鍊して其の格鬪力を養成せんとしつつあるのであ
る。そして現に歐米諸國に於いては、盛に我が國の柔道劍道を研究
し、その長所を取入れようとしてゐることを聞及んでゐる。然るに
其の本家本元たる我が國に於いて、富の力も工業の力も、遠く諸外
國に及ばず、賴む所は唯武道の精神である我が國に於いて、國粹中
の最精華たるこの精神の普及を閑卻して、他國の糟粕嘗めんとする
傾あるは、國民の猛省一番を要する所である）〔註77〕

機械或制度再怎麼先進，能夠使機械運作、使制度運行的終究是「人」。此處
所謂的「人」必須擁有如「堅毅、不迷惘、不慌張」等特定素質，才能充分
負起活化只是「死物」的機械與制度的責任。

那麼，在鍛鍊國民這點上，武道和一般運動項目又有何差異？透過和一
般運動項目的比較（這些運動多半由西方傳入），進一步得以凸顯武道對日
本民族乃至於在建設高度國防的總動員體制的重要性。中川次郎認爲「武士
道與運動競技的出發點、目的及手段有很大的差異。」前者「骨子裡是精神
修養」，而後者不過是「娛樂性的遊戲競技」〔註78〕，外來的運動競技或體

〔註77〕同前註，頁185。「娛樂的遊技競技」
〔註78〕中川次郎，〈再び武道と運動競技とに就て〉《臺灣員警協會雜誌》第106期，

操，「不具備熾熱的愛國心。在心身陶冶上亦非有力之要道。且其最終目的在於競技，而我武士道之根柢深深地浸染於深忠君愛國的精神中，換言之，即護國之要道。〔註79〕」如學校教育中施行體操科目「終究是以身體鍛鍊爲主，精神鍛鍊爲其副加效用〔註80〕」，武道則「從來武道皆以精神的教養鍛鍊爲主要目的，其效果十分顯著，身體鍛鍊不過是輔助手段〔註81〕」因此在大正八年（1919）文部大臣便建議將武道與體操科分設，與此同時建議將劍術、柔術改稱爲劍道、柔道，他認爲更改名稱絕非只是表面字義的更動，名不正則言不順，言不順則事不成，唯有透過這種改名稱的做法，才能名實相符。〔註82〕

　　本鄉房太郎對於近代傳入日本的西式運動項目，亦主張「不要無謂地追求場上的樂趣、不要只偏重遊戲的部份，而應以武道的精神去做，如此和武道併用的話甚爲有益。〔註83〕」而且各個運動組織不應該只是汲汲營營於獲取名聲或養成各領域的專家，「從國家組織來說，即使多一個人也好，希望能以鍛鍊身心、養成優秀的國民，對平時和戰時都有益處爲目的。」〔註84〕西方傳來的運動項目講求運動精神或公平競爭等，「我國的武士道一直以來都在訓練這些精神，更不應假他人之手。反而要進一步把外來的運動武士道化。」

頁 42。

〔註79〕 同前註，頁 41。原文：「外來の運動競技又體操とても夫々沿革の存するものありて、それが爲に大に愛國心をそそりしもの之あらん」

〔註80〕 中川次郎，〈武道を國民義務教育とせよ〉《臺灣員警協會雜誌》第 98 期，頁48。原文：「體操は畢竟身體的鍛鍊が主眼で、精神的鍛鍊は其の副用であると云ふことは否定すべからざる事實であると思ふ」

〔註81〕 同前註。原文：「元來武道は精神的教養鍛鍊を主要なる目的とし、其の效果は實に著しいものがあるけれども、身體的鍛鍊は謂はば補助的手段である。」

〔註82〕 同前註，頁 48～49。

〔註83〕 本鄉房太郎，〈精神立國と武德の鍛鍊〉（1930），於大日本武德會本部。收於中村民雄，《史料 近代劍道史》（東京：島津書房，1985 年），頁 192。原文：「近來盛んに行はれるやうになったスポ──ツも、徒らに一場の興味を追ふところの遊戲たるに偏せず、武道の精神を以てやるならば、武道と併用して頗る有益である。」

〔註84〕 本鄉房太郎，〈精神立國と武德の鍛鍊〉（1930），於大日本武德會本部。收於中村民雄，《史料 近代劍道史》（東京：島津書房，1985 年），頁 192。原文：「國家組織の上からいふと、一人でも多く心身の鍛鍊をなしたる立派な國民を作り、有意義に平戰兩時の用に資する目的で進みたいのである。」

〔註85〕武道與運動不同的獨特性在於其內含武士道精神，能培養國民忠君愛國的精神。若國防的成敗在於每個國民是否從平日便充分鍛鍊自己，那麼對日本而言，「爲了訓練兼備優秀的精神和身體，在我國沒有一項比得上擁有幾千年傳統的武道修行。」〔註86〕由於「過去的武士遵循武道修養武士之魂、磨練武士需要的兵術戰技，以擔負國防重任。因此篤信忠孝信義的精神、重廉恥、敬禮節、弓馬刀槍等武術優異，沒有缺憾。來自這樣的武士的我國軍人，其能如此勇敢和精銳，絕非偶然。」但，在明治維新以後，武士階級已經消失，「現在的國軍並非從『武士』這個特殊階級編成，故國民皆兵、國民就是國軍。武士道是爲國民道、武士道教育必須是國民道德教育。因此，所謂國民，必須繼承武士的歷史、依其道德鍛鍊精神與武德，時時記著將自己視爲過去的武士，在鄉爲良民、從軍則爲良兵。」〔註87〕

　　「武士道是爲國民道、武士道教育必須是國民道德教育。」的論述可作爲一個切入點以討論「西方＝智／日本＝德」的二元對立論述。武德會主事中川次郎在〈現代の武士道觀〉（現代的武士道觀）認爲在歐美文物輸入同時，不健全的思想漫延開來，那麼何謂「健全」或「不健全」的思想或精神？他在〈武士道と學生〉（武士道與學生）一文有此主張：

　　　　現下社會風紀嚴重頹廢，常聽見青年學生有不知廉恥的行爲，憂國
　　　　者對此不可等閒視之。青年學生的好壞關乎國家未來安危，當局乃

〔註85〕同前註。原文：「これは我が國の武士道が夙に鍛鍊し來れる所であって、更に他に仮るべくもない。寧ろ進んで外來のスポーーツを武士道化してゆかなければならぬ。」

〔註86〕同前註，頁182。原文：「立派な精神と身體とを兼備した國家的人格者を訓練するには、我が國幾千年來の伝統を有する武道の修行に如くものはない。」

〔註87〕同前註，頁182～183。原文：「實に此の往昔の武士は、武道に依って武士たるの心魂を修養し、武士に必要なる兵術戰技を練磨して以て國防の重任に當った。かるが故に忠孝信義の先進に篤く、廉恥を重んじて禮節を貴び、弓馬刀槍の術に秀いでで遺憾がなかった。彼等武士より成れる我が國軍が勇敢で精銳であったことは、決して偶然でない。然しながら現在の國軍は、武士てふ特殊階級を以て編成されない。國民皆兵である、國民即ち國軍である。武士道は國民道となり、武士道の教育は國民道德の教育とならねばならぬ。故に國民たるものは、武士の歷史を承繼し、道德によって其の精神其の武德を鍛鍊して、宜しく自ら往昔の武士たらんことを心がけ、鄉にありては良民、軍に徒へば良兵たるの境地に達しなければならぬ。」

至家庭學校應大力反省矯正挽救之策，此爲當務之急。將成爲未來國民的青年學生應養成質實剛健的人格，現下的青年學生意氣日益萎靡，操行品格日益崩壞，或安於小成流於奢侈，或耽於空想陷於煩悶，不做正事亦不追求人生的意義，甚至放縱淫逸……不止求學問毫無疑惑地依教師所授照單全收，其中有人亦不思考國體爲何，言必稱世界思潮、新思想，傲慢不遜無所畏懼……

（今や社會の風紀痛く頹廢し、青年學生にして破廉恥の行爲あることを頻々と耳にする、是れ苟も國家將來安危の繫る所のものなれば之れが矯救の策を講ずるは家庭の猛省すべき要件であると同時に、忽諸に附すべからざる急務中の急務である。質實剛健なるべき未來の國民たる青年學生にして今日の如く意氣日に萎靡し、其の生命とすべき操行品性月に壞亂し、或は小成に安んじ奢侈に流れ、或は空想に耽り煩悶に陷る、當に處世の本務人生の意義を閑卻するのみならず、甚しきは放縱淫逸、恬として愧ぢざるものあるにあらずや、如此擧世滔々として業既に俗をなし、品性氣格の如き全く捨て顧ることなく……さながら學問は教師に依り買收するものの如く思惟し居るの疑なきにあらず、しかのみならず、中には國體の如何考ふることなく、世界思潮と雲ひ、新思想と稱へて、其の驕慢不遜、敢て憚らざるが如き、現象があるではないか。）〔註88〕

在〈武道を國民義務教育とせよ〉（將武道列爲國民義務教育吧）一文亦指出：

雖現下國家狀況文運日漸隆盛，另一方面，人們內心鬆懈、流於浮華放縱，出現輕佻偏激的風氣，加上受到與我國體不相容的思想滲透，甚至導致思想界的混亂、產生偏激的行動，風紀嚴重敗壞，損害我國體的尊嚴。雖說這只不過是無謀莽夫的衝動，終究是由於思想混亂導致的結果。雖世間對於思想善導主張各種不同手段和方式，我認爲最爲有效者並非儒教。而是就連宗教也缺乏的實踐性鍛鍊，擁有悠久、美麗歷史的我國固有文武之道，也就是武士道教育。

（惟ふに現下の國狀たるや、文運は日に隆盛に赴くと雖も一面に

〔註88〕中川次郎，〈武士道と學生〉《臺灣員警協會雜誌》第 105 期，頁 80～81。

は人心内に弛緩して浮華放縦に流れ、輕佻詭激の風徒って生じ、
加ふるに我國體の容さざる思想の浸潤する處ありて、甚しき思想
界混亂を招來し之が爲に往々詭激の行動に出で、風紀大に墮ち終
には國體の尊嚴をも傷けんとするものさへあるに至れり。之等は
仮令思慮なき癡漢の妄擧に過ぎずと雲ふと雖も、畢竟するに混亂
せる思想界の産める結果に外ならぬと思ふのである。斯る士氣の
銷磨せる今日、此の憂慮すべき思想の善導に就いては世間既に種
々工風手段もあるべけれども、極めて適切なるものと思ふのは儒
教でもない。將た宗教でもない實踐的鍛錬的なる永く美しき歷史
を有する我帝國固有の文武の道、即ち武士道教育に依ることが最
も有効と信ずるのである。）〔註89〕

關於現下日本社會諸如風氣萎靡、浮華放縱等這些問題，本鄉房太郎也提出
同樣看法，他認為現下的日本「正面臨精神上重大的危機」。原因在於：

原本教育的目標是智育、德育、體育並重，以養成各方面皆具備優
秀人格、對國家有用處的國民。然而我國維新後的教育偏重於智育，
雖在物質文明方面頗有可觀之處，但荒廢德性涵養的結果，人心很
容易就流於輕浮，質實剛健、勤儉力行的風氣漸次衰弱、令人哀嘆。

（元來教育は智育、德育、體育相俟って、各方面に立派な人格を
具へた國家有用の國民を養成することが目的であると思ふが、我
が維新後の教育は、智慧に偏し、物質文明に於ては相當に見るべ
きものもあるのであるが、德性の涵養を閑卻した結果、人心が動
もすれば輕佻浮薄に陷り、質實剛健、勤儉力行の風氣が漸次に衰
へてきたのは洵に嘆息の至りである。）〔註90〕

中川次郎所說風紀敗壞、風氣萎靡或本鄉房太郎所說偏重智育、荒廢德性教
養，從本鄉說：「最近有幸德事件，其後又有後虎之門事件，從去年開始又持
續逮捕許多主義者」來看，顯然是指大正、昭和時期以來的左翼運動。本鄉
房太郎指出「（這些被逮捕的人）其中也包括很多學生。有傳聞指出這些學生
在學術方面都很優秀，學校成績不好的人很少。而在這些學生中，凡有修練

〔註89〕中川次郎，〈武道を國民義務教育とせよ〉《臺灣員警協會雜誌》第98期，頁
　　　　47。

〔註90〕本鄉房太郎，〈精神立國と武德の鍛錬〉（1930年），於大日本武德會本部。收
　　　　於中村民雄，《史料　近代劍道史》（東京：島津書房，1985年），頁186。

武道者，沒有因主義而赤化，聽到這點著實令人欣喜。〔註 91〕」雖然在小學所有國民都讀過教育敕語，理論上應該明白「國體的精華」爲何，但重要的是能否將教育敕語當作一種「信仰」──

> 只有將之當作信仰，便絕對不會墮落於非國家、反國家的險惡思潮中。我相信，只要以武道的精神來鍛鍊身心，將國體的精華好好地刻入腦中、使之成爲強烈的信仰的話，絕無前述情況發生。
>
> （信仰になって居りさへすれば、決して非國家的、反國家的な險惡な思潮に惑溺するやうなことはないのである。武道の精神を以て心身を鍛鍊して、さうして國體の精華といふことがよく頭の中に體得されて、強い信仰になっておれば、決して斯ういふことはないと信ずる。）〔註92〕

至於逮捕那些「主義者」，本鄉房太郎認爲那只是治標之計，根本的解決之道「必須從教育的基礎開始修正」。〔註 93〕在前章提及武道與教育體制的關係時，提到在大正末、昭和初期，武道因被視爲是思想善導的手段，推動武道列爲正式課程的請願因而進展甚速。所謂的「思想善導」係指改正諸如「不知廉恥」、「意氣萎靡」、「人心輕浮」、「風紀敗壞」乃至「思想混亂」、「精神上的危機」等等不良的社會風氣，這些皆是因教育體制過於偏重「智」的教育、忽視「德」的教育所致。所謂「世界思潮」、「新思想」或「文運」或「智」，廣泛地指涉明治以降從西方輸入日本的思潮。更精確地說，其針對的是受左翼思想鼓動而發起運動的教授及青年學子。臺灣日日新報在昭和八年（1933）的〈日本固有の武道と獎勵　武德會事業の再吟味を要す〉（日本固有武道與講勵重省武德會事業）記事中便直陳因西洋文化的輸入而「助長浮華輕薄之風」乃至「與國體不相容的馬克斯與恩格斯的學術大量流入。思想自不在話下，甚至如眾所周知，接二連三不斷地引發許多危害國體的行動，面臨令人由衷擔憂的危機。〔註94〕」

在論述上和這種來自西方的「智」或左翼思想對立的是「國體思想」及

〔註91〕同前註，頁 185。

〔註92〕同前註，頁 186～187。

〔註93〕同前註，頁 187。原文：「根本的にその絕滅を圖るには、どうしても教育の基礎から建直してゆかなければならぬ。」

〔註94〕〈日本固有の武道と獎勵　武德會事業の再吟味を要す〉，《臺灣日日新報》，1933 年 3 月 14 日，2 版。

固有的「武士道思想（教育）」，其可以養成人民、「質實剛健」、「勤儉力行」等人格特質，並修正偏重「智」帶來的弊病與危機。如昭和十一年（1936）十二月十九日的臺灣日日新報中的讀者投書便指出：「藉由劍、柔道鍛鍊青少年身心、涵養國民精神、明徵國體觀念，並一掃偏重智育之弊害，以期完成國民教育〔註95〕」故要求當局改善盡快改善武道教師師資與報酬不足等問題，否則武道教育不完備乃至輕視精神的、體育的教育事務，則「國體觀念不徹底、國民體力低下將為必然之事。〔註96〕」

　　所謂「精神立國」是以「西方＝智＝物質主義」與「日本＝德＝精神主義」的論述邏輯來應和建立總動員體制的政策方向：在「物質」與「精神」的對立論述中雖沒有否定先進的科技、機械乃至制度的重要性和必要性，但在先後順序上則將「精神」視為比「物質」優越、重要。在論述上也肯認日本在工業和經濟上的實力遠不如西方強權，但若連美國這種「工業力和財力萬能」的國家都強調「人」的重要性，那麼日本擁有歷史悠久的武道、武士道教育，便更不可忽視透過武道修練養成「健全」的國民精神。

　　「健全」與「不健全」的論述表現出另一組對立論述：「智」與「德」。明治以來日本全力歐化、西化，偏重國民「智育」發展，在「文運」上以有長足進展，卻在「武運」上極度衰頹。大正時期乃至昭和初期的左派思想乃至左翼學生運動，被視為是只重視來自西方的「智育」、輕忽日本固有「德育」的結果，也是造成社會風紀敗壞、人心浮動的根本理由。為了「矯正」以青年學子為首的思想問題，必須加強「德育」。此處的「德育」有非常明確的指涉對象：以皇室中心主義的國體思想。固有國粹的武（士）道因而作為導正思想的教育手段被提出和重視。

　　本鄉房太郎在〈精神立國と武德の鍛鍊〉（精神立國與武德鍛鍊）一文最後指出修練武道的用意以及大日本武德會的使命，從他的論述中可見修練武道的最終目標不只是為了強化「德育」或改正社會風氣。他說：「我等武德會絕非只以獎勵修練武藝為目的。振興武道根本的我國國民精神、也就是日本魂，才是本義。〔註97〕」由於武道精神即為國民精神，所以「所有國民都是

〔註95〕〈中等校の武道教育問題〉，《臺灣日日新報》，1936 年 12 月 09 日，3 版。
〔註96〕同前註。
〔註97〕本鄉房太郎，〈精神立國と武德の鍛鍊〉（1930 年），於大日本武德會本部。收於中村民雄，《史料　近代劍道史》（東京：島津書房，1985 年），頁 187。原文：「我が武德會は決して武芸の修練を獎勵する事のみを目的として居るも

會員……本會會員是爲了實踐武道的德目及國民道德的德目而組成一個同盟，會員之間相互勸誡，舉例來說，武德會會員便不能受那樣的赤化思想所影響〔註98〕」。在修練武道之際，最重要的是：

第一、應嚴肅以對

第二、應發揮日本武道特色的攻擊精神

第三、勝負應當公正

第四、應累積修練以通達武道精神

（第一には眞劍なるべきことである。第二には日本武道の特色たる攻擊精神を發揮すべきことである。第三には勝負の公正なるべきことである。第四には練磨の功を積んで武道の精神に通達すべきことである。）〔註99〕

無論是哪種武道都是用來攻擊對手的技術，「所謂的攻擊，不是敵死就是我亡」，這是種「性命的交換」，「人生還有比這個更認眞的事嗎？還有比這個更嚴肅的事嗎？……男人一旦拔刀，劍光一閃，要不殺敵、要不被殺，二者擇一。換句話說，若士兵將一個人視爲敵人，則必賭上一個人的性命；若將千萬個人視爲敵人，則必賭上千萬人的生命；若將一國視爲敵人的話，則要賭上一國的性命。〔註100〕」而這種攻擊精神，必須從平常練習中養成：

平常的練習雖不至於性命相交，然其精神上的本質完全相同。……吾人修習武道之際，即便只是拿竹刀練習，也不可忘記竹刀即是眞

のではない。武道の根底たる我が國民精神即ち日本魂を作興することを本義としてゐるものである。」

〔註98〕 同前註。原文：「全國皆會員たるの趣旨を明にし……本會員は武道の德目、國民道德の德目を實行する所の一つの同盟を作って、會員互いに相戒しめ、例えば、武德會員たる者がそんな赤い思想に化せられてはいかぬではないか。」

〔註99〕 同前註，頁190。

〔註100〕 本鄉房太郎，〈精神立國と武德の鍛鍊〉（1930年），於大日本武德會本部。收於中村民雄，《史料 近代劍道史》（東京：島津書房，1985年），頁190。原文：「人生是れ以上の眞面目なことがあらうか。眞劍なことがあらうか。……男子が一度劍を拔いた以上は、劍光一閃、敵を殺すか敵に殺されるか、二者其の一に決せねばならぬ。即ち兵は一人を敵とすれば一人の命懸けであり、千萬人を敵とすれば千萬人の命懸けであり、一國を敵とすれば一國の命懸けである。」

劍、一擊定死生的觀念，灌注全心的氣勢，倘若敵人切我脾腹三寸，我必擊碎其頂頭八寸，若敵人以刀的護手擋我一刀，則我必將其連同護手斬成兩段，必須以這樣的氣概揮刀練習。

（平素の修行に於ては、實際に命の遣り取りをこそしないが、その精神的本質に至っては全然同一である。……吾人が武道を修行する場合には、よし竹刀を執ってする稽古でも、其の竹刀は眞劍であって、其の一擊は死生の界を定めるものだといふ觀念を失はず、滿心の氣合を傾注し、敵が若し我が脾腹三寸に切り込むなら、吾は彼の腦天八寸を打ち碎かう、敵が若し其の鍔元で我が一刀を防ぐならば、吾は其の鍔と共に腫迄兩斷してくれよう、の慨を以て、切り込まねばならぬ。）〔註101〕

假如使用卑劣的小手段獲得勝利，非但是恥辱，還比不上堂堂正正被打敗的一方值得尊敬，本鄉房太郎說：「傳統的武士道即是如此。」〔註102〕

能夠掃除因過於偏重「智育」帶來的弊病的「德育」——也就是武（士）道修練，非但可以強化國民對日本民族的認同，亦可培養「日本武道特色的攻擊精神」，在下一章的討論中將會發現，這種著重於強化攻擊精神的論述，隨著戰事白熱化不斷地被加強。

第四節　小結

最早隨著軍警體系傳入殖民地台灣的武道，於明治四十年（1907）之際，因會員人數與募款金額有卓著成果，直屬位於京都的大日本武德會總部的台灣支部正式成立。武德會會長大津麟平針對在台灣推廣武道的必要性發表一番談話，從他的演說中，可知當時對武士道的認知已經直接受到新渡戶稻造的影響，同樣認為日本異於西方的獨特之處，就在這項古來、固有的道德體系。除了以西方為對象的二元對立外，在面對新取得的殖民地台灣時，以日本因尚武強盛對比於中國因尚文而貧弱的二元對立亦十分顯而易見。將原屬清朝治下台灣人民放置在文弱、萎靡不振者的位置上，以便取得要求台灣人自我改造的論述正當性：因台灣已改隸為尚武、強盛的日本帝國，若要成為

〔註101〕同前註。
〔註102〕同前註，頁191。

合格的日本國民，便必須捨棄諸如文弱放縱、浮華輕躁的人格特質。藉由修練武術體會日本的武士道，正是改造人格特質的最佳方式。

面對台灣人與日俱增的教育訴求，隈本繁吉以增加「同化於民族」、亦即日本道德教育比重的方式，稀釋台灣人接觸文明知識的密度，表面上彷彿施予一視同仁的平等教育機會，實則大幅強化使台灣人成爲忠良日本國民的教育內涵。武道向來被視爲日本道德教育選項之一，在隈本繁吉的教育政策方針下，對普及武道亦有推波助瀾的效用。原本僅在警察、軍隊及監獄等等以日本人爲中心的體系中的武道修練，藉著學校教育中的社團與課外活動，漸漸在台灣社會中展開。

從新聞記事來看，日治前期似乎以興建修練場地、建全組織架構（會員、資金等）爲主要活動，對「武道」以及修練武道的意義與目標，除開「提倡尚武風氣」或「弘揚武德」等主張之外，並未見太多進一步討論和闡述。大正初期第一次世界大戰後，雖主戰場在歐洲，日本沒有直接參與，但也留意到一戰出現的新戰爭型態：總動員戰爭。這種戰爭形式要求無論戰時或平時、也無論平民或軍人，都必須爲國家安全竭盡心力做好準備。固然物資的準備很重要，但總動員體制的整備更強調（民族的）團結與愛國心等國民的心理、精神面向。出版《總體戰》一書的德國一戰主將埃里希·魯登道夫也好、奠定日本總動員體制基礎的永田鐵山也好，都直指總動員體制的國防體系，成敗決定於國民的精神力量。這種思考模式將國民視爲一種可以計量與配置的資源，國家也因此以資源的「量」與「質」掌握國民。國民（人）作爲一項資源的素質，強健的身體是基本且必要的素質，國民的精神素質更是關鍵中的關鍵，「精神立國」的思考方式，可說是將「武道」與養成具備體魄與愛國心連結起來的典型論述。大正十五年（1926）就任大日本武德會會長的本鄉房太郎便曾多次在報章雜誌上呼籲，產業立國固然重要，但日本必須以精神立國。昭和五年（1930），滿州事變爆發，日本進入所謂十五年戰爭期，本鄉房太郎在這年發表的長篇演說〈精神立國と武德の鍛鍊〉（精神立國與武德鍛鍊），奠定戰爭期間，傾向法西斯軍國主義日本帝國下大日本武德會的發展方向以及對日本國民而言武道修練的意義。

本鄉分析當時的世界情勢，主張日本應盡速建立良好的國防體系，也一一闡釋健全國防的要素。他認爲，制度和資源固然必須做好準備，但若缺乏有生命、健全的國民（人）妥善運用，再好的制度、再豐沛的資源也不過是

「死物」。本鄉並未否定西方器物、制度的進步，只是在論述上將專屬於日本民族的精神放在優先位階，這樣的優先順序排列，隱含著「西方＝智＝物質主義」與「日本＝德＝精神主義」的二元對立結構。大正乃至昭和初期左翼學生運動，也反映出這組二元對立結構。本鄉直指參與左翼運動而被逮捕者，不乏成績優秀的學生，卻從未見修練武道的青年遭到赤化，他更進一步推論，當下日本的弊病是明治以來過於偏重智育發展、忽略德育所造成的結果。在此，「智育」與「德育」便經常等同於「西方」與「日本」。

「精神立國」是結合武道修練與總動員體制下對國民的養成手法、期待所做出的具體論述，藉由這個主張，一方面充實修練武道的具體意義，另一方面藉由配合國家發展方針換取武道發展的空間。從具體的武道相關論述中，可以發現透過和西方對比、對立、對話來建立（日本民族的）自我的運作邏輯，「精神立國」的論述其實也增強「西方＝智＝物質主義」與「日本＝德＝精神主義」的對立結構，使得這個二元對立論述較此前更為具體、可操作化。這種思考邏輯，除了影響國民教育體系中道德教育的發展方向以外，也導引出另一種比原有的學校更為「日本式」的教化場域：道場。對於不希望殖民地人民擁有太多「智」──也就是來自西方的近代文明知識──的日本統治者來說，訓練擁有實業技能以及強烈愛國心的「國民」，以補充總動員體制的人力資源的這個目標來說，道場式的教化體系，恐怕是更為方便的做法。

第四章　從道場到戰場

隨著總動員體制的確立，將國民（人）視為資源來掌握的強度亦與日俱增，除了數量以外，提升這項資源的「品質」也是迫切的課題。從前述章節的討論可知，在培養人民擁有擔負總動員體制能力的過程中，「西方＝智＝物質主義」與「日本＝德＝精神主義」的對立模式被加強、具體化，並隨著戰事發展，人力需求日增，建立在這項二元對立結構上的論述便愈加二極化。除了在學校體系中關於武道修練的論述中可以發現「日本／西方」的二元對立主張外，名為「道場」的青年集訓中心，如「農民道場」、「國民道場」等教育機構，同樣是建立在質疑明治以降偏重「智」的教育體系而成立。本章將順著前章「西方＝智＝物質主義」對比「日本＝德＝精神主義」的討論框架，有兩個主要討論對象：一是初等教育體系中的武道教育，二是「農民道場」或「皇民道場」等機構。前者以義務教育的方式影響學齡兒童，後者則以社會中堅青年為招收對象、培養戰爭需要的人力資源。固然無法武斷地主張僅透過這兩個範疇就表示所有殖民地台灣的人民都受到影響，但初等教育以及以本島人社會中堅青年為對象的「道場」集訓，廣泛地介入殖民地台灣人民的生活是毋庸置疑的。我相信透過這層考察，將能更有效地解讀王昶雄、張文環或周金波等其他所謂皇民化時期作家留下的文字，並藉此窺視他們所處的時代面貌。

第一節　初等教育中的武道

昭和十二年（1937）支那事變、中日戰爭爆發，同年的第七十回帝國議

會眾議院通過〈劍道を小學校並青年學校の正科目と爲すの建議案〉（劍道列
爲小學校和青年學校正科的建議案）。此建議案通過後，大日本武德會公開呼
籲不只在學校，也應向整個社會推廣武道教育〔註1〕。武德會認爲雖然「男子
中等學校已將武道列爲必修課並獲得顯著的教育成果，女子教育也日漸普及
當中」但──

> 全國國民中只有少數人能夠接受中等教育，大部份都只是小學校畢
> 業，其他一部份則進入青年學校接受補習教育。基此，若要藉由武
> 道對全國國民收身心陶冶之效以涵養國民精神，將之列爲小學校必
> 修科目便至爲關鍵。

> （然レドモ全國民中進ミテ中等教育ヲ受ケ得ルモノハ一部僅少ノ
> モノノミ、其大部ハ唯小學校ヲ卒業スルニ止リ、又其ノ一部ガ青
> 年學校ニ入リテ補習教育ヲ受ケ得ルニ過ギズ候。サレバ全國民ヲ
> シテ武道ニヨリテ其ノ身心陶冶ノ功ヲ收メ國民精神ヲ涵養セムニ
> ハ、之ヲ小學校必修教科目中ニ加フルコト肝要ト存ゼラレ候。）

〔註2〕

當下「我國正面臨有史以來的大事變，深感振興國民精神與士氣的必要性」
除了大部份的國民並未接受中等教育外，在現有的小學校內也並未將武道列
爲必修科目，大部份的國民「幾乎處於無關的狀態」因此必須更進一步推展
武道，特別是加強青少年的武道修練〔註3〕。此處所謂的大事變是昭和十二年
（1937）的支那事變。與武德會發表的呼籲同年，帝國議會通過〈武道振興
ニ關スル決議案〉（關於振興武道的決議案）〔註4〕、〈武道審議會設置ニ關ス
ル建議案〉（關於設置武道審議會的建議案）等一連串與武道相關的建議案。

　　從推動武道納爲學校正課的角度來說，在這一連串的建議案中最重要者
無疑是〈武道ヲ小學校、青年學校、女學校ニ正課トスルノ建議案理由書〉（武

─────────────

〔註1〕 中村民雄，《史料　近代劍道史》（東京：島津書房，1985年），頁120。

〔註2〕 大日本武德會，〈青少年武道獎勵に關する件〉發表於《武德》第73號（1938）。
　　　　收於中村民雄，《史料　近代劍道史》（東京：島津書房，1985年），頁197～
　　　　198。

〔註3〕 同前註。

〔註4〕 藤生安太郎述，〈武道振興ニ關スル決議案〉，《武教を提げて政府と國民の覺
　　　　醒を促す》一戰社。收於中村民雄，《史料　近代劍道史》（東京：島津書房，
　　　　1985年），頁197～198。

道列入小學校、青年學校、女學校正課的建議案理由書），理由書中提及因社
會陷於「唯物的自然科學主義之弊害」之中，使得女性有「中性灰色」的傾
向，政府應迅速將武道列入正課，「期使日本婦人復活並大大提升婦德」〔註
5〕。在〈武道振興ニ關スル決議案〉（關於振興武道的決議案）中亦提到日本
古來即尚武、中世以來便接受武士道磨練，然而「近來的國民教育偏重智育、
忽視武教其弊害之甚」因此主張政府應立即透過各種官方或民間組織、機構，
大力推動武道，「以養成、鍛鍊忠勇義烈的國民道德」才能解決現下面臨的情
勢並鞏固國本。為了要在這個關鍵的時局中獲得突破，「必須強調國民道德、
振奮日本精神。而國民道德中現下最需要強調的便是武德。」〔註6〕進入日支
事變的第二階段後，愈加需要國民有「堅忍持久的節操」以突破眼前重重障
礙，各界皆出現應該高度宣揚日本精神以面對時局的呼聲，而「日本精神與
日本武道的關係在本質上係為一體。換言之，沒有日本精神就很難理解日本
武道，不將日本武道當一回事便不可能體會日本精神。因此，若彰顯日本精
神是迫在眉睫，就應更確實地發揚日本武道。」〔註7〕〈武道ヲ小學校、青年
學校、女學校ニ正課トスルノ建議案理由書〉（武道列入小學校、青年學校、
女學校正課的建議案理由書）故而主張應及早對青年施與武道教育以灌輸武
士道精神：

　　　武道精神是日本人道德的核心。而道德教育無疑是國民基礎教育中
　　　最重要的部分。強化這部分和精神力的動員，非但是目前急迫之要
　　　務，亦為國家百年大計。對「軍人」感到歡欣的少年時期的靈魂很
　　　純真，若在這樣純真的靈魂中自然地培養武士道精神，相信訓育效
　　　果將十分顯著。

　　　（武道精神ハ日本人道德ノ核心タラザルベカラズ。而モ道德教育

〔註 5〕藤生安太郎述，〈武道ヲ小學校、青年學校、女學校ニ正課トスルノ建議案理
　　　由書〉，《武教を提げて政府と國民の覺醒を促す》一戰社。收於中村民雄，《史
　　　料　近代劍道史》（東京：島津書房，1985 年），頁 203。
〔註 6〕藤生安太郎述，〈武道振興ニ關スル決議案〉，《武教を提げて政府と國民の覺
　　　醒を促す》一戰社。收於中村民雄，《史料　近代劍道史》（東京：島津書房，
　　　1985 年），頁 198～199。
〔註 7〕藤生安太郎述，〈文部省に武道局若クハ武道課設置ニ關スル建議案理由
　　　書〉，《武教を提げて政府と國民の覺醒を促す》一戰社。收於中村民雄，《史
　　　料　近代劍道史》（東京：島津書房，1985 年），頁 197～198。

　　ガ國民基礎教育ニ於テ最モ重要ナレハ論ヲ俟タザルトコロナリ。

　　精神力ノ動員ト之ガ強化ヲ計ルハ目前緊急ノ要務ニシテ又國家百

　　年ノ大計ナリ。「兵隊サン」ヲ喜ブ少年時代ノ純眞ナル魂ノ中ニ、

　　武士道精神ノ培養ヲ試ミルコト極メテ自然ニシテ、訓育的効果大

　　イナルモノアリト信ズ。）

受到鼓吹武道納為小學校正課風潮的影響，報章雜誌上也出現多篇強調對兒
童施與武道教育之重要性的文章。例如昭和十二年（1937年）《劍道同志會會
誌》中〈武道教育に就いて〉（論武道教育）直陳武術修練的效果如下：

　　第一，養成一死報國的勇猛士氣

　　第二，使擁護正義的氣氛更為旺盛

　　第三，增強體力、氣力

　　第四，習於靈肉一致的活動

　　第五，使直覺更為敏銳

　　第六，習於戰鬥動作

　　第七，身體能臨機應變

　　第八，藉由對敵訓練，培養非常強烈的氣勢與沉著。鍛鍊靈魂。

　　第九，蔑視粗暴，產生禮讓慈悲之心。

　　第十，留意輕率，擁有高貴的品格。〔註8〕

昭和十四年（1939）《臺灣教育》中〈學童武道の使命に就いて〉（論學童武
道之使命）一文亦指出，若要給日本的初等教育嶄新的面貌，便必須在小、
公學校中普及武道：

　　自然科學的進步帶來器械文明，工商業也蓬勃發展，都市日益發達、

　　物質勢力愈加強盛，像這樣物質文明的進步，在都市中各種變化大

　　量、急遽增加，面對這些變化，住在都會區的學童當然多多少少變

　　得有些神經衰弱。

　　（自然科學の進步は器械文明を出現し、商工業は殷盛となつて、

　　都市は益々發達し、物質的勢力はいよいよ強く且大なるに至つ

────────────

〔註8〕生源寺泰信，〈武道教育に就いて〉，《劍道同志會會誌》（1937年8月24日），
　　　頁6。

た。斯くの如き物質文明の進步、殊に都會に見るが如き繁激急速
な各種の變化に對しては、少なくとも都會に住する學童は多かれ
少なかれ、皆神經衰弱にかからざるを得なくなつたのは當然であ
る。）〔註9〕

像這樣的學生步出校門後，或受俗務干擾、或受遊樂所惑，使抵抗力下降，
損及健康，「都會的學童大多早熟早老、死亡率高係必然的結果。」現下對於
這樣的學童施予武道教育甚爲迫切，透過武道修練可以「安定心情、保健身
體，進一步更可磨練精神、涵養德行」。雖學校教育有修身科，但平澤平三認
爲，除了修身科以外的校園生活，德育的時間十分不足，何況「修身科偏重
記憶，只不過在傳授道德知識。爲彌補這個缺陷、對學童施以眞正的德育，
最佳的選擇即透過武道給予實際的道德訓練。因爲只是單純教導道德知識，
絕非教授實際的道德之故。」〔註10〕從這些鼓吹將武道列入小、公學校正課
的論述，大致可以歸納出幾個青年、兒童必須修練武道的主要理據：矯正偏
重智育及物質文明帶來的弊端，並透過實際的方式傳授學童實際的道德，而
非僅是知識層面的傳授，同時可收加強精神力動員的效果。

昭和十四年（1939）在日本內地出版《小學校武道指導要目》，殖民地臺
灣則由臺北第一師範學校附屬小學校正榕會出版《小公學校武道科指導細目》
（以下簡稱《指導細目》）。透過《指導細目》，可以窺知小、公學校中的武道
修練強調養成哪些人格特質。《指導細目》中包含柔道篇與劍道篇，其章節構
成如下：

　　第一章　小公學校武道指導要目〔訓令第六十八號〕
　　第二章　武道講話
　　第三章　劍道篇
　　第四章　柔道篇

總督小林躋造所發佈的訓令第六十八號揭示武道教育的要旨：

　　小學校及公學校之武道指導要目規定如左

　　小學校及公學校中武道之實施以本指導要目爲本，視各地情況訂定
　　指導細目，以求徹底鍊成兒童身心、陶冶國民人格。

〔註9〕　平澤平三，〈學童武道の使命に就いて〉，《臺灣教育》第 441 期（1939 年 4
　　　　月 1 日），頁 35。
〔註10〕同前註，頁 34～37。

昭和十四年八月四日

臺灣總督　小林躋造

（小學校及公學校ノ武道指導要目左ノ通定ム／小學校及公學校ニ
於ケル武道ハ本指導要目ニ基キ地方ノ情況ニ即スル指導細目ヲ定
メテ之ヲ實施シ以テ兒童心身ノ鍊成ヲ圖リ眞ニ國民タルノ人格ヲ
陶冶スルニ遺憾ナキヲ期スベシ）〔註11〕

在臺灣總督府體育官、醫學博士丸山芳登的序文中，則對藉由武道意圖養成
的國民特質有進一步闡述：

武道的使命無須多言，旨在透過行爲上的身心陶冶，鍊成富活力的
肉體以及節義廉直、勇猛果敢、死而後已的攻擊精神。今對小公學
校高年級兒童實施武道教育，係有鑑於僅接受初等教育後入社會者
眾，故意圖將此國民精神之根幹廣泛培育。

（武道の使命は申す迄もなく行的の心身陶冶であって、活力に富
む肉體と節義廉直勇猛倒れて後止むの攻擊精神を鍊成するにあ
る。今回此の武道を小公學校高學年兒童に追課することになった
理由は、初等教育の修學のみで社會人となるもの相當多きに鑑
み、普く國民に此の國民精神の根幹を培はんとの意圖に出でたも
のである。）〔註12〕

在第三章劍道篇序言中，也闡明對孩童施與武道課程的用意：

事實上，吾等小公學校教師企圖以劍道爲手段養成兒童的完全人
格，達成此完全教育目的，絕非單純指導劍之技術。劍道之本質不
因時因人有所不同，兒童所修練之劍道同樣是面對對手認眞地攻
擊，並不因爲是兒童的劍道而無須認眞之情事。小孩的劍道也好、
大人的劍道也好，劍道即使賭上性命。劍道的本質同樣都是拿著劍、
傾一己全智全能攻擊對手弱點、擊斃對手，是關乎生死的嚴肅。

（實に吾々小公學校劍道教師は劍道といふ手段によって兒童の全
人格を作り上げ、その全教育の目的を達成せしめやうとするもの

〔註11〕臺北第一師範學校附屬小學校正榕會，《小公學校武道科指導細目》（臺北：
　　　　臺灣子供世界社，1939 年），〈第一章〉。

〔註12〕同前註，〈序〉。

であって、決して劍の術のみの指導をするのではないのである。
尤も劍道の本質は何時の時、何人が之を行ふとも變るものでな
い。子供であらうと大人であらうと少しも異なるものではない。
兒童が行ふ劍道とても矢張り相手と相對し眞劍に擊ち突くと言ふ
事に變りはない。兒童の劍道は子供であるから、左程眞劍でなく
てもよいといふ事は絕對にない。子供の劍道でも大人の劍道でも
劍道そのものは命懸けである。斯樣に劍道の本質は相共に劍を執
り各々自己の全智全能を傾注して、相手の虛を衝き、敵を斃さん
とするものであって、生か死かの眞劍なものである。）〔註13〕

初等教育教授劍道的目標並非讓孩童精通劍術（或其他武術），毋寧說「劍道」
的「道」，也就是人格養成部份才是關鍵，劍術只不過是手段，用以養成孩童
能賭上性命「傾一己全智全能攻擊對手弱點、擊斃對手」的攻擊精神，此乃
「完全教育」才能培育出來的「完全人格」。

　　昭和十六年（1941）國民學校令發佈，小學校和公學校統一改稱爲國民
學校，武道科同時改爲「體鍊科武道」，與「體鍊科體操」同爲體鍊科下的兩
個科目。在《國民學校　教科實踐（理數科　體鍊科　實業科）》中針對體鍊
科指出，依體鍊科教授要項的教授方針第一項：「體鍊科在鍛鍊身體、磨鍊精
神、育成潤達剛健的身心，並培養獻身奉公的實踐力，磨鍊、育成皇國民必
要的基礎能力」在文化生活不斷提升的同時國民體力卻有不斷衰弱的傾向，
「特別是當下爲了聖戰完勝與大東亞建設，增加人的資源的量與質，乃急務
中之急務。」〔註14〕而國家對兒童身體的要求，則希望可以養成「強健、受
得了氣候變化與風雨，並且對病菌有足夠的抵抗力，即便遭遇生活上種種困
難也能冷靜面對並突破……」在精神層次的鍛鍊，則希望可以養成「例如打
排球時，能機敏地判斷敵人的攻擊方式並找出對策，以及看穿敵人弱點將情
勢引導爲對我方有利的判斷能力，又如相撲，希望能夠體會我國傳統相撲道
精神，有熾烈的必勝信念，不屈不撓地努力及堂堂正正對戰的態度。」雖將
身體與精神分開討論，但兩者並非各自獨立而是一體性地發揮作用，因此鍛

〔註13〕臺北第一師範學校附屬小學校正榕會，《小公學校武道科指導細目》（臺北：
　　　　臺灣子供世界社，1939年），〈第一章〉。〈はしがき〉。
〔註14〕臺南師範學校國民學校研究會，《國民學校　教科實踐（理數科　體鍊科　實
　　　　業科）》（臺南市：臺南師範學校國民學校研究會，1942年），頁141。

鍊時也必須兩者同時進行，甚至「精神的鍛鍊若不藉由身體運動是絕對不可能的，不能只是在觀念上進行精神訓練。」〔註15〕

所謂「獻身奉公的實踐力」則是指「涵養捨棄自我、爲國家奉獻一己的實踐力」。雖然運動原本被視爲追求個人幸福、是個人主義的體育，但現今體鍊科的目的「明確地以國家爲本位，可以說回歸皇國原本應有的教育樣貌。」在此中心精神下，對國民的具體要求包括，男性在第一線應具有奉公的能力，例如「背得起沉重的行囊、禁得起在險峻泥濘中追擊敵人的行軍，靠近敵人能拋出手榴彈」等等戰場上所需要的身體能力；若在「銃後」擔任後備、後援工作，爲了擴大生產效能，應具有能承擔起「戰時職域奉公」的健康身體。至於女性則應「作爲優秀的母親，擁有健康的母體並具有充份的育兒與衛生思想」，無論是「在前線的看護婦或銃後爲職域奉公的女性」皆應好好鍛鍊對應的基礎體力。「皇國民必要的基礎能力」的具體內容包括：「行走的能力、搬運的能力、垂吊的能力、游泳的能力、格鬥的能力、投擲能力、音樂遊戲的能力、教練的能力、武道的能力等身體能力」精神層面的國民能力則包括：「旺盛的鬥志、剛毅果斷的精神、不屈不撓的精神，快活真摯的精神」等等，這些都是體鍊科訓練的目標。〔註16〕

在「教學一體、知行合一或大國民之鍊成爲根本原理」的國民學校中，作爲體鍊科一環的武道，從體育方面來看，其價值在於「提升力量，促進心臟發育，發展、鍛鍊肌肉，養成身體的持續力和支配力等」然而武道的獨特性終究是在其精神層次：「藉由強烈的行爲上的修鍊（行的修鍊）磨鍊強健身體的同時，培養旺盛的氣魄與熱烈愛國的信念〔註17〕」諸如此類的國民教養、國民道德，對於「在大東亞聖戰下……本島作爲南方進展的據點」的臺灣，隨著「志願兵制度的實施與大東亞省的設置，已不再被視爲『外地』。此刻正是所有島民必須產生作爲忠良臣民的自覺。」在這個對島民而言是最佳的時機，「吾等應以充滿武道精神的身體以及武道這項能力，捨身投入其中。」〔註18〕

在這次制度改訂中，武道修鍊不再分劍道、柔道，而以「體鍊科武道」

〔註15〕臺南師範學校國民學校研究會，《國民學校　教科實踐（理數科　體鍊科　實業科）》（臺南市：臺南師範學校國民學校研究會，1942年），頁142。

〔註16〕同前註，頁143～144。

〔註17〕同前註，頁143～144。

〔註18〕同前註，頁213～214。

總括。名稱的更迭表示和早先發佈《小公學校武道科指導細目》時，武道所欲達成的目標有所不同〔註 19〕。《國民學校　教科實踐（理數科　體鍊科　實業科）》中，〈體鍊科武道〉一章指出，之所以不若過去分別寫成「劍道」和「柔道」，直接寫成「武道的」（武道ノ），是因爲「衆所週知，國民學校的武道，意義有別於過去專門、分化的柔道、劍道，而是將原本的武術特性，與現下國民生活融合成爲所謂新武道、實戰武道、綜合武道等柔、劍一體的武道」更進一步地說：

> 其爲基於國民學校的精神，站在教育、體育及國防的立場，系統化組成適合兒童的新武道。在這層意義上，便不寫成劍道、柔道，而以「武道的」（武道ノ）來表述。
>
> （……それは國民學校の精神に基き、教育的、體育的、國防的の見地に立つて兒童に即するやう系統的に編成された新しい武道を言ふのである。この意味に於て劍道、柔道と書かずに單に「武道ノ」と書れたのであると思ふ。）〔註 20〕

當然，國民學校的武道教學內容，仍舊來自劍道與柔道，若要區別，則可區別爲「柔道的教材」與「劍道的教材」，各自也有各自的技法，教學上亦應受到尊重。然而「武道的」（武道ノ）一語所強調的是「活化這些特性，才是貫穿全體、也貫穿武道精神者」〔註 21〕。在後面的段落提到「武道的精神」在道德上的要求包括：「敬神崇祖、忠孝、武勇、仁慈、廉恥、禮節、信義、質素、克己、優雅」〔註 22〕等，但所謂的武道精神，「絕非只是一種教義或道德、理論」而是：

> 將武的訓練或者是死生之際、在野戰的戰場視爲體會習得以及實踐的場域（道），滿溢生氣和赤色血潮，榮耀的規範、道德或精神。簡而言之，這正是匯聚人類精神至高、至純之物。且是奉獻、追隨唯一至上者（即天皇）的精神，換句話說，這高貴之務凝聚了我國民自然、絕對的信仰的，每思及此，便不得不認爲武道精神正是日本精神之核心。

〔註 19〕臺南師範學校國民學校研究會，《國民學校　教科實踐（理數科　體鍊科　實業科）》（臺南市：臺南師範學校國民學校研究會，1942 年），頁 215。
〔註 20〕同前註。
〔註 21〕同前註，頁 216。
〔註 22〕同前註，頁 218。

（武的訓練の中に或は死生をまとに戰ふ野戰の巷に於て、體得し
且實踐せる道にして生氣溢れ、赤き血潮のみなぎる輝やかしくも
おこそかなる規範、道德或は精神である。約言すれば正に人間精
神の至高至純なるものが凝集したものに外ならない。しかもそれ
が上禦一人のもとに隨願し奉る精神であり、換言すれば我が國民
自然的絕對的信仰の畏き一點に結集されたものであることを思ふ
とき武道精神こそは正に日本精神の中核であると雲ふを得るであ
らう。）〔註23〕

至此，可以很清楚發現在國民基礎教育體系中教授的武道，無論是鍛鍊禁得
起各種外在情況的強健身體，或養成各種所謂「健全的」人格特質，最終都
指向一項強烈的要求：國民必須投身戰場，即所謂「獻身奉公」，或追隨天皇
的指示，健全的身心並非爲個人所用、個人所有，而是必須爲國所用、爲國
所有，在戰場實踐，甚至是爲國犧牲，才是鍛鍊身心的最終目標。

第二節　殖民地臺灣的道場化

「道場」此語，是梵文「bodhi-ma□a」的日譯「菩提道場」之略稱〔註24〕，
原義是指釋迦在菩提樹下開悟得道的場所，而後廣泛使用於佛教寺院或修行
的場所。至於什麼時候開始用「道場」來指涉武藝修練的「武道場」，一說起
源尚不可考〔註25〕，亦有一說指出在江戶以前，武藝修練場通常稱爲「稽古
場」（練習場），到明治時代以後才開始稱爲「道場」。陳信安指出，在武道相
關文獻中表示武藝修練場所的名稱包括「演武場」、「武德殿」、「武道場」、「道
場」等，但這些名稱常指稱同一種建築，而在大日本武德會成立並將各項武
術的正式名稱改爲「武道」後，「武德殿」專指各地警察體系的武道修練場，
其他練習場所一般稱爲「道場」〔註26〕。

昭和九年（1934）八月，《臺灣教育》雜誌上刊載若槻道隆所著，關於「農
民道場」的討論。該文提到：

〔註23〕臺南師範學校國民學校研究會，《國民學校　教科實踐（理數科　體鍊科　實
業科）》（臺南市：臺南師範學校國民學校研究會，1942 年），頁 218～219。
〔註24〕陳信安，〈臺灣日治時期武德殿建築之研究〉（台南：國立成功大學建築學系
碩士論文，1997 年），第三章頁 50。
〔註25〕同前註。
〔註26〕同前註，第二章第 7 頁。

「道場」一語，原爲佛教用語。係指沙門靜心修道之處，與「寺」
語源相同。又用以稱呼武道諸術學習的場所。槍的道場、劍術道場
等皆爲此例。用語例子姑且不論，佛道的修行以戒定慧三學爲目的，
慧指修得知識，定指鍛鍊心的靜寂，戒則爲實行律法。只偏重知識
修得者爲邪道，實行與鍛鍊亦必須重視。〔註27〕

很顯然地，「只偏重知識修得者爲邪道，實行與鍛鍊亦必須重視」的批評，是
「西方＝智」與「日本＝德」對立結構下所形成的思考模式。若槻道隆直指：

農村青年的指導所爲教育場所，不稱之爲「農民學校」而用「道場」
這個語彙命名，顯然針對現下的學校教育，一味偏重智育，荒廢身
心鍛鍊，僅把知識當作知識來使用等弊病的批判。〔註28〕

爲了實現三學（戒定慧）的教育，若槻道隆細論了具體的實行方式。當中提
到，在授予知識時，首先必須引發學生的好奇心和興趣，但不能是無目的地
引發好奇心，他認爲「教育的目的，在於引發被教育者對眞善美的興趣〔註
29〕」，倘若放任學生被引起的興趣或好奇心不加以引導，那麼「個人的生命可
能陷於邪道。〔註30〕」明治以後的教育「實際上受實利主義功利主義的思潮
所誤，墮落於知能本位、興趣本位，因而產生不良風氣，中青年學徒中，出
現許多左傾思想者，變得不得不以舉國之力防範的狀況。這是受歐美思想的
影響，無差別、無批判地採用外來思想，以興趣爲中心的思考方式〔註31〕」
所造成的後果。因此：「若教育的理想在於助長民族固有善美精神以及以國民
的繁榮爲目標，便必須針對此目的來喚起興趣。〔註32〕」

若槻道隆認爲「農民道場開設一事，較妥當的看法或許是：修正教育制度
並不容易，但拯救農村卻又刻不容緩，所以才出現這類場所。〔註33〕」農民道
場的設立，並非由主管教育的文部省所負責，而是由農業主管單位的農林省出
資，除了前述認爲教育體制過於偏重智育之外，若槻道隆對統籌全國教育事務
的文部省多有批評，認爲文部省統理下的教育體制並無法培養不同領域所需要

〔註27〕若槻道隆，〈農民道場の出現と教育の再檢討〉，《臺灣教育》第385期（1934
　　　　年8月1日），頁6。
〔註28〕同前註。
〔註29〕同前註，頁8。
〔註30〕同前註，頁8。
〔註31〕同前註，頁9。
〔註32〕同前註，頁8。
〔註33〕同前註，頁9。

的人才。他認爲學校教育中幾乎沒有對心的鍛鍊以及「不言之實行」等成份的教育內容，而實業教育體系中，雖針對專門技術施予相當程度的修練，卻也不注重心的鍛鍊。「農民道場教育，相較空理空論，更著重在實踐躬行，相較於知識，實行更爲優先，從腳踏在土地上的生活中，找出生活的意義與價值」，甚至把都市生活與農村生活對比，前者是重視物質、肉體生活，高度經濟發展的生活，後者則即使生活如何貧困、不便，也能從中找到人類生活的清境，是墮落人類的救贖。因此，「推行道場式教育，是戒定慧三學教育的實現，此乃農民道場的目標，學校教育也應朝這個方向開展。」〔註34〕

　　若槻道隆的這篇文章發表於昭和九年（1934），依據林繼文對戰爭動員研究，此時尚處於備戰階段，對台灣的動員限於將原有的農業產業結構轉型爲工業，尚未進行人力動員〔註35〕。加以爲了維持差別統治，以及台灣人與日本侵略對象的中國的相近性，使得日本人並未貿然徵召殖民地台灣人編成軍隊。直到昭和十二年（1937）支那事變、中日戰爭爆發，台灣人才首度被徵召，但也並非擔任第一線作戰人員，而是作爲軍夫、通譯、生產蔬菜供軍隊使用等等支應軍隊作戰所需要的人力。太平洋戰爭爆發後，面對戰況惡化、人力吃緊的局面，日本政府於昭和十七年（1942）年公佈陸軍特別志願兵制，至此台灣人才正式被徵召進軍隊。

　　昭和十二年（1937）支那事變爆發以後，培養國民擁有因應戰爭所需的實際技能以及（符合統治者所需的）心理、精神素質，隨戰事白熱化愈趨強烈。動員殖民地台灣人的方式或名目，耳熟能詳者包括以生產軍用食糧的「農業義勇團」、配合南進政策到南方開發的「拓南工業戰士」，以及以培養皇民化運動中領導民眾的主要幹部爲目標的「勤行青年報國隊」，乃至以原住民爲主體的「高砂義勇隊」〔註36〕。爲了動員更多青年投身戰場，補充人力資源，除開前面幾個章節著重的學校教育之外，也透過各種與青年有關的團體培養殖民地台灣的青年對日本的認同（皇民精神），例如「青年團」〔註37〕、「青

〔註34〕若槻道隆，〈農民道場の出現と教育の再檢討〉，《臺灣教育》第385期（1934年8月1日），頁7。
〔註35〕林繼文，《日本據臺末期（1930～1945）戰爭動員體係之研究》（台北：稻鄉，1996年），頁18～19。
〔註36〕同前註，頁222～223。以及林呈蓉，《皇民化社會的時代》（台北：台灣書房，2010年），頁131～138。
〔註37〕關於台灣的青年團的成立與發展，可參考楊境任，〈日治時期台灣青年團之研究〉（桃園：國立中央大學歷史研究所碩士論文，2001年）。

年學校」、「青年特別鍊成所」、「皇民鍊成所」、「國民精神研修所」等等〔註38〕。
這些組織各自的成立、發展脈絡皆不相同，但在戰爭期間皆以培養爲國效忠、
犧牲，且具有充分技術、體能以支應戰爭的人力資源爲目標，若槻道隆所討
論的「農民道場」也是這些組織中的一種。

　　舉例來說，昭和十一年（1936）於臺北北投成立的皇民道場拓南社，雖
性質上屬於私塾，但營運經費由總督府、臺北州、臺灣拓殖會社及糖業聯合
會贊助〔註39〕。目的在「以養成派到南支南洋發展的精忠皇國民爲目的。招
攬優秀青年，藉由精神的、軍事的訓練與農耕勤勞生活修養實踐，派遣到南
方前線。〔註40〕」此皇民道場的招募對象爲十六到二十歲、身體強壯的男子〔註
41〕，學員皆爲來自偏遠山區農村的廣東族系（客家人）〔註42〕。道場訓練時
間爲期一年，學員全員集中合宿〔註43〕。以配合南進政策設立的皇民道場拓
南社，訓練內容以農業技術爲主，同時包括國語、國史、修身、公民，甚至
有體操（含武道）與軍事操練。塾長浦田武雄表示，隨著皇軍在南支（中國）
的戰果，在南支需要的人材日趨增加，而最接近南支的臺灣應在養成人力上
有所支援，感悟到這點的浦田「對自己的信念更加篤定。在南方的據點臺灣
設立魂的道場，育成能在南方發展的人材，吾此生以此爲奉公志業。〔註44〕」

　　昭和十二年（1937）後，台灣各地亦接連出現由州政府推動成立的「道
場」。例如臺中州於昭和十三年（1938）開設「青年道場」，採每一期三週的
合宿集訓方式，內容除了涵養國民精神（因而教授國史、國民道德等科目），
也包括經營青年團的課程〔註45〕。因成效卓著，隔年更開設「女子青年道場」
〔註46〕。臺灣總督府亦於昭和十五年（1940）將設立「臺灣拓士道場」作爲

〔註38〕王錦雀，《日治時期台灣公民教育與公民特性》（台北：台灣古籍，2005年），
　　　　頁225～227。
〔註39〕《皇民道場拓南社概要》（臺北：皇民道場拓南社概要，1940年），頁5。
〔註40〕同前註，頁1。
〔註41〕同前註，頁6。
〔註42〕同前註，頁13。
〔註43〕同前註，頁5。
〔註44〕同前註，頁16～17。
〔註45〕〈青年團道場設置要項〉，《向陽》（臺中市：臺中州教化聯合會）第263號（1938
　　　　年5月18日）第1版。
〔註46〕〈臺中州女子青年道場開設〉，《向陽》（臺中市：臺中州教化聯合會）第310
　　　　號（1939年4月12日）第2版。

年度事業開辦，並於昭和十七年（1942）送出第一批畢業生〔註 47〕。由臺灣總督府拍攝的宣傳影片《國民道場》〔註 48〕，可以看見當時在這類設施內進行的訓練情況。

國民道場設於臺南州，影片一開始即介紹爲了祭祀開發新臺灣或在大東亞戰爭中喪失生命的英靈而建設的忠靈塔，以此忠靈塔爲中心，開拓皇民鍊成的聖域。隨鏡頭移轉，應和鼓聲的是從一座座整齊排列的建築物中跑出、迅速列隊集合的學員，雖然沒有一個人身著軍服，依口令整齊劃一的動作和元氣飽滿的報數，觀者可以很輕易理解這是軍事訓練中心。影片依國民道場的一日修練行程進行，清晨青年們必須先洗淨自己的身心，才到神前祈禱祭拜。以影片中所見的課程內容來看，上午是訓話，下午則是實用技能訓練。推測在此道場的訓練行程，上午應該是屬於加強國民／皇民精神的相關課程。在影片中的訓話課程，在黑板上貼著的主題是「大勇猛心」，在特地安排的影片中所呈現的主題，應可視爲統治者最重視、亟欲灌輸給國民的價值或理念。強調「勇猛」和攻擊精神同一環，冀望能培育國民擁有面對戰爭不退縮、勇敢殺敵的人格特質。下午的課程則教授在社會上也能派上用場的技能如算盤。又據旁白所述，因參與者以農民居多，所以在道場內也教授農業技能與知識。在授予受訓者鍊成證書之前，是一段由學員組織的行軍畫面，整齊劃一的行進，彷彿表示透過道場的訓練，州民已逐漸踏上成爲皇軍的方向。從道場結訓、取得鍊成證書並不代表鍊成已經完成，誠如旁白所說，學員們「誓言今後的鍊成也要繼續」、「最後州民們團結一致，誓言獻身於這場皇道聖戰（中略）州民的熱情展現在道場訓詞當中」，道場訓如下：

第一條　我在道場發誓一生獻給天皇，期待能以一死獻身完成建設大和世界的偉大使命。

第二條　在此道場靜坐務須傾盡精根，開拓萬古之心境，以明時務，養千世之識見。

第三條　在此道場起身離座，我將致力斷絕內心各種雜念，並致力領會天下各種思想。

〔註47〕〈臺灣總督府の拓士道場〉，《臺灣農業會報》（臺灣：臺灣農會）3：7（1941年7月20日），頁78～89。〈巢立った總督府第一回拓士道場生〉，《臺灣農業會報》（臺灣：臺灣農會）4：1（1942年1月30日），頁128～130。

〔註48〕收錄在《片格轉動間的台灣顯影》（臺南市：國立臺灣歷史博物館，2008年）。

在道場受訓，代表的並不是鍊成的結束，而是鍊成的開始，必須將此身獻給天皇、獻給聖戰，以建設「大和世界」，唯有堅定地朝著這個目標努力，才算得上完成修練。除了前述這些「道場」的類型以外，也透過保甲制度，深入社會基層，成立各種部落道場，以強化一般民眾的皇民精神〔註49〕。在這些「道場」內的訓練或強化皇民精神的方式，並非「道場」專有，在其他類似的機構、組織如鍊成所，也採取類似的教化方式。雖然少部份「道場」也對道場生施予武道訓練，但顯然武道修練並不在這類「道場」的主要內容與目標之中。換句話說，此處的「道場」必須脫離宗教修道場或武術修練場等原有的語詞用法來看。

　　由多位學者共同執筆、寺崎昌男主編的《總力戰体制と教育——皇國民「鍊成」の理念と實踐》（總力戰體制與教育——皇國民鍊成的理念與實踐）中，便將「道場」一語視爲一種理念，用以詮釋「鍊成」體制。該書指出，從三〇年代末期開始，「鍊成」一語開始廣泛流傳，其有如下特徵：

　　一、在與日常生活隔離的特定設施（道場）中施行。

　　二、重視宗教性儀式、身體活動、農耕作業等身心一體化的具體行
　　　　爲活動，反理性主義、以精神主義爲核心的實踐至上主義。

　　三、比起個人修養，更著重藉由師徒制的住宿生活培養集體性特質。

　　四、以可能成爲國民中堅指導者的青年或成人爲主要對象，有人格
　　　　改造功能的味道。

　　五、以一貫的皇室中心主義爲前提。〔註50〕

執筆者清水康幸指出，「倘若將之（指前述養成人格的方式）稱爲『道場型』鍊成的話，其原型在三〇年代初期即已成形。」而這種離開日常生活到某特定場所集中修行之盛行，要回溯到一〇～三〇年代期間的「修養運動」。清水康幸引述三木清的評論，指出大正中期以降「人們極欲找出在非常時期的處世方式（中略）宗教復興對『心境』有所憧憬，展現從社會不安這種現實狀況往『心境』遁逃的傾向」而這種藉由宗教修行求取某種心靈或精神上超越現實的社會風潮，「對於造就接受鍊成的精神性土壤來說至關重要。」〔註51〕

〔註49〕例如在集集莊教化聯合會，《集集莊社會教化設施概況》（新高郡：集集莊教化聯合會，1939 年），頁 7～11 中，便提及部落道場營運的方式，具體運作內容包括改善生活環境以及加強皇民精神等。
〔註50〕寺崎昌男、戰時下教育研究會編，《總力戰體制と教育—皇國民「鍊成」の理念と實踐》（東京：東京大學出版會，1987 年），頁 29。
〔註51〕寺崎昌男、戰時下教育研究會編，《總力戰體制と教育——皇國民「鍊成」の

　　即使社會上已有「道場型鍊成」的發展土壤，鍊成體制的形成仍得透過國家權力的介入才得以成型。「道場型鍊成」成為國民道德改造手段契機，係建立在兩個時代因素下：國家總動員體制的建構以及教學革新〔註 52〕。教學革新，簡而言之是針對大正末年乃至昭和初期學生左傾思想及運動進行「思想善導」的相關作為。以學生思想問題為契機，明治以來精英教育以西方知識為主、一般民眾教育以天皇主義為中心的雙重教育結構「以天皇制教學為原則，重新進行一元化的編制〔註 53〕」正如前面章節提過的，當時武道修練也被視為「思想善導」的手段之一提倡。至於國家總動員體制已在前述章節提過，原本是民間人格修養運動的「道場型鍊成」，在總動員體制下日後漸漸與軍隊式的訓練方式合流〔註 54〕。

　　昭和十七年，大政翼贊會鍊成局為了統合鍊成工作，制定〈國民鍊成基本要綱〉，前田一男以長野縣為例，指出長野縣因應中央方針下制定的鍊成體制，在日本進入決戰時期之際「『生活型』鍊成正式登場。」生活型鍊成並不是否定道場型鍊成，毋寧說兩者是同時進行並相輔相成。兩者之間的不同處在於，道場型鍊成係以國民指導者例如教員的再教育為目標，並且是在特定、限定的場所裡舉行；生活型鍊成則意圖把道場型的理念擴大到家庭、工作場所或地方區域裡施行，對象則是全體國民。前田一男指出，之所以會發展生活型鍊成體制，係因「決戰下鍊成體制意圖把孩童或一般人也列入鍊成對象，但『道場型』已不足以應對這個情勢，透過有機連帶創造出『生活型』，成為新的政策課題。」〔註 55〕然而，他也指出「將『道場型』鍊成以『日常的道場化』帶入全體國民的日常生活、實現鍊成體制，不過是紙上談兵〔註 56〕」。縱使在體制上，最終沒有達成「日常的道場化」的目標，在戰爭白熱化、日本政府強烈需要更多人為國奉獻、犧牲之際，在論述上將所有可以、或應該對天皇、對日本國實踐效忠之心、皇民之道的場所，便能夠被稱「道場」。例如在《皇民讀本》中將陸軍醫院稱為皇民化的道場（陸軍病院が皇民化の道

　　　　理念と實踐》（東京：東京大學出版會，1987 年），頁 26。

〔註 52〕同前註，頁 30。

〔註 53〕同前註，頁 11。

〔註 54〕同前註，頁 30～32。

〔註 55〕同前註，頁 49～52。

〔註 56〕寺崎昌男、戰時下教育研究會編，《總力戰體制と教育──皇國民「鍊成」の理念と實踐》（東京：東京大學出版會，1987 年），頁 51。

場)，要求島民慰問、支援因「聖戰」而受傷的皇軍〔註57〕；《臣道の實踐》一書中也指出，在市、郡的區會、部落會中設立的奉公班，正是「臣道的實踐道場」：「在此道場中，我等應虛心坦懷地實踐臣道，在職域上盡至誠以奉公。」〔註58〕

　　換句話說，無論是武術修練的「武道場」或宗教修練的「修道場」、或是本節所描述的以農業訓練爲主的「農民道場」，或以培養開拓南方實業技能的「拓南道場」，受到戰爭動員體制影響下的這些具體形式的道場，是爲了讓進來修練道場生能夠擁有爲天皇效忠、犧牲的精神，亦即修練臣道之心。透過集中合宿訓練，養成日本精神、皇國民之心後，道場生必須走出具體形式的道場，在自己的活動領域中實踐奉公精神，道場以外的生活場域或戰爭前線，才是所有皇國民實踐皇國之道眞正的「道場」。

　　若回歸本文主題的武道的實踐來談，如前所述，武術修練已不能爲現代戰爭帶來有效率的實際利益，故而武道修練的目標幾乎集中在精神修練上。日本知名的航空軍人源田實，曾提到日本的空軍比中國強的理由：

> 理由很多，也許不能一概論之，但對我個人來說，我覺得是武道精神的具體展現之故。空戰就是「一騎討」（單挑）決勝，雖說戰術和源平時代騎馬「一騎討」的意義多少有些不同，但必須要有過去那種「一騎討」的覺悟。武道中渾身充滿攻擊精神，面對敵人的氣勢，我認爲那就是空戰的覺悟。近代的運動（スポ——ツ）絕非不好，但空戰需要的胸懷與覺悟必須透過武道來養成，此爲日本空軍強盛冠於世界的理由。〔註59〕

在學校教育中施行的武道修練，戰局愈緊迫，便愈強調養成攻擊精神的重要性，而且是不分大人、兒童，皆必須在武道修練中養成對敵的強烈攻擊精神。這種攻擊精神並非只用於武道場內的武術對戰，在戰場上面對敵人時更必須徹底實踐。劍道教士藤田倶治郎在昭和十四年（1939）三月二十八日，受臺灣軍司令官牛島實常招待，參加一場引介新任（第13任）臺灣軍參謀長上村幹男的茶會時，上村幹男參謀長在茶會中，受牛島實常邀請，向在場人士說

〔註57〕上田光輝，《皇民讀本》（基隆：淨土宗青年聯盟，1939年），頁106～110。
〔註58〕大澤貞吉，《臣道の實踐　皇民奉公叢書　第五輯》（臺北：皇民奉公宣傳部，1941年），頁22。
〔註59〕〈日本空軍の強いわけ　武道精神の發露　空の至寶、源田少佐凱旋〉，《まこと》（臺灣三成協會）第302號，（1938年2月10日）第8版。

了一些在戰場前線的見聞。藤田俱治郎認爲這些故事十分動人，只讓與會的少數人聽太可惜，同時也認爲這些故事中展現了優美的武道精神，因而從武道精神的角度詮釋，將這些故事記載下來，分（上）、（下）兩期發表在《臺灣教育》上〔註60〕。

故事一共有六則，大意如下：（一）**不思議なる日章旗**（不可思議的日章旗）——某揮舞日章旗（日本國旗）的單兵引領一小隊的兵靠近敵陣，被敵人發現後受到敵人猛烈攻擊，該單兵毫不慌亂，沉著勇敢地擊殺三名敵營領頭的士兵，並率領小隊攻下敵陣。事後問他爲什麼能夠如此勇敢，他說兩三個月前因爲一些小事遭到隊長責罵，爲此感覺非常悔悟，便思考要怎麼做才能恢復自己的名譽，因此決心勇敢行動，做好將自己的生命奉獻給大君的深刻覺悟。藤田俱治郎認爲該士兵的作爲，正是武道精神的顯現：絕不爲自己的過錯辯解，也不針對責備自己的人發難，雖決心恢復名譽，卻是透過累積善行達成，而非用言語辯解。藤田俱治郎認爲這種精神和氣勢是透過武道中堂堂正正戰鬥的教誨學習而來。〔註61〕（二）**靖國神社へ一足お先に**（先到靖國神社）——某士兵在戰鬥中負傷，後送回醫院時，傷未痊癒卻再三向軍醫要求出院。軍醫不允許他出院，他向軍醫表示，因爲自己所屬小隊的突擊行動不順利，當晚又要發動攻擊，他很擔心，希望軍醫能讓他歸隊。軍醫受他的誠心感動，終究讓他出院歸隊。不久，該士兵胸口受手榴彈攻擊又送回軍醫院，肺部已被炸傷，呼吸困難，他知道自己傷得太重無法醫治，卻仍奮力壓著胸口、一副沒事的樣子向軍醫道歉，並希望死前可以見班長一面，但班長仍在戰鬥中，無法會見，於是見了中隊長。他對中隊長說：「我先您一步到靖國神社了，中隊長請保重自己的身體。倘若您戰死、要到靖國神社來，我會在鳥居下恭候。另外還有一個願望，希望不要將我寫成戰傷而死，而是記爲戰死。」在聽到中隊長允諾後，該士兵笑著安息了。藤田俱治郎認爲這種強健的精神以及爲君爲國犧牲生命的氣勢，正是透過武道修練習得。〔註62〕（三）**苦しいと云はず**（不說痛苦）——參謀長上村幹男說，他多次探視因戰受傷者，但這些傷者卻從不說痛也不喊苦。因而對於軍隊的剛氣感

〔註60〕藤田俱治郎，〈戰場にて現るる武道精神（上）〉，《臺灣教育》第455期（1940年6月1日），頁94。

〔註61〕同前註，頁94～95。

〔註62〕藤田俱治郎，〈戰場にて現るる武道精神（上）〉，《臺灣教育》第455期（1940年6月1日），頁95～96。

到驚歎。藤田俱治郎說，在劍道的練習中常有無止無盡的苦痛和疲憊。即使如此，也絕不向別人喊痛、喊苦，更不會以疲憊的姿態面對他人，此即忍耐心（我慢心）的鍛鍊，也是必須透過劍道來學習。又指近來因時局之故，在衣、食、居住上不自由，但身在銃後者，絕對不能說苦。在戰場前線受重傷者，尚不喊痛苦，在銃後的人們更應該學習這種氣勢。〔註63〕（四）**濟みませんと云ふ（道歉）**——在司令部附近收容負傷的士兵，每次去探視他們，所有的士兵都會異口同聲地道歉。想想爲什麼他們要道歉，方知他們是爲了不能遵守命令、佔領應佔領之地而感到抱歉。藤田俱治郎認爲此事表現了強大的責任感，由於認爲自己應該完成上級的命令，卻終究無法完成，因而打從心底感到歉意。這種強烈的責任感，是透過劍道的練習所練成。〔註64〕（五）**將兵は親子の如し（將士如親子）**——在艱苦的戰場上，兵隊會試著減輕隊長的痛苦。比方說會將豆腐留給隊長吃，或者不讓隊長吃現地生產的米而是吃內地（日本）運來的米。藤田俱治郎認爲這種上下一體、共體時艱、同甘共苦的想法，是從劍道修練中得來的。〔註65〕（六）**日章旗と兵隊（日章旗與軍隊）**——軍隊佔領一地後，必定會高高地插上日章旗。雖說容易成爲敵人的目標不要高揭旗幟爲佳，但這種做法顯示軍隊與日章旗共存亡之氣魄。又或者插旗可以鼓勵士氣。藤田俱治郎認爲這是因爲軍隊中每個人都把國家存亡一肩扛起，並且能受到插旗鼓舞並因此重視名譽。把人與國家視爲一體而變得更強的精神，正是從武道修練而來。〔註66〕

　　透過這些來自戰場的故事，可知武道修練中對學習者所要求的種種精神特質，都不只期望在武道場內實踐，而是要在武道場外、在戰場上展現。固然這些故事是基於宣傳動機才被傳誦、記載，因而不代表戰場上的士兵全都是如此願意爲國家、爲天皇奉獻生命，但這類故事的傳頌，一方面展現出統治者期望的士兵及銃後支援者的樣貌爲何，另一方面，作爲案例，這些故事也爲我們揭示武道修練中強調的種種道德規範與精神特質，必須以什麼樣的具體方式在戰場上實現。誠如前述章節所陳，武道修練第一重實踐，故而如果這些道德規範或精神特質無法在「人」所處的場所具體實踐，那麼便稱不

〔註63〕藤田俱治郎，〈戰場にて現るる武道精神（下）〉，《臺灣教育》第 456 期（1940年 7 月 1 日），頁 101。
〔註64〕同前註，頁 101～102。
〔註65〕同前註，頁 102。
〔註66〕同前註。

上是在修練武道。換句話說，當總動員體制將人民的生活場域不分前線或銃後一律劃爲戰場之際，生活的每一個面向便都是必須徹底實踐這些規範的「道場」。

第三節　賦予「死物」生命的英勇靈魂

本文的最後，必須回到最初的提問。在王昶雄的〈奔流〉中，自認爲是日本人的伊東春生，在初次到「我」的家裡拜訪時，便如此批評本島人：

> ……（前略）人類的成長進化，是受那夢的鼓舞而推進的。我們學校是專收本島人子弟的，他們並沒有懷抱太大的夢，直截了當地說，殖民地的劣根性經常低迷不散，很傷腦筋〔註67〕

「我」則應和道：

> 那不見得！但是他們沒有雄心卻是眞的。〔註68〕

伊東接著批評：

> 他們的視野很窄，因爲無法離開自我的世界去想東西，總是怯怯的，人都變小了。〔註69〕

伊東雖身爲本島人，卻以日本內地人自居，其想法與價值觀與殖民者如出一轍。從伊東的想法反映出在殖民者眼中，殖民地臺灣人是沒有夢想、沒有雄心、視野狹窄且性格怯懦，這些人格特質是本島人的「劣根性」。當林柏年頂撞伊東春生時，伊東用一副自以爲是施予者的態度包容、並很快地將林柏年的反抗與本島人的普遍特性劃上等號，認爲這需要透過長期教育來修正：

> 長久的教育生活中，這樣的場面，也應該考慮到。不知道是誰說的，陶冶學生，不僅是磚塊的堆積，每天的經營，多半需有等時性。尤其本島人學生常有的乖僻的性情，非從根柢重新改造不可。〔註70〕

之後，伊東春生邀請「我」到學校的劍道場參觀。「我」隨口問了日本內地人的教務主任：「大家都幹勁十足啊！今年優勝的可能性如何？」教務主任回望

〔註67〕 王昶雄，〈奔流〉，《王昶雄全集：小說卷》（台北：台北縣政府文化局，2002年），頁329。

〔註68〕 同前註。

〔註69〕 同前註。

〔註70〕 王昶雄，〈奔流〉，《王昶雄全集：小說卷》（台北：台北縣政府文化局，2002年），頁339。

伊東，裝模作樣地大笑著說：「哈哈，哈哈哈哈！究竟怎樣呢？總之他們全都是膽小如鼠的小伙子，優勝恐怕沒什麼希望吧？伊東君，你認為如何？」伊東春生十分慎重地說：「完全同感，我平常也對那一點感到很慚愧。」〔註71〕林柏年對於這種自以為優越的殖民者姿態非常不能苟同：「本島人每天像三頓飯一般地被罵成怯懦蟲，實在受不了。〔註72〕」

　　將日本殖民者（以及自視為日本人）眼中那些本島人的負面特質放在「武（士）道」的發展脈絡下來看，殖民地台灣人之所以被評為「怯懦」，可說是受到明治二十八年（1895）日本打敗清廷影響。清廷的戰敗，使得過去儒教崇高的光環不再，並形成「中國＝儒教＝文弱」與「日本＝武士道＝尚武、強盛」這組二元對立結構。前清屬地的台灣，於清廷戰敗後被割讓給日本，作為戰勝的殖民者在面對殖民地台灣時，將此地人民與社會風氣放在前述對立結構下來評斷，因而對本島人的評價不脫文弱、頹靡、怯懦等。這一點早在日本領台初期、武德會會長大津麟平的演說中就已經被提出。王昶雄書寫〈奔流〉時，距離大津麟平的演說已距離約四十年，這組二元對立的價值判斷，仍牢牢地纏繞著這塊土地的人民。日本殖民者將台灣人置於一個永遠不足、不完美且必須自我改造的位置，除了是日本中心的優越感造成的歧視外，到了戰爭時期缺乏人力資源時，更成為一種動員的手段。

　　從前面的討論可知，武道修練為了能夠重新被時代、社會認可，不斷地強調修練武道對日本民族、國家的重要性。武術修練固然能夠強身健體，但被強調、凸顯的特殊性在於武士道是日本民族固有的傳統，是大和精神之所在，為了民族、國家的存亡，必須透過武術修練來獲得某些特定的精神特質。換句話說，精神修練才是修習武術的最高目標。在〈奔流〉出現的劍道場面，亦可以很輕易地發現，劍術勝負幾乎沒有提及技巧優劣，毋寧說這是一場精神與意志的對戰。例如，當「我」一進到劍道場，便發現「戴著面具和護胸的幾組選手，把這裡當做決戰場似地，使出渾身的力量在交戰著〔註73〕」教練聲嘶力竭地喊著：

　　　　不要舉得高高的，採取威壓敵人的姿勢，與其說是笨拙，寧可說是不

〔註71〕同前註，頁348。
〔註72〕同前註，頁350。
〔註73〕王昶雄，〈奔流〉，《王昶雄全集：小說卷》（台北：台北縣政府文化局，2002年），頁346。

　　　　懂劍道正法的人……氣勢不夠！不夠！怎不再奮力猛撞呢？〔註74〕

再如前面「我」問教務主任關於今年是否可能獲勝時，教務主任的回答只是嘲笑本島人選手怯懦因而不太可能獲勝，獲勝的關鍵似乎與劍技高超與否無關，而是取決於精神或意志怯懦與否。

　　王昶雄在另一篇散文〈偉大的進軍〉裡提到「北部的某中學雖專門收容本島人的子弟的學校，但最近兩年連續獲得國技的劍道冠軍〔註75〕」獲勝的理由「與其說是以技術獲勝，倒不如說是以氣魄制勝的。簡直像要激發出火來似地，捨身挑戰的氣魄〔註76〕」。為了以氣魄致勝，小說中的林柏年必須「以全副精神在練著。氣力充溢全身，而在把劍尖對準對方的眼睛下，用力打下去時的雷霆萬鈞之勢，這可說是奮勇猛進，還是可稱為奔放不羈，彷彿使出全力揮動長久受壓制的四肢似的。那氣勢，連看的人都要滲出汗水來。〔註77〕」有如此驚人的氣勢還不夠。當身為醫生的「我」因擔憂林柏年的舊傷及身體狀況而關心他：「那種氣量，我是很欽佩，不過，必須在不會過度的範圍內好好努力吧！〔註78〕」林柏年卻回道：「先生！不會過度的範圍，是不徹底的〔註79〕」，若要「徹底」便必須「過度」。對林柏年而言，唯有憑藉著堅強的精神與意志，超越自己身體的舊傷、身體的限制，才能取得優勝。

　　爾後，在本島人獲得劍道優勝後，「我」說：「本島人終於把劍道，變成自己的東西了。多半是心和技一致了，所謂能虛心坦懷地應戰的結果吧，或是激烈如噴火的鬥志，壓倒一切了吧。」並且「被欺侮為膽小如鼠的事，現在已成古老的故事了。現在就要吹滅卑屈的感情，本島年輕人正要開始飛躍了。〔註80〕」戰勝不只在技巧上獲勝，而是「心和技一致」或「激烈如噴火的鬥志壓倒一切」，劍術比賽的獲勝，可以證明在意志與精神的優越、或至少不下於向來自負武勇的日本人，自此彷彿本島人被視怯懦、膽小的事全都成為往事。

〔註74〕同前註。
〔註75〕王昶雄，〈偉大的進軍〉，《臺灣時報》（昭和 19 年（1944）九月號）。收錄於《王昶雄全集：散文卷四》（台北：台北縣政府文化局，2002 年），頁 156。
〔註76〕王昶雄，〈奔流〉，《王昶雄全集：小說卷》（台北：台北縣政府文化局，2002 年），頁 346。
〔註77〕同前註，頁 347。
〔註78〕同前註，頁 350。
〔註79〕同前註，頁 350。
〔註80〕王昶雄，〈奔流〉，《王昶雄全集：小說卷》（台北：台北縣政府文化局，2002 年），頁 351。

在〈偉大的進軍〉這篇散文中描述當本島人取得劍道優勝，使得這個「柔弱分子的集合地，是個連存在都被懷疑的學校。說來真不勝今昔之感，比什麼都讓人覺得有出息的〔註81〕」。掃除過往柔弱氣息的熱烈氣魄「甚至讓人們懷疑本島人的血液裡，竟也潛藏著這麼樣的不服輸的精神。率直地把自己豁出去時，就會產生不惜身命，再沒有比把自己拋出去更強的，而這就是劍道的精神之極致吧。〔註82〕」

從王昶雄對劍道的理解及呈現方式可以發現，武道（修練）是培養超越物質、肉體限制的精神與意志的方式。對於殖民地臺灣人而言，受到「中國＝儒教＝文弱」與「日本＝武士道＝尚武、強盛」這組對立價值觀的影響，被殖民者放在怯懦、浮躁、頹靡等等價值判斷下受到歧視，爲了扭轉這種不平等待遇，必須自我改造，自我捨棄怯懦等性格，並且向日本殖民者證明〔註83〕。武道便是一個自我改造的方法。林柏年的舊傷，指涉的是物質上的限制，武道（劍道）修練的要義在於精神、意志必須克服物質上的限制，所以林柏年才強大、才能在劍道比賽中獲得勝利。超越物質限制的精神或意志，非但是劍道所以強大的理由，也是成爲士兵的必要條件。王昶雄提到，在鍊成皇民之事日趨白熱化之際，志願兵制度的實行打開當兵之路，而這股熱烈已經「抓住燃燒於年輕人心胸裡的熱情」。要成爲健全的士兵，「首先就非打好當士兵的底子不可」，所謂「打好底子」要求的是如火一般的氣魄、不服輸的精神以及「率直地把自己豁出去」、「不惜身命」所謂「劍道的極致」〔註84〕。

〔註81〕王昶雄，〈偉大的進軍〉，《臺灣時報》（昭和 19 年（1944）九月號）。收錄於《王昶雄全集：散文卷四》（台北：台北縣政府文化局，2002 年），頁 156。

〔註82〕同前註。

〔註83〕這種建立在本島人因缺乏什麼特質而必須自我改造的邏輯，在張文環的文字中以諸如本島人男性「未擁有男性應有的面貌」、或「生爲男人，與其死於神經衰弱或患病死在床上，不如扛著鎗去戰場殉職，那是多麼雄壯又有生存的價值啊！」等本島男性因缺乏某種雄性特質而不完整的樣貌呈現；在陳火泉的〈道〉中，展現爲「本島人不是人」的描寫；周金波、龍瑛宗等作家也都留下類似本島人不完整、不乾淨的描述。關於這類不完整、不乾淨的描述的討論，請參照劉紀蕙，〈從「不同」到「同一」——台灣皇民主體之「心」的改造〉，收於《心的變異》（台北：麥田，2004 年），頁 233～269。本文所談及的本島人的「怯懦」，是在武道／武士道脈絡下的文／武、怯懦／勇猛等對立結構，雖與本島人之不完整、不完全的描述有關聯，但在武道／武士道相關論述中，似乎鮮少將本島人描述爲不完整、不乾淨，該部份的討論已超出本文視野。

〔註84〕王昶雄，〈偉大的進軍〉，《臺灣時報》（昭和 19 年（1944）九月號）。收錄於

這種不惜自身性命、豁出去的氣魄，是攻擊精神的具體展現。林柏年那種超越物質限制的精神特質與意志，可說是「成爲皇國民以來最初的訓練、馬馬虎虎的動作是絕對不允許的。被訓練得即使刀打斷、兩手肩膀被砍下來，也要有用嘴咬死十個，十五個敵人的旺盛的攻擊精神〔註85〕」的心理素質。如前一節所論及的，攻擊精神並非只在道場中擁有即可，更必須在戰場上對敵時徹底實踐。

在這篇小說中，本島人的懦弱以及日本人、日本劍道的勇猛，是建立在「中國＝儒教＝文弱」與「日本＝武士道＝尚武、強盛」的認知結構上所成立。林柏年的舊傷是物質限制的隱喻，能夠超越這層限制者，是透過劍道修練培養的氣魄、意志，這令人想起「西方＝智＝物質主義」與「日本＝德＝精神主義」的二元對立結構。精神、意志優於物質限制的價值觀，廣泛地影響著當時的人們。張文環在參加大東亞文學者大會時，曾被招待去參觀海軍航空隊而寫下這樣的隨筆：

> 機械雖然有生命卻沒有靈魂。這是因爲有了靈魂，機械才會活動。日本飛機的堅強也在此。大和魂輸入機械而穿通，性能才開始發揮。所以戰爭不只需要武器。比武器更重要的是毅力和耐性，也就是靈魂戰。有此堅強的力量。日本絕對會戰勝，而且不得不戰勝，原因亦即在此。三千年來一直繁榮過來的傳統性的靈魂，鍛鍊了日本人形成爲鋼鐵般的意志。〔註86〕

又，在〈土浦海軍航空隊〉的短文中，他感慨：「不管科學怎麼發達，不持有精神力也不行」、「於是了解了如果科學的力量，不加上精神的力量，科學的機能是不能發揮最大的效用。〔註87〕」張文環的說法，令人想到本鄉房太郎爲首的武道界人士所主張的「精神立國」。先進的器械無疑是必要的，但無論

《王昶雄全集：散文卷四》（台北：台北縣政府文化局，2002 年），頁 156。

〔註85〕王昶雄，〈偉大的進軍〉，《臺灣時報》（昭和十九年（1944）九月號）。收錄於《王昶雄全集：散文卷四》（台北：台北縣政府文化局，2002 年），頁 156～157。

〔註86〕張文環，〈不沉沒的航空母艦──論海軍特別志願兵一〉，原載於《臺灣公論》（昭和十八年（1943）年七月）。收錄於《張文環全集：卷六隨筆集（一）》（台中：台中縣立文化中心，2002 年），頁 158。

〔註87〕張文環，〈土浦海軍航空隊〉，原載於《文藝臺灣》5 卷 3 號（昭和十七年（1942）年十二月）。收錄於《張文環全集：卷六隨筆集（一）》（台中：台中縣立文化中心，2002 年），頁 132。

再如何進步的制度或器械，倘若沒有「人」去操作、運用，充其量不過是「死物」。機械的靈魂是「人」，因此問題在於「人」的靈魂素質為何。透過這條路徑，原本抽象不可見的「人的靈魂」成為一種可以被掌握、可以被改造也可以檢討其素質。使死物復活的「人」必須在特定場所中，使其所擁有的素質（例如義勇奉公）具體展現。作為文學作家的張文環，也同樣如此看待文學：「假如說要從事文學之前必須修養人格，那麼精神和肉體會衝撞，如此一來台灣文學才會誕生！……在這一意義上，台灣文學只有氣魄與體力的問題而已。〔註88〕」又在〈從事文學的心理準備〉中說：

> 文學是那個人的精神問題。而比什麼都重要的到頭來還是自己的問題。必須鍛鍊自己的精神才行。要鍛鍊自己的精神，就要持有忘卻自己的肉體的強大的精神力，不然無法完成自己的精神。如果不能做到如此，自己的精神始終就只受到肉體的左右而運作，結果以往所學的理論性的東西，不會成為精神上的力量，只是一種藉口而已。
>
> 〔註89〕

對於作家張文環等人而言，文學寫作就是他們實踐的「道場」，固然場域不同，但在「道場」中實踐的精神是相同的，張文環也將文學置於精神、意志的問題下，同時出現精神與肉體之間的辯證，並認為精神必須超越肉體。這裡所顯現的精神與肉體的問題，誠如「西方＝物質主義」與「日本＝精神主義」這組對立結構的討論，從論述層面來看，原則上並沒有否定物質（肉體）的重要性，而是在優先順序上將精神置於比物質優越的地位。從這個角度來審視〈奔流〉中「本島人終於把劍道，變成自己的東西了。多半是心和技一致了」的描寫，便可以發現另一層次隱喻。若將「武道」分為技術層面的武術以及精神或心理層面的武士道這兩個層面，「技」是指具體的技術，相對於扮演賦予這些「死物」生命的「人」的靈魂，也就是「心」。在劍道（武道）修練中，「心」才是重點，必須透過「心」來掌握「技」，如此一來，原本並非處在所謂日本固有國粹武士道下的本島人，才能將劍道納為己物、合為一體，

〔註88〕張文環，〈論台灣文學的未來〉，《台灣藝術》（1940 年 3 月）創刊號。收錄於《張文環全集：卷六隨筆集（一）》（台中：台中縣立文化中心，2002 年），頁47。

〔註89〕張文環，〈從事文學的心理準備〉，《台灣新民報》（1941 年 1 月 1 日）。收錄於《張文環全集：卷六隨筆集（一）》（台中：台中縣立文化中心，2002 年），頁57～58。

也才能得到勝利。張文環所說：「不管科學怎麼發達，不持有精神力也不行。看飛機飛行的情況機械與人的呼吸不一致、不溝通，絕不能比鳥更勇偉而具有戰鬥力的飛翔表現吧。」事實上是這種思考模式的進一步推展：從個人層次來說，以意志與精神來掌握技術或超越肉體限制，便能以精神優於物質的邏輯，將外在有限之物與無限之心融為一體、取得勝利。此一能夠取得勝利的個體，其實等同於「足以擔負國家總動員體制的道德主體」，也就是合格的國民。擁有「正確」或「健全」的精神素質的個體，必須進一步地扮演將制度、機械與自己融為一體，使之從「死物」狀況復活的「心」或「靈魂」，所有個體在這種思想價值的召喚下，都必須內在地超越自己、然後進一步超越外在，並勇猛地為國家、民族的目標奮戰。

第四節　小結

　　順著「西方＝智＝物質主義」與「日本＝德＝精神主義」這組二元對立結構，可以發現論者推動將武道列入初等教育體制時，同樣將國民教育「偏重智育、忽視德育」作為應納入武道教育的理由。為使國民自幼便有健全心靈，以面對器械文明、物質文明對國民帶來的弊害，加以兒童、青年時期，正是可塑性最大的階段，原有學校教育中道德教育的份量不足，倡導武道列入小學校正課者，據此提出應列入以德行實踐為核心的武道鍛鍊，以修正原有學校教育中即使是道德教育也過於偏重知識傳授、忽略實踐的弊病。

　　透過小學校武道教育的指導手冊，可知武道教育意圖養成的兒童，除了身體強健之外，在精神特質上包括旺盛的攻擊精神、臨危不亂並看穿敵人弱點加以反擊，以及為國家奉獻自我的意志等等。小（公）學校於戰事火熱之際改制為國民學校後，體鍊科武道的要求更直指所有透過武道修練的德行、精神都必須在戰場上體會、修練，明顯以培養足以擔負戰爭的國民的目標。

　　過於偏重西方智育或物質主義的批評，並非只在教育體制出中現。「西方＝智＝物質主義」對立於「日本＝德＝精神主義」，且後者優於前者的思考模式，引導出另一種在正規教育體係之外的教育模式：「道場」。若槻道隆便指出，明治以來的教育體系，受功利主義影響，偏重知能本位、忽視身心鍛鍊，最後甚至導致使社會不安、須以全國之力才能扼止的左翼學生運動勃興，學校體制實不可信任。然而，學校教育的改革不易，在各個不同領域中，養成

適宜的人才又刻不容緩，因而才出現體制外諸如以農民教育為主的「農民道場」。這種教育設施中，以戒定慧三學為旨，相較於過多空泛的理論或言語，以具體實踐為優先。「農民道場」的出現、「道場式」教育的確立，甚至是學校教育改革的方向與目標。

若將「道場」一語視為一種方式或理念，而不只是具體場所，這種以皇室中心主義為中心、反對理性主義，而以精神主義的實踐為優先，並且將學員集中在某個場所合宿、集訓的訓練方式，隨著戰爭白熱化，成為在學校體制外鍛鍊青年的最佳場所，如「勤行青年報國隊」或青年鍊成所，都採用類似的手法動員青年投入戰爭（無論是直接在前線或後援）。在總動員戰爭（總力戰）體制下，無論是戰場前線或銃後的生活場域，皆成為國民實踐臣道的「道場」。從源田實以及上村幹男的見聞可知，對當時修練武道的人而言，在武道場內習得的種種人格特質諸如勇猛、對敵的沉著、勇敢，以及責任心和對天皇和國家盡忠、至誠等，不只是在道場內實踐，更必須實際在戰場上發揮作用。

動員殖民地台灣人投入戰爭，在論述上尚可以利用「中國＝儒教＝文弱」與「日本＝武士道＝尚武、強盛」的這組對立結構。由於台灣是前清朝屬地，在 1895 年清朝戰敗後割讓給日本，循著這組二元對立的思考模式，日本人很容易將台灣人評為怯懦、浮躁，並相對於日本種種優越的特質。王昶雄〈奔流〉中，伊東春生以及日本人教員對本島人的批評便是受到這層二元價值判斷所影響。本島人被置於怯懦、心胸狹窄等種種人格特質不夠完善的位置，被要求必須自我改造以成為合格的日本國民、天皇臣民（當然也涉及能否與日本人擁有平等待遇等問題），一方面必須修正那些被預先設定的評價，另一方面，自我改造的方法只有日本人認可的機制與途徑才能達成。林柏年在劍道上的獲勝，意味著打破「台灣人（本島人）＝文弱」與「日本人＝尚武、強盛」的二元對立結構，內含於「日本＝武士道＝尚武、強盛」這組價值中的「武士道」——如同 1907 年大津麟平會長的發言所示：透過武術修練體會日本固有國粹的武士道精神——也不再是日本人專屬，即使是原先被視為怯懦的本島人，也能透過武道修練（甚至是其他自我改造手法）自我改造或修正這種價值評判。

更進一步追索透過武道修練以成就某些人格特質的話，會發現其中同時包含「西方＝智＝物質主義」與「日本＝德＝精神主義」的二元對立結構。

更精確地說，是將「日本＝精神主義」放在比「西方＝物質主義」更爲優先的位置。因爲「心」與「技」合一，所以劍道才能成爲本島人之物。這種主張與總動員體制下武道修練者配合國策的發言並無二致，也同時爲我們揭示，戰爭中物質固然重要，但更需要有「人」來活用這些物質，否則無論機械如何進步，也不過是「死物」。這種相信精神、意志可以超克一切物質限制的價值觀，同時也是將生活每個面向視爲「道場」來實踐德行的具體方式，就連作家張文環在談及文學時，也認爲要擁有強大的精神以超越肉體限制。隨著日本戰況緊迫、物資匱乏，這種價值觀因而愈加強化，最後甚至走上「特攻」、「玉碎」等將肉體犧牲，以成就精神或意志得以超越物質限制的信仰。

第五章　結　論

　　經過明治維新逐漸成爲近代國家的日本，爲了不被西方帝國主義併吞、並能夠迎頭趕上西方強權，大量引進西方（歐洲）器物、知識及近代國家的體制，同時，舊時代之物被視爲不合時宜、落後而加以摒棄，加上實行四民平等政策，武士階級崩潰，武士及武術地位一落千丈，甚至一度被視爲有害社會之物。武道界人士爲求復興武術修練、使武術重新獲得國家、社會的重視，因應時代變遷重新調整武術修練的意義。例如嘉納治五郎便致力於柔術的現代化，他的努力及思想甚至影響之後包括劍術、弓術在內的整個武道界。武術修練能夠重新獲得國家與社會重視，不得不歸因於戰爭。在明治十年（1877）的內戰——西南戰爭中，熟悉劍術的警官隊立下功蹟而獲得當局注目，爾後於明治二十七年（1894）的日清戰爭（中日甲午戰爭）、明治三十七、三十八年（1904～1905）的日露戰爭（日俄戰爭），對於武術在日本國內的地位與評價都帶來正面的效果。從歷史的脈絡來看，日清戰爭（中日甲午戰爭）及日露戰爭（日俄戰爭）的勝利，使得過去被西方霸權壓制的日本重拾民族自信，並躍上國際舞台成爲列強之一。這兩場戰爭，恰好代表兩個日本建立民族自尊心的面向，這兩個面向，同時也是近代武（士）道成立的重要軸線。

　　在日清戰爭（中日甲午戰爭）中取勝，意謂著日本戰勝、超越擁有悠久歷史、且過去長期以來無論在思想或制度上皆被視爲較優越的中國，此爲第一個面向。其次，在日露戰爭（日俄戰爭）的勝利，一方面意謂日本不若其他亞洲諸國般淪爲西方列強的殖民地，凸顯其在亞洲的特殊性；另一方面，打敗被視爲來自西方白人的傳統強國，證明日本民族擁有不亞於西方白人文化的「什麼」。超越過去並在現下取勝而得證的那項專屬於日本民族的「什麼」，答案就是「武士道」。

　　現下我們認知的「武士道」，毫無疑問等於日本精神或日本的象徵。然而，我們熟知的「武士道」的成立，卻不是不證自明的固有概念。今人提及「武士道」，經常與新渡戶稻造的經典作品《武士道》劃上等號，但已有多位日本學者及前行研究指出，新渡戶稻造的「武士道」事實上是一種近代的「創造」、「發明」，和此前的武士道並非歷史自然發展、一脈相承的關係。新渡戶稻造所闡述的武士道，除了多少含有基督教思想以外，由於他的出發點就是在回應「日本的道德教育爲何？」這個問題，他所詮釋的武士道中，近代國家的國民道德規範色彩十分強烈。這並非新渡戶稻造特有，雖然提出「武士道」的立場和目的不同，但如國家主義者井上哲次郎等人，提出「武士道」，也同樣是將之視爲國民道德的一種。日清戰爭（中日甲午戰爭）及日露戰爭（日俄戰爭）的勝利，促使日本人重新尋找自身的民族特殊性，西方世界也對這個遙遠的東方國家產生好奇，以英文書寫的新渡戶稻造的《武士道》作爲國際間認識日本民族的重要著作因而迅速廣爲流傳，甚至反過來傳回日本，使日本確信自己是因爲擁有「悠久傳統」且別無分號的「武士道」而易於其他民族。以嘉納治五郎爲首、爲始的傳統日本武術現代化，加上「明治武士道」的成立，二者成功地將過去的各種戰鬥技術如劍術、柔術、弓術等武術，轉化爲「劍道」、「柔道」、「弓道」，並統稱爲「武道」。

　　本文論及「武（士）道」是一種「被發明的傳統」，用意不在批評新渡戶稻造「武士道」，亦非隱射除了明治時期創造的武（士）道之外，還有所謂眞正的武（士）道。透過閱讀、爬梳前行研究可以充份理解，所謂「武士道」，在各個不同時期的內涵與定義皆有所不同，並不是均質、單一的概念，必須回到當時的時代脈絡，並留意提出某特定「武士道」概念者的對話對象。武術轉化成「武道」的過程，表現出日本在明治維新後爲了成爲近代化國家所做的諸多轉換、變革中的其中一個面向，由於「武士道」概念或各項武術變革的詳細歷史進程並非本文主旨，在本文的討論或許亦嫌粗略，但我想指出的是，透過對「武士道」或者「武道」提問與考察，我們才能充份明瞭影響殖民地台灣人的「武道」或「武士道」，其背後的脈絡與邏輯是什麼。

　　日本於明治二十八年（1895）正式領有台灣。武道傳入殖民地台灣的契機，是軍隊、警察或獄政體系，這點除了反映在大日本武德會成立時，其組織成員就與軍警體系關係密切之外，也告訴我們台灣的武道發展，最初只限定在來台的日本軍人、警察或官僚，並未普及於一般庶民生活。武道修練與

殖民地人民開始產生較爲緊密的關聯，是透過教育體制來推展。關於教育體系中的武道教育，便不能忽視武道界人士倡導將武道列爲學校必修課程的發展脈絡。根據中村民雄的研究，民間呼籲將武道納入學校教育的高峰時期，都是在國家面臨危機、變動，社會相對不安的時刻，顯見武道教育確實被視爲一帖消弭危機的良方。明治初期摒棄武道的日本政府，在制度上於昭和十一年（1936）確立武道修練在中等學校的地位（以確立指導要目的時間點來計算），昭和十四年（1939）正式列入初等教育課程，從時間點來看，確實是在日本面臨危機之際。爲何當日本面臨危機或社會動盪時，倡導將武道列爲國民教育體系的聲音亦隨之增強？這個疑惑，可以從當時的倡議者的主張中找到答案。

　鼓吹將武道列爲學生正課、必修課的人們，毫無例外地與明治武士道同聲共調地主張「武士道」是日本古來固有傳統，係日本國粹也是大和精神之所在。而之所以面臨危機，則歸因於明治維新後日本全面西化、摒棄日本精神的「武士道」，使得人民「流於文弱、武脈衰微」，雖然文明開化以來，使日本人民的「智」大幅提升，卻同時使得「德」嚴重遭到忽略並墮落。大正後期乃至昭和初期，因經濟大恐慌的影響，使得社會動盪不安，加以左翼運動蓬勃發展，使當局注意到學生的思想問題。被視爲能充分加強青年學子「道德教育」的「武士道」得到發展空間。在此必須注意的是，從日露戰爭（日俄戰爭）勝利以來逐漸發展出來「西方文明＝智＝偏重物質主義致使流於頹靡」／「日本＝德＝精神主義至上」的二元對立結構逐漸強化，當日本軍部勢力抬頭、漸漸踏上軍國主義之路時，建立在這種二元結構的對立論述愈加鮮明。

　除此之外，尚有另一組二元對立結構如影隨形地左右著殖民地台灣人民的思想模式與生活樣式。日本戰勝清廷，使得長期以來在日本佔據相對優越地位的中國的權威性崩潰，並衍生出「中國＝文弱」／「日本＝尚武」的二元對立結構，因日本尚武之故，才能成爲強盛的世界一流國家，原本屬於清朝支配的台灣，在日清戰爭（中日甲午戰爭）後割讓給日本，自然地被置於人民風氣頹喪、重文而弱，所以才是戰敗者而不如日本民族優越的位置，這表示殖民地人民必須改造自我，才可能成爲日本民族的一份子。然而這套「同化」的論述不過是場騙局。當殖民地台灣人意圖吸取更多（由日本人帶來的）近代文明知識，向總督府要求更多教育資源時，統治者卻害怕被殖民者在獲

得知識後會生反抗之心，表面上雖然增加受教資源，教育體制也日益完善，卻藉由加入更多的道德教育，以稀釋教育內容中關於近代文明知識的比例，如此一來，非但滿足殖民地人民受教育的要求，同時可加強原非日本民族的被殖民者對國家的認同與支持。在明治時代以後，被確立爲「日本固有傳統」的「武（士）道」，也包括在對被殖民者的道德教育內容中隨之推廣。「西方＝智＝物質主義」／「日本＝德＝精神主義」以及「中國＝文弱」／「日本＝尚武」的二元對立價値觀，我認爲是在思考殖民地台灣人接受武道教育時不能忽視的兩條參考軸線。

　　大幅強化兩組對立結構的理由，與武道復興相同，還是戰爭。第一次世界大戰帶來的新型態戰爭：總動員戰爭（總力戰）的特色是取消戰時與平時和戰鬥人員與平民之間的區分，將一國的所有人民全都捲入戰爭之中。在總動員戰爭型態中，非但強烈要求人民必須效忠國家，爲民族、國家的存亡奉獻己力，更要求人們必須從平時就鍛鍊體魄、心理或精神狀況，爲可能發生的戰爭做好準備，唯有如此才能獲得勝利。一次世界大戰後，即使日本並未直接參與歐戰，也受到總動員戰爭的潮流影響，開始打造總動員體制──對人民最直接的影響，即是將人視爲可量化的資源來掌握。固然隨著近代國家成立，「人」便已經作爲「國民」而被國家以可量化的資源來看待，如戶籍調查、徵兵制等都是這種思想的產物，然而，總動員戰爭更露骨地使國家掌控人民的權力大幅擴張。在日本建立總動員體制的過程中，武道積極地配合國策，大日本武德會會長本鄉房太郎喊出的「精神立國」可爲一例，從他的言說可知「西方＝智＝物質主義」／「日本＝德＝精神主義」的對立結構十分明確。

　　建立在「西方＝智＝物質主義」／「日本＝德＝精神主義」二元對立結構下的論述，是將「日本＝德＝精神主義」的優越／優先程度置於「西方＝智＝物質主義」之上，在不否定來自西方的器械或制度有其優秀性的前提之下，極度強調「人」的重要性，倘若缺乏優秀的人來活化、運用這些先進的器物或制度，縱使再有進步的科學，也不過是「死物」。關於「人」的重要性的具體思考即爲「人的資源論」。例如關於「健全」的論述，可知「人」這項資源的素質良窳有幾個明確的檢證標準，如強健的體魄和忠君愛國的精神。武道正是同時培養這兩個面向的最佳選擇──藉由武術的部份鍛鍊體魄，並同時藉「武士道」道德的成份，培養「健全的道德」也就是大和精神，可謂一箭雙雕。

　　隨著日本進入戰爭時期，前述二元對立論述更爲強烈地二極化，同時也在教育體系具體實踐中。這點可以從影響國民最深、最廣的初等教育中的武道教育中得知。順著「西方＝智＝物質主義」／「日本＝德＝精神主義」的對立結構，出現兩個發展方向。其一，日本的教育體制不斷強化國民道德教育；其二，「精神主義」教化則與實業技術融合，開創出不同於原有學校體系的教育模式：「道場」。諸如「農民道場」或「皇民道場」的出現就是建立在批判明治以來的日本教育過於偏重智育的基礎上，冀望這類青年的訓練機構，加強行爲教育以補德育的不足，並養成擁有有益國家的技術人材。學員在名爲「道場」的設施合宿、集中訓練後，並不表示修練已經結束，具體的行爲實踐必須在學員離開道場以後貫徹，學員離開道場、回到各自的生活、工作領域後，實踐在「道場」內習得的道德規範以求「道」，使得原本空間上有所限定的「道場」領域，藉由這種行爲實踐而擴張其領域，生活處處皆是「道場」。

　　王昶雄〈奔流〉中的林柏年，極欲擺脫本島人怯懦的惡名，因而全心全身投在劍道修練上，劍道修練於他而言儼如一條可以徹底洗刷名聲、超越被鄙夷的道路。林柏年這個角色切實地反映出身在「中國＝文弱」／「日本＝尚武」這條軸線上的本島人：被要求自我改造以從「中國＝文弱」走向「日本＝尚武」的這端。林柏年以求勝的意志超克物質限制的身體舊傷，無疑是「西方＝智＝物質主義」／「日本＝德＝精神主義」思考模式的具體展現。當他能夠以勇猛激烈的熱情與精神、無視一切身體傷痛與疲勞、揮舞手中的劍時，他才能夠獲得眞正的勝利，這勝利意謂著本島人已經離開「中國＝文弱」這端，抵達「日本＝尚武」的位置，後者這個位置同時也意謂著「心與技合一」、「精神主義」優於並支配「物質主義」。殖民地台灣人非但必須證明自己不再怯懦、不再是中國人而是日本人，也必須證明自己身爲合格的日本臣民是能夠超克物質主義的限制，在精神與意志上優於一切，成爲能夠賦予「死物」生命的「人」，也就是足以擔負總動員戰爭的道德主體：「國民」。

　　當日本因戰爭造成物質、人力資源匱乏，便透過各種方式鼓吹、召喚人民投入「戰場」，這個「戰場」是指總動員戰爭意義下的戰場，也就是包含人們的所有生活領域。在殖民地台灣皇民化時期下總督府的諸多政策，諸如國語普及、家庭正廳改善、宗教整理乃至改姓名運動和志願兵制度，或許都可以從這個角度來理解。國家透過各個面向召喚人民，可謂戰爭時期殖民地台

灣的時代風貌。必須強調的是，本文所討論的「武道」，亦僅屬於該時代的一個切面而非全貌。

　　「武道」修練的運作機制，在於其結合與國民道德密切相關的「武士道」道德體系以及原有的戰技（武術）訓練，在「武道」宣稱含有修心亦修身的雙重功能的同時，其實也確立人可以用「身」與「心」兩項屬性來掌握的途徑，並與「物質」（身）與「精神」（心）產生連帶關係。「精神（心）」又被進一步連結到日本民族，相較於物質、科學先進的西方，日本的優越之處則在「精神（心）」。考察當時對「武道」的論述，並不難發現這點。然而，若這種論述邏輯僅僅只限於武道界人士的自我闡述，那麼或許算不上擁有廣泛影響力。戰爭的發生和國家權力的介入，使得內含這套二元對立結構的「武道」有具體實踐的空間。即使在論述上再三強調「修心」比「修身」重要，結果終究是要從「身」、也就是外在表現的具體行爲來判斷「心」。國家介入的企圖相當明顯：它必須呼喚、號召更多人民犧牲、奉獻，因此所有論述以及所有修練，雖然是有其原初的發生地點，但行爲實踐的場所若僅限於原初特定的修練空間，對於需要人民奉獻己力的國家而言便毫無意義。行爲實踐的空間與場所，透過國家意志重新定義爲生活中的所有面向。所謂的修練或道德條目的實踐，就不只是在修練的道場中進行，反倒是所有國民所處的生活空間、工作場域全都一轉而爲應該進行修練與實踐的「道場」。

　　這套轉化機制當然是在特定的時空背景下才能成立。然而，使之成立的關鍵推手：國家及國家發動的戰爭，活在現下的人們仍舊應對之保持謹慎。武道修練在不同時代固然有不同風貌與意義，指出歷史某個期間的武道修練有這層面向，用意並非批評武道修練。但在各種武道修練中普遍、大量存在的各種道德條目或修養規範，背後所蘊含的價值體系爲何？是否被有意識地導向特定用途？如果不能充份意識到這點並保持警覺，著實很難令人相信所謂「人格修養」指涉的是純粹、中立的活動。

　　最後，本文所討論的「武（士）道」非但只屬於時代的其中一個斷面，透過史料所掌握的「武（士）道」論述邏輯及其反映的思想體系，即使是在當時，我認爲充其量也不過是「武（士）道」的其中一個特定面向而非全部。我並無意主張本文的討論具有普遍性與一致性，僅是透過一個特定角度的觀察，試圖以前行研究相較之下忽略的切面，重新理解日治時期的「武道」與殖民地人民的關係。站在這個基礎上，以王昶雄、張文環的文字作爲窺看時

代風貌的一扇窗，所能窺見的風景自然也只是整體時代樣態中一個十分受限的風景，本篇文章只是試著摸索從這個窗口看出去的可能性。因此，在本文中，以當時代的文學作品為例所指出的殖民地人民精神結構，以及對武道與殖民地人民之間的討論，或許讀來有過於單一、刻板之嫌，但這並不表示我意圖證明當時的「武（士）道」或人們的精神結構只有、或只能是這個樣態。受限於篇幅與個人能力，很多問題無法在本文討論。例如，當武道輸入殖民地台灣時，並非全面性地將台灣人民置於負面、應自我修正的位置，相反地，事實上其中也有相互協調、對話的面向〔註1〕。礙於本文意圖專注於將武道論述的二元對立結構梳理清楚，無法將這個面向納入討論，尚待日後另文探討。另外，在梳理「武（士）道」相關論述的過程中，我也注意到宗教的面向，「武道」或「武士道」的成立無疑與佛教、神道以及儒家思想有非常密切的關聯，從宗教面向討論國家對人民的召喚，或許能更深入理解殖民地人民修練武道的精神結構，惟能力有限，無論是從宗教或儒家的角度討論，皆是相當龐大、複雜的論題，只能待下一個階段的研究工作再進行。

〔註 1〕 例如黃美娥，〈刀與劍的世界：日治時代臺灣漢文小説中俠／武士／騎士敘事
的文化交錯、國族想像與身體政治〉一文便透過漢文武俠小説的書寫，指出
在當時漢文武俠小説中已有武士道的概念與描述，顯示在日本鼓吹尚武的思
想能與前清時盛的武館或練武風氣相互交融、對話，以達成文化溝通、交流、
同化的功能。

參考文獻

（一）專著

1. 井上俊，《武道の誕生》（東京：吉川弘文館，2004 年）。

2. 菅野覺明，《武士道の逆襲》（東京：講談社現代新書，2004 年）。

3. 佐伯眞一，《戰場の精神史——武士道という幻影》（東京：NHK 出版，2004 年）。

4. 山本禮子，《米國對日占領政策と武道教育——大日本武德會の興亡》（東京：日本圖書センタ，2003 年）。

5. 太田尚樹，《明治のサムライ——「武士道」新渡戶稻造、軍部とたたかう》（東京：文藝春秋，2008 年）。

6. 入康江平，《武道文化の探求》（東京：不昧堂，2003 年）。

7. 寺田透，《道の思想》（東京：創文社）。

8. 中村民雄，《史料　近代劍道史》（東京：島津書房，1985 年）。

9. 新渡戶稻造著，林水福譯，《武士道》（臺北：聯合文學，2007 年）。

10. 李登輝著，蕭志強譯，《武士道解題》（臺北：前衛，2004 年）。

11. 陳培豐，《「同化」的同床異夢》（臺北：麥田，2006 年）。

12. 黃金麟，《戰爭、身體、現代性——近代臺灣的軍事治理與身體 1895～2005》（臺北：聯經，2009 年）。

13. 劉紀蕙，《心的變異：現代性的精神形式》（臺北：麥田，2004 年）。

14. 林繼文，《日本據臺末期（1930～1945）戰爭動員體系之研究》（臺北：稻鄉，1996 年）。

15. 寺崎昌男、戰時下教育研究會編，《總力戰體制と教育　皇國民「錬成」の理念と實踐》（東京：東京大學出版會，1987 年）。

16. 近藤正己，《總力戰と臺灣——日本植民地崩壞の研究》（東京：刀水書房，1996 年）。

17. 半藤一利著，林錚顗譯，《昭和史》（臺北：玉山社，1996 年）。

18. 石婉舜、柳書琴、許佩賢編，《帝國裡的「地方文化」——皇民化時期臺灣文化狀況》（臺北：播種者年）。

19. 中島利郎編，《日本統治期台灣文學研究文獻目錄》（東京：綠蔭書房，2000 年）。

20. 中島利郎、河原功、下村作次郎編，《日本統治期台灣文學文藝評論集》（東京：綠蔭書房，2001 年）。

21. 中島利郎編，《日本統治期臺灣文學研究序說》（東京：綠蔭書房，2004 年）。

22. 垂水千惠著，涂翠花譯，《台灣的日本語文學》（臺北：前衛，1998 年）。

23. 鶴見俊輔，《戰爭時期日本精神史 1931～1945》（臺北：行人，2008 年）。

24. 韓國臺灣比較文化研究會著，柳書琴編，《戰爭與分界——「總力戰」下臺灣‧韓國的主體重塑與文化政治》（臺北：前衛，1998 年）。

25. 周婉窈著，《海行兮的年代：日本殖民統治末期臺灣史論集》（臺北：允晨文化，1993 年）。

26. 王錦雀，《日治時期：台灣公民教育與公民特性》（臺北：台灣古籍，2005 年）。

27. 林呈蓉，《皇民化社會的時代》（臺北：台灣書房，2010 年）。

28. 埃裡希‧魯登道夫著，戴耀先譯，《總體戰》（北京：解放軍出版社，2004 年）。

29. 《片格轉動間的台灣顯影》（台南：國立臺灣歷史博物館，2008 年）。

30. 王昶雄著，許俊雅主編，《王昶雄全集》（臺北：臺北縣政府文化局，2002 年）。

31. 河原功編，《王昶雄作品集》（東京：綠蔭書房，2007 年）。

32. 張文環著，陳萬益主編，《張文環全集》（台中：台中縣立文化局，2002 年）。

33. 張恆豪編，《翁鬧、巫永福、王昶雄合集》（臺北：前衛，2000 年）。

34. 周金波著，中島利郎、周振英編，《周金波全集》（臺北：前衛，2002 年）。

35. 周金波著，中島利郎、黃英哲編，《周金波日本語作品集》（東京：綠蔭書房，1998 年）。

36. 臺北第一師範學校附屬小學校正榕會編，《小公學校武道科指導細目》（臺北：臺灣子供世界社，1939 年）。

37. 臺北第一師範學校附屬小學校正榕會編,《小公學校武道科指導細目》(臺北:臺灣子供世界社,1940 年)。

38. 臺北第二師範學校附屬公學校啓明會編,《國民學校　準據　體操‧武道教授細目》(臺北:臺灣子供世界社,1940 年)。

39. 臺南師範學校國民學校研究會,《國民學校　教科實踐(理數科　體鍊科實業科)》(臺南市:臺南師範學校國民學校研究會,1942 年)。

40. 《皇民道場拓南社概要》(臺北:皇民道場拓南社概要,1940 年)。

41. 《國民學校準據體操、武道教授細目　第五、六學年高等科》(臺北:神保商店,1940 年)。

42. 集集莊教化聯合會,《集集莊社會教化設施概況》(新高郡:集集莊教化聯合會,1939 年)。

43. 上田光輝,《皇民讀本》(基隆:淨土宗青年聯盟,1939 年)。

44. 大澤貞吉,《臣道の實踐　皇民奉公叢書　第五輯》(臺北:皇民奉公宣傳部,1941 年)。

(二)期刊與學位論文

1. 陳信安,〈臺灣日治時期武德殿建築之研究〉,國立成功大學建築研究所碩士論文,2003 年。

2. 陳義隆,〈日治時期臺灣武道活動之研究〉,中央大學歷史研究所碩士論文,2008 年。

3. 林丁國,〈觀念、組織與實踐——日治時期臺灣體育運動之發展(1895~1937)〉,國立政治大學歷史學研究所博士論文,2009 年。

4. 鄭國銘,〈日治時期臺灣社會體育組織及其運作的歷史考察〉,國立臺灣師範大學體育學系博士論文,2009 年。

5. 康兆陽,〈新渡戶稻造之研究——以《武士道》爲主軸〉,中國文化大學日本語文學系碩士論文,2009 年。

6. 辛德蘭,〈日治時期臺灣的大日本武德會(1900~1945)〉,《兩岸發展史研究》第二期(2006 年 12 月),頁 16~17。

7. 楊境任,〈日治時期台灣青年團之研究〉(桃園:國立中央大學歷史研究所碩士論文,2001 年)。

(三)單篇文章

1. 陳火泉,〈道〉,《文藝台灣》(1943 年)。

2. 許佩賢,〈戰爭時期的國語讀本解說〉,《日治時期臺灣公學校與國民學校國語教本:解說‧總目次‧索引》(臺北:南天書局,2003 年)。

3. 〈武德會臺灣支部〉,《臺灣日日新報》,1906 年 7 月 12 日,2 版。

4. 〈武德會支部發會式〉,《臺灣日日新報》,1907 年 5 月 26 日,2 版。

5. 〈中等學校の武道獎勵法　正科にすべく研究中〉,《臺灣日日新報》,1929 年 8 月 9 日,8 版。

6. 〈日本固有の武道と獎勵　武德會事業の再吟味を要す〉,《臺灣日日新報》,1933 年 3 月 14 日,2 版。

7. 〈中等校の武道教育問題〉,《臺灣日日新報》,1936 年 12 月 09 日,3 版

8. 〈大日本武德會規則〉,收錄於中村民雄,《史料　近代劍道史》(東京：島津書房,1985 年),頁 28～31。

9. 柴田克己、小澤一郎,〈擊劍を中學校の正科と爲す建議書〉,《越佐教育雜誌》第 144 號(1902 年 6 月)。收錄於中村民雄,《史料　近代劍道史》(東京：島津書房,1985 年),頁 144～145。

10. 柴田克己、小澤一郎等數十人,〈劍術を學校の正科に加ふるの建議書〉,《體育》第 138 號,明治三十八年(1905)五月。收錄於中村民雄,《史料　近代劍道史》(東京：島津書房,1985 年),頁 146～147。

11. 星野仙藏,〈體育二關スル建議案(星野仙藏君他十一名提出)〉,《第二十一帝國議會眾議院委員會議錄》。收錄於中村民雄,《史料　近代劍道史》(東京：島津書房,1985 年),頁 148～158。

12. 關重郎治,〈皇國民兵奮起見込〉、〈現行體操課目中劍道編入請願書〉,《關重郎治文書》。本文引用者收錄於中村民雄,《史料　近代劍道史》(東京：島津書房,1985 年),頁 128～137。

13. 大日本武德會,〈青少年武道獎勵に關する件〉發表於《武德》第 73 號(1938 年)。收於中村民雄,《史料　近代劍道史》(東京：島津書房,1985 年),頁 197～198。

14. 藤生安太郎述,〈武道振興二關スル決議案〉,《武教を提げて政府と國民の覺醒を促す》一戰社。收於中村民雄,《史料　近代劍道史》(東京：島津書房,1985 年),頁 197～198。

15. 藤生安太郎述,〈武道ヲ小學校、青年學校、女學校二正課トスルノ建議案理由書〉,《武教を提げて政府と國民の覺醒を促す》一戰社。收於中村民雄,《史料　近代劍道史》(東京：島津書房,1985 年)。

16. 藤生安太郎述,〈文部省に武道局若クハ武道課設置二關スル建議案理由書〉,《武教を提げて政府と國民の覺醒を促す》一戰社。收於中村民雄,《史料　近代劍道史》(東京：島津書房,1985 年),頁 197～198。

17. 生源寺泰信,〈武道教育に就いて〉,《劍道同志會會誌》(1937 年 8 月 24 日),頁 4～6。

18. 本西溪風,〈戰時と國民の覺悟〉,《運動と趣味》第 3 卷第 7 期（1918 年），頁 2～5。

19. 本西溪風,〈戰時と國民皆兵論〉,《運動と趣味》第 3 卷第 7 期（1918 年），頁 2～5。

20. 森九一,〈武道の根本義〉,《運動と趣味》第 2 卷第 6 期（1917 年 7 月 5 日），頁 34～35。

21. 本鄉房太郎,〈精神立國は現代の急務〉《臺灣員警協會雜誌》第 129 期（1928 年 3 月 1 日），頁 28～32。

22. 本鄉房太郎,〈精神立國と武德の鍛鍊〉（1930 年），收於中村民雄,《史料　近代劍道史》，頁 173～194。

23. 中川次郎,〈武道を國民義務教育とせよ〉《臺灣員警協會雜誌》第 98 期（1925 年 8 月 1 日），頁 46～57。

24. 中川次郎,〈武士道と學生〉《臺灣員警協會雜誌》第 105 期（1926 年 3 月 1 日），頁 80～86。

25. 中川次郎,〈再び武道と運動競技とに就て〉《臺灣員警協會雜誌》第 106 期（1926 年 4 月 1 日），頁 40～47。

26. 中川次郎,〈現代の武士道觀〉《臺灣員警協會雜誌》第 115 期（1927 年 1 月 1 日），頁 31～42。

27. 中川次郎,〈精神修養と武道〉《臺灣員警協會雜誌》第 116 期（1927 年 2 月 1 日，頁 66～70。

28. 中川次郎,〈健全なる精神を養へ〉《臺灣員警協會雜誌》第 122 期（1927 年 8 月 1 日，頁 9～14。

29. 中川次郎,〈武士道の將來と我が民族〉《臺灣員警協會雜誌》第 125 期（1927 年 11 月 1 日），頁 30～34。

30. 中川次郎,〈武道の目的〉《劍道同志會會誌》（1928 年 3 月 20 日），頁 25～29。

31. 中川次郎,〈武道を修業して國民精神の振作を望む〉《劍道同志會會誌》（1931 年 8 月 25 日），頁 5～10。

32. 平澤平三,〈學校武道振興に就いて〉,《臺灣教育》第 430 期（1938 年 5 月 1 日），頁 38～41。

33. 平澤平三,〈學童武道の使命に就いて〉,《臺灣教育》第 441 期（1939 年 4 月 1 日），頁 34～37。

34. 平澤平三,〈國民學校體鍊科武道に就いて〉,《臺灣教育》第 462 期（1941 年 1 月 1 日），頁 3～8。

35. 若槻道隆,〈農民道場の出現と教育の再檢討〉,《臺灣教育》第 385 期（1934 年 8 月 1 日），頁 4～20。

36. 〈青年團道場設置要項〉，《向陽》第 263 號（1938 年 5 月 18 日），第 1 版。

37. 〈臺中州女子青年道場開設〉，《向陽》第 310 號（1939 年 4 月 12 日），第 2 版。

38. 〈臺灣總督府の拓士道場〉，《臺灣農業會報》3：7（1941 年 7 月 20 日），頁 78～89。

39. 〈巢立った總督府第一回拓士道場生〉，《臺灣農業會報》4：1（1942 年 1 月 30 日），頁 128～130。

40. 〈日本空軍の強いわけ　武道精神の發露　空の至寶、源田少佐凱旋〉，《まこと》第 302 號（1938 年 2 月 10 日），第 8 版。

41. 藤田俱治郎，〈戰場にて現るる武道精神（上）〉，《臺灣教育》第 455 期（1940 年 6 月 1 日），頁 94～96。

42. 藤田俱治郎，〈戰場にて現るる武道精神（下）〉，《臺灣教育》第 456 期（1940 年 7 月 1 日），頁 101～102。

43. 王昶雄，〈偉大的進軍〉，《臺灣時報》（昭和 19 年（1944）九月號）。收錄於《王昶雄全集：散文卷四》（臺北：臺北縣政府文化局，2002 年），頁 156。

44. 王昶雄，〈奔流〉，《王昶雄全集：小說卷》（臺北：臺北縣政府文化局，2002 年），頁 325～363。

45. 張文環，〈不沉沒的航空母艦——論海軍特別志願兵〉，原載於《臺灣公論》（昭和十八年（1943）年七月）。收錄於《張文環全集：卷六隨筆集（一）》（台中：台中縣立文化中心，2002 年），頁 157～159。

46. 張文環，〈土浦海軍航空隊〉，原載於《文藝臺灣》5 卷 3 號（昭和十七年（1942）年十二月）。收錄於《張文環全集：卷六隨筆集（一）》（台中：台中縣立文化中心，2002 年），頁 131～132。

47. 張文環，〈論台灣文學的未來〉，《台灣藝術》（1940 年 3 月）創刊號。收錄於《張文環全集：卷六隨筆集（一）》（台中：台中縣立文化中心，2002 年），頁 45～47。

48. 張文環，〈從事文學的心理準備〉，《台灣新民報》（1941 年 1 月 1 日）。收錄於《張文環全集：卷六隨筆集（一）》（台中：台中縣立文化中心，2002 年），頁 57～59。

誌　謝

　　翻閱碩、博士論文時，謝辭總是最讓人感到生命的欣喜，卻也是最讓為自己的論文苦惱的我歎息的一節。從來不敢想像我能有寫謝辭的一天，在彷彿無盡的史料、書籍海中浮沉，只顧得上讓自己保持呼吸並揮動四肢以免沉沒，上岸，想都沒想過。這本論文份量不重，卻負有超出其承載量的歲月與記憶。就正文內容而言，我衷心希望自己不成熟的研究、分析，至少能粗略、概括地刻畫出時代的一個面貌；同時，這百餘頁的存在亦是我生命中一段（漫長）時光的印記：以弓道為契機，促成了這篇論文，領著我學習日文、開拓另一個世界的視野，不只提供台灣史門外漢的我一個機會重省自己生長的土地的歷史——從歷時的角度認識自己，也領著我與許多人相遇，或相互支持、鼓勵，或因理念不合爭執、相互嫌惡，都使得我能從共時的角度重新看見自己。

　　要感謝的人很多，我不想輕輕一筆帶過，在此以些許篇幅表達我的敬意和感謝。首先我要感謝那些我不喜歡、也不喜歡我的人們，經過諸多衝突和磨擦，我才發覺原來「厭惡」是一件相當重要的事，明確的「厭惡」讓人不致成為無喜無好、四處討好他人的庸俗鄉愿，更能確認自己究竟想成為什麼樣的人、不想成為什麼樣的人，單就「自我認知」這點而言，恐怕遠比喜愛我、支持我的人發揮更直接的效果。

　　弓道於我而言是很多事的起點，這個「偶然」固然有其重要性，卻不必然表示該「偶然」帶來的後續全都是美好、正確、無須質疑，歷史似有隱惡揚善的傾向，故容我在此僅對這個「偶然」帶來的美好人們表達謝意。首先要感謝六年前創立政治大學弓道社的初代社長、現在人遠在美國的印玞（小

雷），雖然當時偶因理念不合起小爭執，但能與頭腦清晰、有行動力且獨立的你一起維持社團運作，是非常愉快的時光。也要謝謝接著幾任社長：慈渝、紹智、立之、敬亭、冠儒，僅管熟識程度有深有淺，但從你們以及所有社團幹部在面對外來批評的應對，以及處理（社團）事務時展現出來的清晰的思考能力與行動力，著實讓我獲益良多也深感欽佩，「一代不如一代」、「年輕人不可靠」或者是「名校菁英自私自利只會說不會做」的批評，放在你們身上只是無聊的風言風語，也讓我更確信永遠都要試著理解、相信年輕人的世界觀，與自己不同不見得就是差，反倒可能暴露出自己的過時、陳腐與狹隘。除了社團，我也要感謝其他在弓道上認識的好友。謝謝柏萱、小雅、黃魚在那段令人厭煩的時光的鼓勵與扶持，至少我們努力過，雖然沒有好下場，把苦痛和失敗從代價轉化爲意義，我相信最後便會找到各自想望的道場。謝謝清源的支持和技術上的輸出（笑），以及曹揚直言不諱的勇氣，在一片無趣的庸俗中，這些顯得格外耀眼，也是我所缺乏、令人欽羨的特質。

在講求樸實無華、不自我標榜且有反語言傾向的弓道世界，或許接著的文字記述已是冒犯、已是自抬身價，然而請容我站在對我以及這篇論文的成形有諸多助益和影響的角度，在此對幾位於我影響十分深刻的日本友人、老師們表達誠摯謝意。首先感謝川俣大志先生與山本敬一先生，沒有你們來台灣，我便無法感受、瞭解道地的日本弓道。從中文到英文甚至最後學會日文，無論藉由何種語言靠近弓道，都比不上親身體會，然後才察覺所有的語言都是多餘、誇耀。川俣先生雖然說話毫不留情，往往令聽者不太舒服，但在我接觸到一群做事亂無章法的台灣成年人之際，反倒是從您紮實、嚴謹、一板一眼的做事態度與方式中獲益良多。

感謝甲斐田德秋老師，讓我眞切地體會到一位胸襟開闊的弓道指導者所有的氣質：熱情、謙遜，不過度放縱也不讓人恐懼，在嚴格與親切之間的分寸掌握得恰如其分，只有擁有這份特質的指導者，才能經營出不過於散漫也不過於緊繃的弓道場練習氣氛。謝謝白井洋子老師，在台灣的三年間，亦師亦友，帶給我的不只是日文會話能力大幅成長，在射技和面對弓道應有的態度方面，更是我在弓道練習路上無價的至寶。

社文所確實是很有意思的研究所，關心各種不同議題的人們匯聚於此，讓我見識、學習到各種極爲細膩、敏銳的思考與見解，駑鈍如我常跟不上師生間的智識激盪，即使只是旁聽各種議論也是獲益良多。雖然聚少離多，謝

謝時馨、玉玲、家偉、明慧和芸妍，各位一位接著一位早於我提出論文、畢業，於我這懶散好拖延的個性而言，真是一劑強心針（笑）。要特別再謝謝芸妍一次，從碩一的傅科讀書會、論文提案一直到你先一步畢業離校開展自己的人生，受你幫助的地方實在太多、太多。謝謝欣潔、善豪、嘉寧、知宥、淳眉在最後論文口試時的鼓勵和幫忙。也深深感謝社文所助教慧芳，每次到所辦都覺得慧芳很像電影駭客任務（Matrix）裡的總機（Operator），幾乎有求必應。

　　論文方面，感謝黃美娥老師和吳佩珍老師，從資料的建議到可能拓展的方向等，兩位老師都提供了極大的幫助。最要感謝的是指導老師劉紀蕙老師，當我迷失在資料的字裡行間，總是以清晰明確的指引把我拉出來、確立目標，那份溫柔的嚴厲，總讓心生怠惰的我深自警惕，才能走到最後。

　　謝謝起司，在寫論文煩躁之際，總是提供許多笑料和有趣的資訊，也恭喜你終於放下論文、立地成人（笑）。感謝張一二，你是我踏入台灣歷史和文學的引路人，也是我智識成長上重要的來源，願你早日取得通往自由的入場券、有朝一日攻克超馬和百岳！感謝釀釀在論文即將告終之際出現在我的生命，提供我另一個看世界、看自己的方式，感謝你總是不顧一切地躺在我與書堆、資料、鍵盤之間，讓我感受到原來自己和完成論文中間，也不過就隔了一隻貓的距離。感謝大盜在我拼鬥到深夜饑腸轆轆時，悄悄地提供宵夜和飲料，還有村長開疆闢地，提供一座僻靜的洞穴讓我得以無憂無慮地專心於眼前的作業。

　　最後要感謝我的家人，求學之路漫長遙遠，如果沒有你們無私地成為我的後盾，恐怕我不可能走到今天。雖然不是什麼了不起的作品，但謹以這標記著我的旅程的百餘頁，向我的家人及前述所有友人、老師，致上個人敬意與謝意。

現代到後現代
——戰後台灣現代詩的空間書寫

沈曼菱　著

作者簡介

沈曼菱，國立中興大學台文所碩士畢，國立中興大學中國文學系博士候選人。曾任晨星出版社企劃、執行編輯，國立台灣文學館《錦連全集編纂》計劃執行助理，現為臺灣人文學社通訊執行編輯。碩士論文為《現代與後現代——戰後台灣現代詩的空間書寫研究》（2009）。研究領域為現代詩、現代文學。近期發表論文：〈臺灣現代詩的跨國性——以記憶書寫為例〉（2014）、〈歷史的寄存：論施叔青《三世人》中的身／物〉（2013）、〈一個疊層的方式：從施叔青「臺灣三部曲」的歷史檔案化談起〉（2013）、〈從〈一意孤行的踊想者辭典〉論羅智成與符號〉（2012）、〈身體與空間：論向陽詩中記憶形式的生成與演變〉（2011）。

提　　要

　　台灣現代詩的空間書寫，從最主要被關注的都市詩類別挪變而有其他的主題和形式，它們與都市詩的關係或近或遠。首先以加工區和辦公室為例，筆者觀察到了作為生產、勞動的生產空間（spatial divisions of labour），生產空間存於在時間與社會之中，並且具有不同的空間組織和類型，每一種生產的空間結構，都牽涉了某種社會分化模式。社會群體的建構是從空間層次上進行，勞工群體的位移與就業地理（geography of employment）不應該以一種平面（空間）上的模式來做分析，應該解釋為一種「社會——經濟過程在空間裡的運作的結果」。

　　過去以農業為主要的經濟核心，在順應世界情勢和國家政策之後，核心產業漸漸改變，成為以工業為主的經濟型態，因此造成「城鄉移民」（unban-rural migration）和城鄉差距的狀況出現。隨著國家政策與經濟型態的位移，社會文化與文學書寫也逐漸調整，文壇因此掀起多次歧異觀點之對話，因此第三章將深究都市空間與自然空間兩者的關係。過去討論都市與農村兩個層面，多以「城鄉差距」的二元對立來進行思辯，城鄉空間的消長過程，隱含了來自台灣社會結構的矛盾，因此有必要仔細觀察兩者之間扞格所各自代表的意義為何。

　　進入後現代的情境後，現代性中所強調的烏托邦（同質空間），與充滿後現代的差異空間（異質空間），成為傅柯所提倡之差異地學（heterotopology）的重要空間型態。第四章進入這兩種空間型態，先從夐虹、林彧、林群盛等人的文本分析烏托邦產生的質變過程，再從差異空間下，從夏宇、陳黎、零雨等人的文本看出不同的特性和詩觀，他們的創作與差異空間交相構成了陌生而又熟悉的意境，或是在文本之中再現了意識形態裡的另一個差異空間，因而充滿異質、流動的特性。

　　台灣所處的世界地理位置，也在跨國資本主義與新文化帝國主義的籠罩下，逐漸進入了全球化（globalization）的現象和階段之中，不論是經濟或是文化、習癖（habitus），都因為時空壓縮（time-space compression）而出現了全球同質化的狀況。在全球化狀況出現之後 由於消費市場的擴張與進駐，引起都市中的無地方感（placeless），當然也形塑出在地性（locality）對於全球化的反撲勢力。第五張以陳黎為例，探討其文本中，有消費性和全球化的描寫，也有無地方感和重拾在地性的敘述，並且逐漸在拼湊土地記憶的當下，也漸漸找回自己所認同的座標，如何在環球與本土這兩者之中找尋平衡，也許值得人們在時空之間繼續思考。而空間書寫的發展與特色，也將逐漸成為現代詩史中被重視的一個環節。

目

次

第一章　緒　論

第一節　研究動機、問題意識

　　「空間」（space）和空間性（spatial）的概念，在台灣可以說並非是一個新的議題。但是與台灣文學相關的空間研究，則仍然有大部分的留白〔註1〕。原本，「空間」歸於地理學的研究範疇，在地理學科細分之下，出現了以討論人文與地理學相關為研究範圍的「文化地理學」〔註2〕後，在文化地理學之中，空間經常與社會、城市、特定族裔等概念作一個結合，研究在某個時

〔註1〕　在學術研究上，我們雖也經常不自覺地使用許多空間和地理相關的隱喻，用來強化我們所要聚焦的論點，但是卻很少自覺到這些問題意識與「空間」其實息息相關。研究上出現的常用關鍵字包含：邊緣／陲、中／核心、位置、立場、地域、邊界等等。這些字詞與我們所要談的社會關係和階級、歷史都存有一定的關聯性。我們可以說，各種空間的隱喻，都存在著主體建構認同和分析異己的界限，而空間中存有社會脈絡和對應的時間面向，這點是毋庸置疑的。

〔註2〕　我想可以使用幾句話解釋「文化地理學」的定義：文化地理學牽涉的是不同文化如何在全球不同角落生存。……地球上人群的多樣性是個重要的起點，但需要進一步的闡釋。……文化地理學因而同時關注群體差異的形式、物質文化，以及令其結合、使之一致的概念。文化地理學注重不同過程在特定地方集結的方式，還有這些地方如何對人產生意義。有時候，我們可能會以一個全球性的規模來關注某個過程，有時候我們或許感興趣的是住宅的『微觀地理學』（micro-geography），亦即構成人群日常世界的各種熟悉而私人的事物。以上參考 Mike Crang, *Cultural Geography.*, London: Routledge,1998.中譯本：王志弘、余佳玲、方淑惠譯，《文化地理學》，〈一、定位文化〉，台北：巨流，2004，頁3。

空之中的社群與空間的關係。漸漸地，空間被現代主義以來的理論系統所研究和重視，目前西方的後現代主義研究者，更全面性地接收了「空間」作為首要討論的議題，一九九〇年代以來的空間研究，與文化研究相互撞擊、融合而成為令人矚目的研究方向。但是空間之於台灣文學，在文學作品上經常被忽略，甚至省去不被重視，在一直以來，只能夠算是各類文本的「背景」。不過，在知識疆界和學術研究皆開始以「跨領域」作為新的取向之際，空間的概念和思維將與台灣文學重新整合，這也是本文的研究動機。

從現今台灣戰後現代詩的文本來看，被指認而定位為與空間相關的現代詩，創作主題包含了鄉村與自然的景色描寫、反應台灣社會開始工業化下，種種現代化與現代性的後果。當然，還有永恆的地方感——鄉愁以及懷舊，這些文本都從不同角度對空間做出詮釋。除此之外，由於經濟因素的改變，台灣社會型態開始從農業社會轉型為工業化社會，建立起以台北為首的現代都市型態。從一九八〇到九〇年代之間，文壇也開始大量出現了有關於都市生活的的作品和創作，這一類型的文學風格，甚至被歸類成為一種「都市文學」〔註3〕。相關的「都市詩」也受到重視和提倡，因而，「都市詩」也漸漸地成為當時現代詩所流行的創作風格之一，如羅門、林彧、侯吉諒、林燿德等人，都曾經發表過許多的都市詩。

其中，又以「台北」地區作為詩人們刻畫都市的首要藍圖，題材內容包含了工廠生產線、加工區、交通問題、上班族、建築、消費模式等，詩人們從自己的位置寫出不同時代下對現代人心態、生活的觀察。如今，台灣已經從工業化的社會，又漸漸轉型成後工業的型態，「都市」的概念與以往書寫的空間已經有所差異。在這個過程之中，詩人對於自身所處的地方產生不同的反省和回應，而這個觀看、體現（embodiment）都市空間的演變過程，是本文的問題意識之一。但是，本研究的討論方向，並非只侷限在「都市」此一空間。而是要回到現代詩的文本之中，從現代主義和寫實主義，甚至是後現代的現代詩中，分析空間書寫的不同風貌和特性。在空間理論和空間書寫彼此的對話下，希望能夠開展台灣現代詩研究的另一張版圖。

〔註3〕 關於台灣都市文學的相關討論，可參考：林燿德〈八〇年代台灣都市文學〉，收入林燿德、孟樊編，《世紀末偏航——八〇年代台灣文學論》，台北：時報文化，1990。以及鄭明娳編，《當代台灣都市文學論》，台北：時報，1995。

第二節　研究概念界定

法國社會學家列斐伏爾（Henri Lefebvre，1901～1991）在一九六〇到七〇年代間，從事過一系列的都市研究和日常生活批判，在一九六〇年代結構主義盛行時，他對於結構主義卻持反對的意見。列斐伏爾從都市社會學的研究切入，批判資本主義將空間轉化成商品、玩物，在其重要的著作《空間之生產》〔註4〕裡，以真實生活／構想、「真實」與「想像」，物質世界和我們對於該世界的思考，提出了「三元辯證空間」（或稱三元空間論）的重要概念。三個重要的概念也就是：空間實踐（spatial space）、空間再現（representational of space）、再現空間（spaces of representation 或 representational space），這三個空間性的辯證，在列斐伏爾的論點中，他特別提到了「再現空間」的各種特性，並且根據其特性做出一連串的延伸。「再現空間」與前兩類不同，但其中卻又包含了前兩類空間，他認為這個「再現空間」是個延展、跨越與之伴隨的意象、象徵的空間。是作家、藝術工作者、民族學家、精神分析師所使用與居住的空間。

接著他又說：「這是被支配的、因而是消極經驗或屈服的空間，是（屬於言語的，但主要是非言語的部份，譬如理性知識或想像）屬於私密的生活之中，產生改造與顛覆種種企圖的想像空間。它疊覆於實質空間之上，在象徵上使用其客體」，並且傾向是「多少具一致性的非言語符號和象徵系統」〔註5〕。譬如，我們雖然不能直接指稱藝術是一種空間符碼，但卻可以換個方式說，藝術是再現空間的符碼／編碼之一。而我們回到其理論的本身歷史和研究脈絡，需要特別注意的是，在三元辯證空間中，空間再現與再現空間這一組三個的空間辨證有它自身特別的時代語境和政治企圖。「空間再現」是伴隨著現代性與資本主義而起；「再現空間」則是被其取代與壓抑、隱而不彰的部份，隱含了未來革新的無限潛能。這兩個空間概念的對立，正是列斐伏爾社會空間分析的重點。由此來看，文學作品與藝術相同，在三元空間

〔註4〕 Henri Lefebvre, Nicholson-Smith trans, *The Production of Space.*, USA: Wiley-Blackwell, 1992.

〔註5〕 Stewart Lynn, "Bodies, Visions, and Spatial Politics: A Review Essay on Henri Lefebvre's The Production of Space.", *Environment and Planning D: Society and Space*, Vol.13, pp.609-618.關於《空間之生產》的概說，還對照 Edward W. Soja, *Thridspace: Journeys to Los Angeles And other real-and-imagined places*, Oxford: Blackwell,1996。中譯本：王志弘等譯，《第三空間》，台北：桂冠圖書，2004，頁 89～91。

中，較為屬於「再現空間」的範疇，因而在本文中會沿用列斐伏爾的概念，來使用「再現空間」這個辭彙。在文化研究中，「地方」（place）是一個經常和空間發生混沌、曖昧的詞彙，接著進一步，我們要討論地方和空間之間的關係。

「地方」、「空間」、「都市」這幾個看似曖昧不清又類似的名詞中，空間的概念一般來說最為抽象、透明，可以結合各種面向，作不同形式和意義的延伸，如文學空間、社會空間等。而有許多的西方社會學研究者偏好喜歡用「地方」來標記他們所研究的空間，並且讓其特定的概念或定義更加清晰，因此，空間與地方之間，往往存在著難以釐清的關係。我們可以說，地方是某種空間，或者甚至於是許多重疊的空間所組合而成的區位，它能夠容納多種層面上的意義。在這裡，我們沿用科瑞斯威爾（Tim Cresswell）的一段文字，進一步說明關於地方的相關解釋：

> 地方一詞掩飾了許多差異。有關地方的系譜，令人疑惑的一點是，地方既代表一個對象（地理學家和其他人觀看、研究，並加以書寫的事物），又代表了一種觀看方式。認為世界是一組彼此有別的地方，既是界定存在事物的舉動（存有論），也是觀看和認識世界的特殊方式（認識論和形而上學）。理論乃是觀看世界，並且理解感官困惑的方式。不同的地方理論，引領不同作者看到了世界的不同面向。換言之，地方不單只是有待觀察、研究和書寫的事物，地方本身就是我們觀看、研究和書寫方式的一環〔註6〕。

人們以某種方式而依附其中的空間，也就是具有「有意義區位」（a meaningful location），這是最直接明顯的地方定義，如我們所居住的城市、城鎮、家、區域等等，都屬於這個定義的範圍之內。地方作為「有意義區位」的三個面向，依照政治地理學家阿格紐（John Agnew）的說法，包含了區位、場所（locale）以及地方感。「區位」可以用一個例子解釋，如地球上將台灣所定位的固定位置，也就是緯度所指的座標，我們可以沿著地圖或地球儀找到。

阿格紐以場所指涉社會關係的物質環境，如小說中描述主角的生長背

〔註6〕 Tim Cresswell, *Place: a short introduction*, Oxford: Blackwell, 2004. 中譯本：王志弘、徐苔玲譯，〈第二章：地方的系譜〉，《地方：記憶、想像與認同》，台北：群學，2006，頁28。

景、特定地點，透過作者的筆觸，以各種視覺、情節來讓讀者從文字間去想像、召喚出主角成長的場所，這便是場所的意義。因此，地方是一個物質性的事物，以一個具體的形式存在，它擁有真實的樣貌。而「地方感」，是指人類對於地方有主觀和情感上的依附〔註7〕。小說和電影可以喚起地方感——讀者／觀眾知道置身於當地是如何的一種「感覺」，這個「感覺」包含了對當地的人文、風俗習慣、地標風景、天氣等等記憶和感知，進而引起懷念和歸屬感等情緒，而這也相當程度地涉及了「地方的特殊性」〔註8〕。因此，地方可以說是一種關係性的空間觀點，指涉某一特定的區位。

　　不過，我們必須特別注意到的一點是，英國地理學家瑪茜（Doreen Massey, 1944～）曾經提醒過：地方感並非純屬單一性，也不會有連貫一致的認同〔註9〕。當抽象的空間概念漸漸具體，並且由我們賦予它特殊價值或定義時，它便變成了具體的地方，許多研究者用「地方」來替代空間，好讓論述脈絡更為清晰。但是，空間曾經以非常多的方式去詮釋和分析，它的定義不但複雜而且豐富，這裡我們所關注的空間書寫，也就是文學作品當中，由作者所描述的再現空間，事實上，它不只有供讀者賞析、幻想的意義，更成為一種文化研究的方向：

> 過去二十年裡，地理學家越來越關注各種文學形式，以之作為探究地景意義的方法。文學裏充滿了描述、常是理解與闡明空間現象的詩歌、小說、故事和傳說。……研究調查裡，文學成為另一組可供利用的地理資料。而這些文學文本構築出來的地理環境，乃是以作

〔註7〕　Tim Cresswell, *Place: a short introduction*, Oxford: Blackwell, 2004. 中譯本：王志弘、徐苔玲譯，〈第二章：地方的系譜〉，《地方：記憶、想像與認同》，台北：群學，2006，頁14～15。

〔註8〕　「全球化」（globalization）對於地方的特殊性、地方文化有不可抹滅的侵蝕力量，隨著跨國經濟體系和資本網路的世界體系，地方的差異性逐漸被均質化，這也是文化研究和文化地理學中，十分關注的空間議題之一。而文學文本或是電影文本中，哀嘆地方感的逐漸喪失，不管是在西方文學還是台灣文學當中，都存在著許多相關的作品。

〔註9〕　Doreen Massey, "Power-geometry and a progressive sense of place", in Jon Bird, Barry Curtis, Tim Putnam, George Robertson & Lisa Tickner（eds）, *Mapping the Futures: Local Cultures, Global Change*, London: Routledge, 1993. pp. 59-69. 中譯：〈權力幾何學與進步的地方感〉，整篇譯文幾乎收錄在 Tim Cresswell，王志弘、徐苔玲譯，〈第三章：解讀「全球地方感」〉，《地方：記憶、想像與認同》，頁104～116。

者對於環境的各種主觀經驗做爲起點，由於這些主觀經驗，而使作者對於特定地方產生興趣，因而我們可以說，辨識文學中的地理環境，以及其中隱含對地方充滿各種情感的人文地理學，這些概念與科學統計數字有所不同〔註10〕。

文學作品，若可視爲作家們在現實和自我的辨證下的產物，那麼，空間做爲隱喻或符號，成爲意象和思維的媒介，成爲反映現實的形式。空間再現了作家們的記憶、歷史意識、或是各種生命與經驗的累積，在空間與文學的頻頻互動之下，空間激起了文學，而文學也創造了另一個與現實、客觀地理時而交會、時而平行的想像空間：

不同的書寫模式表達了與空間的不同關係，而文學裡的各種空間也被賦予了不同的意義。不僅文本本身訴說著特定的空間，連作品的架構也訴說著社會如何在空間上安排秩序，或定義秩序本身的涵義。（頁 59）

文學中經常使用文字描述的方式，激起人們對與某處產生地方感，其實在影像（電視電影）傳播媒介上也同樣有這一項作用，克蘭恩（Mike Crang）則認爲，「文學不因其主觀性而有缺陷；相反地，主觀性表達了地方和空間的社會意義。地理學和文學都有關地方與空間的書寫。兩者是在社會媒介中賦予地方意義的過程。」〔註11〕在文學的表現裡，我們儼然發現了「空間」這個新的座標，在下面的章節中，本文將會逐漸將焦點放在台灣現代詩與空間的各種互動上面，分析現代詩與空間的一連串對話。在台灣文學研究裡，空間議題經常被評論者以小說文本作爲例子進行討論，但是現代詩的空間討論卻仍舊留白大半，這是因爲現代詩中，缺乏空間書寫的作品嗎？

其實，台灣早在光復前，在當時的新詩中，就已經出現過空間書寫的作品。例如張我軍的〈亂都之戀〉（1925）、楊雲萍的〈巷上盛夏〉（1943）、〈巷裡黃昏〉（1943），還有楊華的〈褐色的草舍〉（1932）、〈女工悲曲〉（1932），以及楊守愚的〈蕩盪中的一個農村〉（1930），楊熾昌（水蔭萍）的〈青白色鐘樓〉（1933）、〈毀壞的城市〉（1936）等，他們透過對台灣土地的感情與感

〔註10〕 Mike Crang, *Cultural Geography*, London: Routledge, 1998.中譯本：王志弘、余佳玲、方淑惠譯，〈四、文學地景：書寫與地理學〉，《文化地理學》，頁58～59。

〔註11〕 Mike Crang 著，王志弘、余佳玲、方淑惠譯，〈四、文學地景：書寫與地理學〉，《文化地理學》，頁58～59。

知，寫下了這些出色的新詩。雖然，光復前的台灣新詩，往往流於表面的描寫，不是抒發個人的浪漫感情，就是成為直接的吶喊，但楊雲萍的作品卻能在詩中抒情而兼具史觀〔註12〕。這些作品文字樸實而真摯，透過寫實的描寫將當時自己所體會的時空再現出來。回顧現代詩發展歷史，詩人們遂成為台灣現代詩中，空間書寫的前例，若將時間推移到民國四〇、五〇年代間，吳瀛濤的詩中，也出現了許多在都市成長的經驗，可以說是創作都市詩的先聲〔註13〕。空間書寫的意義，並非侷限於某一個流派或是某一個時空，在歷史的斷片中，我們將依循著不同的年代和議題，依循著作品不同的表現方式，替相關的空間書寫作品，蒐集、還原一個完整而具有脈絡性的演繹過程。

第三節　相關研究回顧

　　空間與現代詩相關的評論和研究，目前在台灣的學術研究中，並不興盛，這也許是因為現代詩在台灣文學研究仍舊屬於少數。而在現代詩文本中首要被經常討論的議題，則是「都市詩」現象與相關的延伸思考。現代詩的空間研究，過去在一九八〇年代時，蕭蕭曾經提及過現代詩中的「城鄉對立」、「時空設計」〔註14〕兩個現象。「城鄉對立」此篇以吳晟和羅門作為鄉土詩人和都市詩人兩個對比又對立的例子，探討他們詩作裡都市的隱喻，詩人所見的現代性之惡。而「時空設計」一文中，則從古典詩的空間設計為引，討論時間與空間的交相流動和相互對映，較多著墨於時間，而空間作為時間的媒介，呈現了詩人書寫時間的各種變異、流動之貌。

　　從一九七〇年代開始直至一九八〇年代，當時的現代詩研究和創作，漸漸興起了「都市詩」的創作題材，相關的研究相應之而起。其實都市詩在早

〔註12〕羊子喬，〈光復前台灣新詩論〉，《亂都之戀》，台北：遠景，1982，頁 33。

〔註13〕一般研究都市詩很少談到吳瀛濤，但他的確有許多以台北市作為藍圖的都市詩，如〈都市素描〉、〈都市這是一幅油畫〉、〈都市四章〉等等，皆收入《吳瀛濤詩集》，台北：笠詩刊社，1970。林亨泰也曾提到吳瀛濤曾極力提倡都市詩，詳見林亨泰，〈從八〇年代回顧台灣詩潮的演變〉，收入林燿德、孟樊編，《世紀末偏航——八〇年代台灣文學論》，頁 131。另外關於吳瀛濤都市詩風格評介，可參考阮美慧，〈第七章：分論（五）——其他：巫永福、吳瀛濤、羅浪〉，《笠詩社跨越語言一代詩人研究》，台中：東海大學中國文學系碩士論文，1996，頁 251～257。

〔註14〕〈現代詩中的城鄉衝突〉與〈現代詩中的時空設計〉兩篇，皆收入：蕭蕭，《現代詩學》，台北：東大，1987，頁 135～161。

期的詩人吳瀛濤、吳望堯的詩作裡早就出現過這類的創作主題，但在他們所創作的時代下，都市詩並沒有成為一股風潮，因而他們所書寫的都市詩隱而不彰，未被注意。而之後一九六〇年代開始，羅門創作〈都市之死〉（1961）〔註15〕，成為他首度書寫都市詩的開山之作，之後他再三提倡書寫都市詩，並且提出了相關的思考和分析，漸漸奠定都市詩成為一個特殊的主題，並且隨即引發文壇一連串的討論。羅門主要的詩作概念簡單的說，「第一自然」代表的是接近「田園山水型的生存環境」，而「第二自然」代表的是高科技發展下物質文明的「都市型的生存環境」，他以「第二自然」作為主要的對話對象，展開對都市文明的書寫，而最終的藝術層次是超脫前二者的「第三自然螺旋形架構」生存境界〔註16〕。讓筆者將焦點拉回都市詩上頭，可以發現在林彧、林燿德、焦桐、侯吉諒等人的詩集中，也都有都市詩的創作。都市詩儼然成為一九八〇年代現代詩發展歷史上不能缺少的一個特徵。從整體來看，可以說都市詩的發展，延續著羅門對都市的思考，再來由林燿德作為推手，將都市詩和都市文學推向了頂端，並且深化了都市的意義和定義。

首先，張漢良在〈都市詩言談──台灣的例子〉（1988）〔註17〕之中，涉及都市詩此一文類的批評言談（critical discourse）。張漢良從敘事學、符號學的角度出發，嘗試解釋都市詩其中的符號與變異過程，概括性的談論都市詩在台灣的發展，重新界定都市詩的意義，非常具有代表性。在他的文章中，將「都市」和「現代詩」視為符號，首先敘述了各種有關都市詩這個語言對象的後設語言的發展史，而在這企圖解釋發展史的其中，也隱含了另一層的後設語言，在這個段落裡，主要是以理論解釋都市符號和詩符號的符碼轉移，也就是將都市正文轉移為詩正文的過程。

其次，敘述台灣都市詩的發展現況，作者仍然企圖用符號轉化的理論，解釋台灣都市詩的發展和變化：首先，以城／鄉對立的都市詩為開端，在這裡舉吳晟和余光中、沙穗的作品逐一說明，詩人用局外人的觀點控訴都市發

〔註15〕 羅門，〈都市之死〉，《羅門創作大系：（卷二）都市詩》，台北：文史哲，1995，頁17～19。

〔註16〕 羅門，《羅門創作大系：（卷八）羅門論文集》，台北：文史哲，1995，頁7～11。

〔註17〕 張漢良，〈都市詩言談──台灣的例子〉，《當代》32期，1988.12，頁38～52。後收錄在孟樊編，《當代台灣批評大系（卷四）·新詩批評》，台北：正中書局，1993，頁157～171。

展的弊端，在這個部份，都市和詩的兩個符號仍舊以詩作為正文。進一步到第二階段的符號轉化過程，這個部份以羅門和林彧作為例證，說明都市即是現代人眼中的自然，人的視角中介了都市和自然之間的衝突，張漢良認為，詩人對凝視現象的自覺，便是都市作為正文的開始。最後，都市詩到了林燿德的手中，科幻類型開始介入其中，因而出現了一連串有別與前行代詩人的嶄新書寫方式，如同一場形式革命。林燿德以嶄新的資訊工具書寫，語言／文字有了新的規模，更以諧擬、模仿的戲謔手法，企圖進入有別於前行者的都市詩創作，尤其在其作品〈五○年代〉（1986）〔註18〕中，更有以一九八○年代前衛都市詩人向一九五○年代詩人（或五○年代的感覺結構），以一種反諷、超越文字形式的方式，達到回顧歷史的企圖。

　　陳大為稍後在〈台灣都市詩理論的建構與演化〉〔註19〕一文中，詳細地分析張漢良這篇文章寫作的觀點：都市與現代詩互為正文、互為主體的辨證過程。而他也提出了一個疑問：張漢良的主觀意識已經介入了作品，理論與與詮釋作品的貼合性，在更多意義上似乎還有待商榷，因為在文章中，作者仍舊是以較為化約性的來討論都市詩的面貌。陳大為認為，直到一九九○年代中期，書寫者（詩人）仍舊與被書寫者（都市）處於一個明顯的物我分際界線上。因此，學者的都市理論與詩人的實踐／實驗，明顯存在著思考層次的落差〔註20〕，這也是我們必須重視的問題。不過，張漢良這篇文章，陳大為認為催生了林燿德在隔年（1989）寫〈都市：文學變遷的新座標〉〔註21〕一文。林燿德在此篇文章的觀點，基本上和張漢良相似，因此可以說，此文對於林燿德的都市觀念影響甚大。但是，林燿德在這篇文章中，尚未提出對都市一詞所做的具體論述和概念。他是在〈八○年代台灣都市文學〉〔註22〕（1990），才全面性的為都市文學做出自己的定義和論述，奠定他對於都市詩的主張，認為「都市本身即是正文───一種非書寫符號構成的正文」〔註23〕。

〔註18〕　林燿德，〈五○年代〉，《都市終端機》，台北：書林，1988，頁 94～95。

〔註19〕　陳大為，〈台灣都市詩理論的建構與演化〉，《台灣詩學學刊》8 期，2006.11，頁 87～120。

〔註20〕　陳大為，〈台灣都市詩理論的建構與演化〉，頁 113。

〔註21〕　林燿德，〈都市：文學變遷的新座標〉，收錄於《重組的星空：林燿德評論集》，台北：業強，1991，頁 189～201。

〔註22〕　林燿德，〈八○年代台灣都市文學〉，孟樊、林燿德編，《世紀末偏航───八○年代台灣文學論》，頁 361～404。

〔註23〕　林燿德，〈八○年代台灣都市文學〉，孟樊、林燿德編，《世紀末偏航───八○

　　除了上述羅門、林燿德皆提出了相關的都市詩觀點之外，學位論文方面，有陳大為的碩士論文《存在的斷層掃描——羅門都市詩論》（1996）〔註24〕研究了羅門的都市詩，從存在主義思想切入，分析了羅門詩中的三種都市空間結構，分別是：雄渾、方形和窗，而兩大重要的母題是「性慾」和「物慾」，基本上掌握了羅門的思想：以存在主義式的思維與都市符徵對話。羅門以都市作為媒介，以都市作為書寫現代性的座標，但是在討論他書寫的都市空間中，不能遺漏當時的時代語境。因此在羅門的詩中，都市往往有所隱喻和標記。誠如他自己所說：都市文明等於製造「物慾和性慾」〔註25〕，由此可見，都市一詞在詩人的書寫中已經被賦予了某些時空下的定義。陳大為持續關注都市空間在現代詩中的演變，並且把視野擴展到全亞洲，作為他的博士論文《亞洲中文現代詩的都市書寫（1980～1999）》（1999）〔註26〕，在這之中他選擇了十個亞洲地區的現代詩創作，並且從特定空間：街道、消費場所、住商大廈與都市生活之圖景、現代人的存在思考等等作討論。陳大為的論文要討論的時空維度和幅度皆十分浩大，並且用了人文地理學和消費理論、雄渾理論、存在主義等等去詮釋其論述，討論範圍廣泛，是結合空間與現代詩研究的首例，也是空間研究結合現代詩文本之創舉。

　　回顧相關前行研究時筆者發現，時代語境和創作之間的關係，經常是研究者進行分析的手法，從時間動線去找尋文本與社會對話的意義和特性，而會產生不同的詮釋。「都市」作為現代詩中的一個反覆被書寫的符號，呈現多元面貌，存在著現代主義以來的各種現代性特質，甚至更承接了後現代主義的風格。林燿德在〈不安海域——八〇年代前期台灣現代詩風潮試論〉（1984）〔註27〕一文當中，便認為相對於一九五、六〇年代的都市詩巨擘羅門之後，一九八〇年代再現的都市詩可以視為「後（post）都市詩」：

　　　　筆者以為八〇年代新興的「都市詩」其實應稱為「後（post）都市詩」，蓋其取向已與五〇至七〇年代所謂「都市詩」有所不同……

　　　　年代台灣文學論》，頁366。
〔註24〕陳大為，《羅門都市詩論》，台北：東吳大學中國文學系碩士論文，1996。
〔註25〕羅門，《羅門創作大系：（卷二）都市詩》，1995，頁3。
〔註26〕陳大為，《亞洲中文現代詩的都市書寫（1980～1999）》，台北：台灣師範大學國文研究所博士論文，1999。
〔註27〕林燿德，〈不安海域——八〇年代前期台灣現代詩風潮試論〉，《重組的星空：林燿德評論集》，台北：業強，1991，頁1～61。

早期「都市詩」作品，詩人通常以總體的觀察角度來看都市，特
別是人性與物性的對立，一直是最被詩人關切的問題。八○年代興
起之「都市詩」，其作者多為年輕一代的詩人，大部分出生或者生
長於都市系統之中，因此他們對都市除了批評之外有擁抱，除了
總體的觀點外有局部的體驗。所謂八○年代的「都市詩」，並非以
都市相關題材之有無做歸類原則，而易以「都市精神」的存在與
否做劃分的標準……（頁 34）

　　由此可見，「都市詩」至林燿德，已經漸漸將空間概念作另一種模式的
延伸和衍異。在他的定義中，都市詩已從存在主義式、「文明」與「自然」
的衝突、城／鄉對立模式〔註28〕中的負面題材等等概念裡再次鬆動、解構出
來。這又是另一個解釋都市詩的說法，除了個人的意識型態之外，筆者認為
這與一九八○年代的感覺結構也有一些相關連性。因而在不同的時代語境
下，空間書寫有其不同的指涉對象和意義。

　　與後現代和空間相關的文章，還有洛楓的〈從後現代主義看詩與城市的
關係〉〔註29〕（1991），從後現代主義說起，他提到詹明信（Fredric Jameson，
1934～）的《後現代主義與文化理論》（1989）對於文學和城市空間的關注。
並用後現代都市的概念，說明後現代主義的探討，必須結合對城市的研究，
從這個角度切入，例證香港、台灣與中國大陸等地，城市自在詩作之中，呈
現如何相異或相同的文化多樣性。在台灣的部份，他提到了羅青的後現代觀
念，以《錄影詩學》和《詩人之燈》作為台灣的例子，分析台灣詩人對於後
現代主義的反芻與意見，這篇論文比較可惜的是對於台灣現代詩著墨較少，
宏觀卻不夠細膩，但也可從中看出時代特性和不同於台灣當地評論者的思維。

〔註28〕關於「城鄉對立」的兩組符號對立現象，林燿德曾說：七○年代披上寫實主義
　　　　外衣的浪漫主義作家則採取了置身事外的敵對角度，他們對於都市的控訴瞬
　　　　即誇張為城鄉對立。地點與地點之間，文化與經濟氛圍的拮抗關係被吳晟等
　　　　詩人典型化、簡約化。「田園情結」與泛政治化的意識形態結合後，「都市」
　　　　的「牆」，如鋼琴上的黑鍵與白鍵，醒目的隔開了截然二分的兩種世界觀，來
　　　　自牆內的「侵略者」與牆外的「被壓迫者」，以戲劇化的姿態化身為罪惡的都
　　　　市買辦與純樸的田園老圃這兩種彼此憎惡的角色。這個現象背後的意識型態
　　　　以及詮釋此現象的這個說法，都是值得再前進深入思考的議題。林燿德，〈都
　　　　市：文學變遷的新座標〉，《重組的星空：林燿德評論集》，1991，頁 198。
〔註29〕洛楓，〈從後現代主義看詩與城市的關係〉，《當代》62 期，1991.06，頁 54～
　　　　71。

　　在這些前行研究中，除了林燿德與陳大為之外，學位論文多以八○年代的都市小說作為研究範圍，如方婉禎〔註 30〕、李建民〔註 31〕、胡龍隆〔註 32〕等人，而陳威宏〔註 33〕將範圍縮小至戰後出生第三代（1965～1974）詩人，討論都市中流動與生存空間的情境，以及都市族群的浮光掠影。而楊翠的《鄉土與記憶——七○年代以來台灣女性小說的時間意識與空間語境》（2003）〔註 34〕則是從戰後女性小說的空間語境討論主體認同，主要著重在小說中的鄉土、眷村、都會之間與台灣歷史軸線的辯證過程。

　　較為新的研究資料，則有范銘如《文學地理——台灣小說的空間閱讀》（2008）〔註 35〕專書集結其數篇台灣小說空間之研究，與空間理論的對話十分完整，從文本裡的空間、文本與空間及流動、以及文本與空間性這三個大方向各自發展其研究成果，除了都市與鄉土兩者之外，還提及了「酒吧」、「樂園」、「鬼／地方」，切入觀點十分新穎，卻也富有深意。陳大為曾提醒研究者，理論與文本之間的相似與相異，在這之間的差異與差距必須注意〔註 36〕。

　　因而本研究的方法亦即從現代詩文本出發，以理論為輔，希望能進入書寫的再現空間之中，將台灣現代詩中各種空間書寫的文本與意義作一完整的梳理，除了都市與詩人之間的扞格與融合，空間概念在不同的詩意之中仍有不同的演繹形式，而空間書寫將透過寫實主義、現代主義、後現代主義等等的手法，有其不同的符號和符徵，都在其隱喻中表現詩人的精神與想像。而在每一個時代下，台灣空間地理的想像和意識皆在文本中流動不息，差異空間與理想境界，辦公室與加工區，或是全球化與在地性，皆存在於現實與想

〔註 30〕 方婉禎，《從城鄉到都市——八○年代台灣小說與都市論述》，台北：淡江大學中國文學系碩士論文，2001。

〔註 31〕 李建民，《八○年代臺灣小說中的都市意象——以台北為例》，台北：台北市立師範學院應用語文研究所碩士論文，1999。

〔註 32〕 胡龍隆，《台灣八○年代都市小說的生活情境與批判語調》，台中：東海大學中國文學研究所碩士論文，2001。

〔註 33〕 陳威宏，《台灣戰後出生第三代詩人（1965～1974）之都市書寫》，桃園：中央大學中國文學研究所碩士論文，2007。

〔註 34〕 楊翠，《鄉土與記憶——七○年代以來台灣女性小說的時間意識與空間語境》，台北：台灣大學歷史學研究所博士論文，2003。

〔註 35〕 范銘如，《文學地理——台灣小說的空間閱讀》，台北：麥田，2008。

〔註 36〕 陳大為，〈台灣都市詩理論的建構及演化〉，《台灣詩學學刊》8 期，2006.11，頁 113。

像之間，存於現代詩文本之內。筆者將逐一拼湊，將空間書寫建立成另一個考察台灣現代詩發展的脈絡與線索。

第二章　勞與牢——李昌憲《加工區詩抄》、林彧「上班族詩鈔」中的生產空間

第一節　定義生產空間

　　都市建立的過程與區域結構，與經濟發展和國家政策息息相關。若以台灣為例，以台灣大型都市的建立過程與經濟發展的關係來看，台灣的經濟類型歷經農業、工業發展，甚至從工業發展出後工業的性質。最主要的是，由於國際情勢的影響，台灣在 1958 在 1960 年間開始實施外匯改革、放寬進口、鼓勵出口以及獎勵投資條例等政策，開始改變了台灣原本以農業為主的經濟型態。而在蔣經國於 1972 年上任總統之後，施政「十大建設」，加速了台灣工業的發達，穩固了隨之而來的資本主義經濟型態。本土產業與國際產業在加工出口區、都會區得到結合，勞動力需求量增加，而農業受到政府壓低糧價的影響，在政府提倡「現代化農業」政策之下，使得大量的農業勞動人口被擠向工業，新生的勞動力人口也隨之外移到高雄、台北等大城市之中，由此銜接往後所發展出的都市型態和空間結構，其中，雖然現代化（modernization）是一個很重要的發展關鍵，但也必須注意台灣經濟發展與都市結構，兩者的發展乃是一體兩面，不能分開而論的。

　　在進入都市空間之前，筆者認為應該要先注意到在空間分工下，作為「生產空間」（spatial divisions of labour）〔註1〕的工業地理。如工廠、加工區、

〔註1〕　「生產空間」又可翻成「勞動的空間區域」或是「勞動空間部門」等等，這

勞動族群的工作場所，提供經濟發展與社會生產過程的空間，它們各自與社會形成不同的關聯和意義，並且產生不同的影響，這個部份向來不是詩人、文學研究者特別會去注意到的區位與場所，因爲它與文學並非有著直接的關係。也因此，在文學上，它經常被人遺忘，但不能抹滅工業地理與生產空間參與了大部分台灣現代化過程。其實，這部份的空間結構存在已久，早在日治時期便已經間接地出現於現代詩裡〔註2〕。一九七○年代末，李昌憲（1954～）的詩集《加工區詩抄》〔註3〕、陌上塵（1952～）《玉香集》中的「黑手詩抄」〔註4〕，因爲作者親身的經歷與寫實的視角，故頗具代表性，也可以說是台灣現代詩書寫生產空間的第一手資料。

關於戰後現代詩中的工業、生產空間與之相關研究不多，如劉淑玲〔註5〕她的碩士論文《論現代詩中的工業化意象》是以五四以降的現代詩作爲討論範圍，內容涵蓋甚廣，從一九二○年代的胡適直到一九八○年代的林燿德等，皆有剖析。較爲可惜的是，許多篇幅是討論詩作中對於工業意象如何去表現，而非眞正現實上的工業經驗，因此她所討論的作家獨漏李昌憲、陌上塵等人。解昆樺的〈七○年代鄉土文學論戰後台灣左翼／勞工現代詩——七○年代末李昌憲《加工區詩抄》、陌上塵「黑手詩抄」初探〉（2007）〔註6〕，是從左派思想長期缺席於台灣的文學發展情況下，將李昌憲與陌上塵的創作置於一九七○年代鄉土文學論戰後的時代脈絡下來分析，將其有關於勞工生活、感受的作品，歸類爲「勞工詩」，試圖對於左翼與否此一問題作一解釋和提出例證。此外，台灣現代詩的現實主義傳統爲何，這也是作者於其文中的核心焦點。

無疑，在台灣的現代詩中，關心勞工階層並且同樣也曾身爲勞工階層的

裡以「生產空間」來作爲本次討論的關鍵語彙。

〔註2〕 楊華，〈女工悲曲〉，《黑潮集》，收於羊子喬、陳千武編，《亂都之戀》，台北：遠景，1982，頁41～42。

〔註3〕 李昌憲，《加工區詩抄》，台北：德華，1981。

〔註4〕 陌上塵，《玉香集》，高雄：德馨，1978，頁39～48。

〔註5〕 劉淑玲，《論現代詩中的工業化意象》，台北：輔仁大學中國文學研究所碩士論文，1994。

〔註6〕 解昆樺，〈七○年代鄉土文學論戰後台灣左翼／勞工現代詩——七○年代末李昌憲《加工區詩抄》、陌上塵「黑手詩抄」初探〉，《台灣詩學學刊》10 期，2007.11，頁 393～416。後收錄於解昆樺，《青春構詩：七○年代新興詩社與一九五○年世代詩人的詩學建構策略》，苗栗：苗栗縣文化局，2008，頁 131～154。

現代詩人李昌憲，提供了一個思考的窗口，從文學的角度、現代詩的形式中
讓我們領會扮演生產、出品、製造、加工以及出口的諸多生產空間，存在著
什麼樣的生活型態、價值觀、文化。而這些生產空間在農業、工業、後工業
等不同的經濟模式中演變，逐漸從鄉村城鎮位移到大都市之中，由於經濟、
社會型態的改變，現代都市與資本主義的建立，「工業台灣」，使得台灣出現
了相當多的中小企業，這些企業中的員工，文化資本與社會資本薄弱，過著
朝九晚五的生活。他們的生產空間不在工廠裡，而是在都市裡的公司中開著
大大小小的會議，加班、裁員、考核等等狀況，沒有因為坐在辦公室中而稍
有減免。

　　在與工業相關的現代詩人可舉出李昌憲、陌上塵等人，那麼在描寫都市
生活的眾多詩人中，有實際工作經驗，並且也寫出數篇有關「上班族」的佳
作，則當可推以林彧（1957～）作為代表。在一九八〇年代初期，他的都市詩
和工作經驗談經常刊登於報刊上，後來收在第一本詩集《夢要去旅行》（1984）
〔註7〕之中，第二本詩集《單身日記》（1986）〔註8〕也有許多代表性的作品。
林燿德認為《加工區詩抄》乃是李昌憲獨具慧眼的選材，並且可從這個方向
去體會一個重要的訊息，「自民國七〇年代以降，有許多的中堅與新一代詩人，
各自集中火力於特殊屬性主題」〔註9〕，林彧的「上班族」系列便是其中一個
具有當代意識的主題。

　　在當時，許多人從鄉鎮縣市的家鄉出發，來到台北從事工作、繼續升學，
詩人作家盡自己寫作的志願，大有人在，在文壇與社會現象當中，這樣的例
子十分常見。他們離鄉背井地朝都市前進，因工作、升學、婚嫁等等因素遷
移與更換生存環境的現象，如今仍舊存在著。以林彧為例，離開家鄉到大都
會工作的經驗，曾經在他的作品中，發表許多自己親身經歷的工作情況和都
市中上班就職的心情。筆者以為可以藉由書寫者所置身的空間結構和工作環
境，以水泥叢林的都市對照煙囪如林的加工區、工廠，不同的工作環境，是
否有不同的心境和體認？身體、生理上的勞動以及精神、心理上的禁錮感，
工作環境和場所，在不同的經驗之下造成共感，辦公室的困頓與加工廠的制

〔註7〕　林彧，《夢要去旅行》，台北：時報文化，1984。
〔註8〕　林彧，《單身日記》，台北：希代，1986。
〔註9〕　林燿德舉例了沙穗「監獄檔案」、林彧「上班族」系列、柳翱「部落記事」等，
　　　　而這些主題都與作者的職業或生存環境有密切的聯帶。詳文可參考：林燿德，〈藍
　　　　色的輸送帶——李昌憲與其「加工區詩抄」〉，《笠》244期，2004.12，頁91。

式，產生出不同層面的焦慮。筆者將由生產空間的角度討論現代詩，試圖勾
勒出作者在工作面向的心境與體驗。

在理論方面，藉著英國社會與人文地理學瑪茜（Doreen Massey，1944
～）在《空間分工》（1984）〔註 10〕一書中對於空間的定義，使得生產空間
趨於一種樹狀的分布，而並非只是線性單一狀態，生產空間存於在時間與社
會之中，並且具有不同的空間組織和類型，「每一種生產的空間結構，都牽
涉了某種社會分化模式」，這是她基本的論點。社會群體的建構是從空間層
次上進行，勞工群體的位移與就業地理（geography of employment）不應該
以一種平面（空間）上的模式來做分析，應該解釋爲一種「社會──經濟過
程在空間裡的運作的結果」〔註 11〕，因此本文關懷勞動的煎熬、心理的桎梏
如何由空間中與人互動產生之外，也將空間的意義納入一併探究，工作地理
（geography of job）反映了生產在空間上的組織方式，也就是瑪茜所說的「生
產的空間結構」，這個術語暗示了空間不是被動的平面，讓社會關係映繪其
上，不是負面限制（要被跨越的距離），而是生產的積極、整合條件。筆者
將以此概念，作爲切入的角度與觀點，聚焦詩人們對於生產空間的觀察、在
不同空間語境中所生發的感受，這將是台灣戰後現代詩空間書寫不可忽視的
一章。

第二節　加工區：被輸送帶帶走的青春

蔡敦浩、張永佶，在〈戰後高雄地區產業發展歷程〉（1996）中提到高雄
設立加工區的時代背景：

> 1960 年代在發達國家已經無利可圖的傳統工業部門，大量向發展中
> 國家轉移，而此時的美國、日本電子技術亦高速發展，新產品層出
> 不窮，部份工序需要大量人工的電子產品遂始美國、日本的電子公
> 司在世界各地尋覓廉價勞動力。……。因此 1966 年 12 月創立的高

〔註 10〕 Doreen Massey, *Spatial Divisions of Labour: Social Structures and the
　　　　 Geography of Production*, New York: Methuen.1984.本文參考譯文出處爲
　　　　 Richard Peet,*Modern Geographical Thought*., USA: Wiley-Blackwell, 1998.中
　　　　 譯本：王志弘、張華蓀、宋郁玲、陳毅峰合譯，〈第五章：結構化、實在論
　　　　 與地域研究〉，《現代地理思想》，台北：群學，2005，頁 280～286。
〔註 11〕 Richard Peet 著，王志弘、張華蓀、宋郁玲、陳毅峰合譯，〈第五章：結構化、
　　　　 實在論與地域研究〉，《現代地理思想》，頁 282。

雄加工出口區以及1971年4月完成的楠梓加工出口區遂在此種國際背景下創立，不僅吸引了大量的人口湧入高雄，同時也帶動了整個高雄產業的發展，改變了整個高雄的產業結構。〔註12〕

　　台灣農業歷經數次的改革，逐漸走向現代化的生產方式，另外，由於國際經濟型態的影響，台灣加入了出口市場的生產行列，工業人口需求量大增。許多年輕一代的農村人口紛紛湧入加工廠，付出了勞力與時間。這些人口包含了女工、臨時工、作業員、生產員等等。據李昌憲自己的陳述，他在 1977 年進入楠梓加工區：

> 上班的第一天，看見輸送帶（conveyor）的速度很快，產品與產品的間隔又密，女孩們個個做的連頭都沒時間抬。就這樣，輸送帶先入為主的撞擊我年輕的心靈，而我每天也跟著輸送帶，管制生產流程。〔註13〕

　　置身於加工區的生產空間，每天在工廠中所聞所見，成為他親身經驗的勞工心聲。也因為進入工廠與許多作業員一起工作，才能體會他們所處的社會位置和心境。《加工區詩抄》收錄李昌憲在 1977 至 1980 年間陸陸續續寫下的工廠體驗，詩集中共有 29 首詩，分為四輯：「期待曲」、「牆裡牆外」、「女工心聲」、「嫁給輸送帶的阿霜」。由於加工區的工廠大部分雇用的是女性，因此詩集中佔了大部分的篇幅都是通過女性的角度去寫作。這些詩作大部分首先在《笠》、《陽光小集》、《台灣文藝》上發表，這些詩在當時看相當具有實驗性質，在語言方面雖沒有相當精鍊的筆法，但卻真實、鮮明地反映了在時代下藍領階級的生存壓力。首先，維持最基本的生活條件，成為勞工們最為擔憂和焦慮的核心，〈期待曲〉描寫懷孕婦女共為家計操勞的情形，她們遂也成為加工區裡的一員，試看其中一小段：

> 越漲越高的食衣住行
> 煩惱波濤似地湧至
> 被生活包圍起來的汗珠
> 還能說些什麼
> 說些什麼呢？

〔註12〕蔡敦浩、張永佶，〈戰後高雄地區產業發展歷程〉，《高雄與文化》第 3 輯，1996.10，頁 214。
〔註13〕李昌憲，〈心靈微瀾——「加工區詩抄」後記〉，《加工區詩抄》，頁 90。

（頁 7～8）

短短數句，表達了被「生存」所包圍起來的無奈心情。另首〈心情〉，描寫的依舊是被現實所圍困、桎梏的真實感受：

（前略）

整個困倦的身體

被生活緊緊裹住

落魄的站在蕭瑟風中

吞嚥麵包和謊言

再咳嗽幾聲

顫抖的雙手，竟被塞滿宣傳單

候選人的政見

從宣傳車上一路重申保證

要為我們爭取勞工福利

多年前，一樣的宣傳一樣的保證

多年後，我們仍然站在蕭瑟風中

（頁 9～10）

詩中見不到詩人的忿怒和犀利的批判，但是候選人競選時股股切切、和勞工們對於政見發表、宣傳單的麻木心情，在社會位置的差異之下，「候選人與勞工」成為一組最鮮明而強烈的對比。「吞嚥麵包和謊言／再咳嗽幾聲」因此寫的極好，無言的指證和沉默，深深地表達出勞工階級對現實的困鬥、被食衣住行所束縛的窘境。瑪茜認為，在資本主義下，社會生產結構底下的空間分工會有不同形式上的衝突。以工廠為空間舉例來說，外部有勞工與國家政策和從政者的衝突，而在工廠內部階級之間、或是階級與勞工之間、甚至是勞工與勞工之間，又有不同的衝突產生。她認為有（眾多可能的）三種生產關係之空間組織的形式或原型〔註 14〕，李昌憲所描寫的加工區工廠較為符

〔註 14〕這三類分別是：自主的單一區域公司（autonomous single-region firm），具有區位集中的空間結構；總部—分公司—工廠（headquarters-branch-plant）結構，採用多間分公司—工廠的「複製」（cloning）結構；以及多區位公司（multi-locational companies），採用局部過程（part-process）空間結構。每一種類型都會變化，包含許多變異。可參考 Richard Peet,*Modern Geographical Thought*., USA: Wiley-Blackwell, 1998.中譯本：王志弘、張華蓀、宋郁玲、陳毅峰合譯，〈第五

合第二種，也就是採用多間分公司——工廠的「複製」（cloning）結構，在此其中被控制管理的勞工階級沒有自主權，他們沒有實質的保障。這也是《加工區詩抄》中不斷上演的情境。

與李昌憲同樣寫下勞工心情的作品，還有陌上塵在《玉香集》中的「黑手詩抄」〔註15〕。陌上塵曾經擔任過國營事業造船廠的工人，寫過與工廠相關的小說和詩。事實上，李昌憲會開始創作以加工區為背景的詩，也是因為當時創刊《陽光小集》，並且與陌上塵、楊青矗等人都有交流，他曾接受「海與風的對話」節目的訪談〔註16〕：

> 一些詩友於1979年底，在高雄創刊《陽光小集》，那時候陌上塵寫以工廠為背景的小說，也寫一些詩，當時一些文友，每個禮拜都幾乎聚在一起，我也開始嘗試將工廠裡面的生活寫成詩。因為在工廠裡面，心情有時候也會被那些女性作業員感染。還有楊青矗他寫的是以國營事業為背景的工廠小說，陌上塵也是屬國營事業，我寫的是加工區，比較屬於私人企業或是外貿公司，當時是在日商公司工作，說實在的美國公司有美國的管理方式，日本公司有日本的管理方式，台灣又有台灣的管理方式，各有差別。在六十年代，勞動人口從農村走向都市，第一個面對的是比較生疏的環境。

因此可以得知，空間結構不只是單純由結構必然性（如資本的需求）施加上去的，而是透過經理、勞工及政治代表之間的政治經濟策略，才得以建立、鞏固和改變〔註17〕。由於生計而遠離家鄉，勞動人口來到都市中謀取較好的待遇和發展。但是在當時還未有勞基法、勞健保，因此勞工們的保障非常薄弱。加工區主要是賺取外匯，經常急於出貨而通宵加班，賺取微薄的薪資，代價是付出了美好青春和勞力。在長期超時的工作下，所得仍舊必須追趕著不斷上漲的物價。因此，勞工們一旦面對偶爾被挑起的物質慾望，頓時

章：結構化、實在論與地域研究〉，《現代地理思想》，頁284。

〔註15〕陌上塵與李昌憲的創作主題雖然相似，但是他們的發聲位置和創作者出發的角度各自不同。陌上塵較為偏重個人面對機具、勞動本身的情緒和經驗描寫，而李昌憲曾身為管理職，因此除了勞工心情之外，也討論到勞工與管理階層的衝突，以及管理職面對的責任和壓力……等等。範圍較廣，另外，李昌憲在之後出版的另一本詩集《生產線上》，便對於這些問題有更深入的創作，此處不再贅述。可參考李昌憲，《生產線上》，高雄：春暉，1996。

〔註16〕李昌憲、孫陵，〈海與風的對話〉，《笠》244期，2004.12，頁76。

〔註17〕李昌憲，《生產線上》，高雄：春暉，1996，頁285。

間被現實生活重重拋起又摔落，依舊是身陷囹圄，〈困〉一詩表達的便是這樣的現象：

> 走出校門，踏入
> 新奇有趣的工廠
> 我是卑微的女作業員
> 開始學習適應
> 工作，不停地工作
> 加班，不斷地加班
> 面對機械化的大量生產
> 枯燥而單調的八小時
> 加上日積月累的加班
> 難以言喻的疲憊
> 啄蝕身心
> 忍不住的痠痛
>
> 夜市熱鬧的燈海
> 眩目的誘惑我
> 小小的欲望，遭受夾擊
> 才知道
> 工作與酬勞之間
> 庸擾忙碌一個月所得
> 握在手中盜出冷汗
> 始終盤來算去不夠買
> 大拍賣的喊聲正喧囂

（頁 13～14）

　　女工徘徊在著薪資與物慾之間，而兩者之間的差異竟帶來如此大的矛盾和落差。「庸擾忙碌一個月所得／握在手中盜出冷汗」，描寫從心理到生理上的影響和轉變，讓人印象深刻，十分具有代表性。長期處於加工區工作的女工們，在工廠中的心情又是怎麼樣的呢？〈心室哀歌〉表現出極欲脫離枯燥、單一的工作場所，下班時的心情又是另種滋味：

> 圍牆內的夾竹桃都垂首

愣愣的望著下班的人群
家的呼喚是多麼貼切
自耳際回應穿過
被軟禁似地工作了八小時
鬱積的心室
如淡去的暮雲乍逝

　　首段表現了女工的心境，因下班返家使得原本鬱積的心情一掃陰霾。但是，這首詩的「心室」意象並未停歇，筆鋒一轉，從自憐移到疼惜高雄環境生態的破壞，下一段寫到了空氣環境因加工區、工廠林立而灰撲一片，令人不忍目睹：

對望大大小小的烟囪
正饕餮天空的腸肚
人人都要毫無怨尤
呼吸大量排出的廢棄灰塵
回家想開窗
而日夜不敢開啟
美妙歌喉的棲鳥
從半屏山整個消失

（頁 19～20）

　　李昌憲對於書寫環境生態的議題也頗有涉獵〔註 18〕，他所關心的層面、創作的題材恰巧也符合他自己農村出身到都市環境所見所聞的生命過程。使人感到所見歷歷的原因在於，李昌憲多用第一人稱去書寫筆下的人物和感情。林廣在文章中提到，「當李昌憲在創作時，他並不是站在客觀的立場，去描述她們生活的悲苦，而是遁入其中，化為一滴淚，來閃爍那等深深纍纍的黑，暗。」〔註 19〕，趙天儀也對於李昌憲以第一人稱的方式書寫表示肯定，「他畢竟以一個介入者的姿態，操作具有戲劇性的突出的表現，令我們容易產生共鳴，並瞭解我們勞工同胞的處境。」〔註 20〕，他對參與現代化過程中的勞

〔註18〕第二本詩集命為《生態集》，收錄他在高雄時，於工業區所觀察體會到的工業污染，內容多與環境保護、生態關懷議題相關。可參考李昌憲，《生態集》，高雄：春暉，1993。
〔註19〕林廣，〈把淚捲在花蕊裡的「初綻」〉，收錄在李昌憲，《加工區詩抄》，頁 17。
〔註20〕趙天儀，〈勞工的心聲〉，收錄在李昌憲，《加工區詩抄》，頁 1。

工們，以其極敏銳而富同理心的觀察到細微的感受，如〈女工之怒〉以第一人稱的方式，寫出女工們發展不順遂的感情，以及如何被社會大眾貼上有色標籤和成見：

> 臉都冒烟
> 捲起褪色的工作服
> 議論紛紛
> 唉！我們都是被貶謫的一群
> 想想還是趁現在逃
> 出加工區的圍牆
>
> 那牆外投進來的眼光
> 暗藏何種色彩
> 把姐妹的婚約再退回
> 花開花落
> 每一句謠傳是一支匕首
> 刺進加工區女孩的心臟
>
> （頁 35～36）

穿著工作服在工廠做事的年輕女孩們，沒有多餘的時間，沒有社會地位，也沒有優厚的條件和背景，她們擁有的僅僅是短暫青春，和由於貧窮而不得不早熟，與現實搏鬥的心思。在輸送帶單一而沉悶的節奏之中，年華正一點一滴消逝，對於婚姻也許抱有期待，但是社會大眾對於加工區裡的女工仍舊存有負面而不平等的對待和印象，而屢屢使得女工們的社會地位被打壓，更顯低微。也因此李昌憲才會寫下「每一句謠傳是一支匕首／刺進加工區女孩的心臟」這樣色彩悲烈的詩句，並且也創作多首相關主題的作品，例如長詩〈嫁給輸送帶的阿霜〉等等，來弔念那些將大好青春一點一滴滾動在輸送帶上的女孩們，不管她們是否因為選擇在加工區工廠工作而失去幸福或是造成遺憾，在她們進入了加工區後，厚重而漫長的灰牆內，女兒心事層層堆疊而深長。李昌憲的詩，正如莫渝在〈工業社會下不安定的牧歌詩人——讀李昌憲的詩〉〔註21〕所說，「他的詩作大體擺盪在都會的工業現實與鄉村

〔註21〕莫渝，〈工業社會下不安定的牧歌詩人——讀李昌憲的詩〉，《台灣詩人群像》，

的田園心境」（頁 253），在《加工區詩抄》與《生產線上》諸多對於就職於工業環境的員工，有其心境與現實困境的描述。這是生產空間的一個面向，也是極為寫實而使人悽然的時代縮影之一。

第三節　上班族：我們在鋼鐵的陰影下

　　來自南投縣鹿谷鄉的林彧北上來到台北就學、工作，自 1981 年起，發表在工商日報「上班族詩鈔」專欄中的若干作品，後來收在首本詩集《夢要去旅行》（1984）裡頭〔註22〕。《夢要去旅行》收錄五輯：分別依序是「所謂我」、「這些人、那些人」、「給我一本字典」、「問世間情」、「汲夢回來」，共 56 首詩。關於都市風貌速寫的主題，如〈在鋼鐵的陰影下〉、〈B 大樓〉、〈積木遊戲〉等，顯示了林彧對於都市人心情的細膩觀察，余光中對此讚賞大過於林彧創作的抒情詩〔註23〕：

> 在這本詩集中，最有創意、最具代表性、最富當代感的作品，卻是
> 探索八十年代都市生活的一組詩。……目前臺北、高雄等地有的是
> 現代大都市的新現實，等待新的知性和感性去探討，新的語言和技
> 巧去表現。林彧，正是這樣的一位新人。在紛紜複雜的都市生活裡，
> 他扮演的角色，是受薪階級青年知識份子的代言人，用生動的形象
> 演出他這一類青年的恐閉症和無奈感，以及在人群的壓力下力圖保
> 持個性的慾望。

　　林文義說林彧「深情卻不濫情」〔註24〕，創作本質中帶有抒情的基調。當林彧畢業之後開始在台北工作，眼前所見與好山好水的家鄉景致完全相異，他在 1981 年寫下了〈在鋼鐵的陰影下〉，可以說是社會新鮮人對於眼前所見水泥叢林的第一印象：

　　　　台北：秀威資訊科技，2007，頁 241～256。

〔註22〕從 1982 年 5 月起，中國時報數次刊登他的都市詩。如林彧，〈分貝〉，《中國時報》，「人間版」，1982.5.23、林彧，〈名片〉，《中國時報》，「人間版」，1982.7.13、林彧，〈B 大樓〉，《中國時報》，「人間版」，1982.7.15、林彧，〈號碼〉，《中國時報》，「人間版」，1982.7.17 等等。

〔註23〕于光中，〈拔河的繩索會呼痛嗎？〉，收錄於林彧，《夢要去旅行》，台北：時報文化，1984，頁 10～11。

〔註24〕林文義，〈在透明玻璃之後：一個散文家筆下的詩人印象〉，收錄在林彧，《單身日記》，台北：希代文化，1986，頁 9。

尋常一樣，上班的日子

踏上斑馬線，涉過一條寬闊的道路

毋須忌憚，電梯層層高昇，生命

緩緩垂降著，在鋼架的陰影下

許多習慣、癖好這樣形成：

在電話裏感覺女友的呼吸，並且

機械地約會；在二段式的抽水馬桶上

任意調整溪瀑的聲音；在多彩的印刷物裏

尋覓山光及水色；在冰冷的鋁製落地窗中

觀賞著風景；看著一落落大樓

冒起，如同雨後爭長的菰群

許多秩序這樣形成，許多

筆直的道路這樣無畏地伸展

（頁55～56）

生活情調、步調、感覺結構、都市形式之異，使得林彧對於自己生長的土地有一份至高的懷念和嚮往，也因此他在「多彩的印刷物裏／尋覓山光與水色」，因此感到都市生活的落寞。不同地區間的地理差異，不僅帶給詩人差異的感受，相同的，對於社會過程本身也十分重要，瑪茜曾說：

> 因為地理很重要。過程是在空間裡發生的事實，遙遠或接近、不同地區間的地理差異，以及特定地方和區域的個別特徵與意義等事實，這些都對於社會過程本身的運作非常地重要。正如沒有什麼純粹的空間過程，也不會有什麼與空間無關的社會過程。除了天使跳著舞以外，沒有什麼是在針尖上發生的。〔註25〕

筆者曾在前段提到李昌憲與加工區的作品，關注的部份是屬於藍領階級的生活與工作情形的經驗。而林彧面對的公司場所和生產空間雖與李昌憲不同，但辦公室也如同戰場，同樣是一個開放性薄弱的場所，由於工作分工的性質，使人與人之間的距離拉大，但是空間由於人口眾多而相對瓜分掉，因此變得更為狹小。在炎夏天裡開著強烈冷氣的會議正在進行中，林彧卻源於與現實脫離的想像，遂對於一朵瓶花展開了對話，試看〈會〉：

〔註25〕 Doreen Massey, *Spatial Divisions of Labour: Social Structures and the Geography of Production*.,1984.p.52.

（前略）
熱雷雨前的會議室，一群人
交頭
接耳
　關於報表關於匯單，關於
　冷氣磅礴裡的我關心的
　不是這些數字、文字或金額

關不住我的心，這場會議
在雷雨後闌珊了，只有冷氣
依然磅礴，還有一人
我，面對空了的席位，喃喃：
　關於陶潛，廿九歲以後
他就很少聽得懂人類的語言
瓶花在桌上，簌簌
點頭
點頭
（頁73～74）

　　與熱切交頭接耳討論報表的同事們，林彧似乎相對的不夠投入和專注，他頻頻關心天氣變化與桌上花朵，由於自身的想像而得到一些些從大自然中獲得的撫慰，這也透露出都市生活中的另一個隱憂，人遠離了自然環境，感到恐閉而壓抑。林彧在詩中描繪辦公室生活的片段，會議中顯得封閉而制式，令人想要逃離這種嚴肅乏味的情境。對瑪茜而言，沒有兩個地方是一樣的，空間差異很重要。大多數人仍然過著在地生活，具有在特殊地方形成的意識。以此觀點可以發現林彧在進入都市時，已帶有在鹿谷成長的經驗和地方意識，因此在其作品中，也能夠從中辨別出他對於鹿谷與台北這兩個不同空間的不同意識。在作品中值得特別一提的是，林彧將辦公室生活中常見的文具、配飾、隨身物品做了假設性的詮釋，這一系列有〈領帶〉、〈衣架〉、〈名片〉、〈椅子〉、〈號碼〉、〈釘書機〉等等，成為非常有個人特色的一個書寫系列，1982年，林彧寫〈釘書機〉：

咬牙切齒，那把釘書機

　　將腹中的細細鐵釘

　　吐到雪白的文件上

　　兩樣無干的事

　　宿命地疊在一起

　　宿命的我，在文書桌上

　　細細抄謄著等因奉此

　　卻又無端想起，雪地裡

　　那道綿長的鐵軌

　　多像白紙上這行墨色字跡

　　多像啊，弓著背坐在桌前的

　　我，多像那把釘書機

　　狠狠地，咬牙

　　切齒，狠狠地

　　將日子一疊一疊釘起堆起封起

　　（頁 75～76）

　　從文具而想像到了自身，將自身比喻為文具，物我同化之下表露對現實生活的無奈感，意象十分鮮明，構築了辦公室生活的氛圍。林彧在專科畢業退伍之後，在 1981 年進入報社公司擔任過校對、採訪記者，從事編輯相關的工作〔註 26〕，因此他算是真實地體會過公司裡上班族的心情和生活，「以上班族的主觀經驗為經，以詩人的客觀思考為緯」〔註 27〕，這個以都市中上班族群心情所書寫的詩作，一直延續到下一本詩集《單身日記》（1986）中，在這本詩集中作者更有意識地刻畫都市風貌，分為「某上班男子」、「白領系列」、「都市童話」、「地方人士」、「不悔少作」等五輯。和朝九晚五上班族生活相關，並且較為出色的作品有〈卡〉、〈迴紋針〉、〈一個人回家〉、〈電話錄音〉、〈壁釘〉、〈魚〉等。延續《夢要去旅行》中以詮釋物品為主題的創作形

〔註 26〕林彧在 1981 年退伍之後進入聯合報擔任校對工作，1983 年任南投地方記者，1984 年擔任時報周刊主編。詳見林彧，《愛草》，台北：華成圖書，2003，頁 1。

〔註 27〕林燿德，〈組織人的病歷表——論林彧有關白領階級生存情境的探索〉，收錄於林彧，《單身日記》，頁 207。

式，細寫現代人精神上的閉鎖感、或是對當下現實生活中的觀察與諷刺，頗富新意。另首〈迴紋針〉的現代都市寓言也是極有創意：

> 弓背彎腰，曲折迴繞，
> 這樣一只輕巧的迴紋針，
> 小心翼翼地夾著：
> 我的考績表、情人的舊照。
>
> 一只輕巧的迴紋針，
> 左旋右轉；是誰
> 將它折成這等模樣？
> 迴紋針不會感到委屈嗎？
> 左旋右轉，上壓下擠，
> 在薪水袋邊緣摸索的我，
> 就是一只輕微渺小的
> 迴紋針，夾得了大事物吧。
> 弓背彎腰的我在龐大的
> 辦公室中，卻有曲折迴繞的
> 心事：他們也都是迴紋針——
> 但是，誰夾住了什麼！
>
> （頁 36～37）

與〈釘書機〉類似，同樣也是從文具想像到自身，再從自身的處境與迴紋針相比，自我解嘲並且對於辦公室生活擲出了疑問。林燿德曾在〈組織人的病歷表——論林彧有關白領階級生存情境的探索〉中，對於林彧的創作作出極敏銳的評論：

> 我們可以發現林彧在表現形式上的多向性；而其所追蹤的主題，卻
> 一貫朝向「白領階級精神面的剝離」穿刺。自我個性的喪失與存在
> 的迷惘，一再出現……。（頁 209）

林彧 1981 至 1986 年間創作的現代詩收錄在這兩本詩集中，其中與都市生活、空間相關的作品成為他現代詩鮮明的代表作。林彧詩中對於白領階級精神層面的描摹，林燿德認為「自我個性的喪失」是一再出現的主題，而余光中卻是從詩中閱讀到了林彧對於在人群中維護自身意識的慾望。此處筆者

認為，在個人意識上「保留和喪失」兩者之間的矛盾和猶疑，便是林彧在走進都市生活中最深沉的焦慮，也是他不停質問自己的一個疑問。林燿德繼續對於個人與群體、自我意識與工作身分這兩種不同的心態，衝突拉扯的原因作出分析：

> 組織人自踏入組織的霎時，便註定成為組織中的一枚齒輪，在專業化的企業管理要求下，每日處裡著千篇一律、甚至秤薪而饔的工作，瑣屑不堪的事務漸漸消磨了人的個性，以致於「工作人」的身分不但存在於上班時段，更腐蝕了下班後「自然人」的本質，加以白領階級處身工作環境所可能遭遇的種種坎壈不順，貌似生活穩定、步伐規律的生涯，其實是漂浮在建築物巨大陰影與不安心緒間的虛無歷史。（頁 211）

每一種生產的空間結構，都牽涉了某種社會分化模式，例如執行不同功能的群體的特徵，這就提供了與區域和地方階級形構的聯繫〔註 28〕。在自我與現實生活的拉扯間，林彧每每以抒情的基調出發，他對於都市生活壓力、就業後以升遷、生存為優先的社會取向，作出消極的拒抗和抵制，如〈積木遊戲〉是一則以內心吶喊為主題的代表作品：

> 砌成四面牆吧，四面五顏六色的
> 牆，我要在四面高牆中小寐
> 堆成一座山吧，一座雄壯巍峨的
> 山，我要站到高山的最上頭
> 牆成了，為了不忍推翻
> 只好無奈地在自建的城堡中泣嗦
> 山成了，尚未爬到頂點
> 積木嘩嘩，跌疼了一堆夢
> 回憶往事的我早已不玩那遊戲
> 在四壁鮮白的辦公室中
> 我小心堆砌著那無形無色的
> 七情

〔註 28〕 Richard Peet, *Modern Geographical Thought.*, USA: Wiley-Blackwell, 1998.中譯本：王志弘、張華蓀、宋郁玲、陳毅峰合譯，〈第五章：結構化、實在論與地域研究〉，《現代地理思想》，頁 285。

六慾
謹慎地核計
精敏地盤算
薪資，升遷，男歡，女愛
夢也不做了，然而，依稀
聽見，那聲音，那遙遠的呼喊
　放我出去，放我出去
　讓我爬上，讓我爬上
（頁 77～78）

　　四壁鮮白的辦公室如同自建的城堡，呈現被現實圍困而不得解脫的心境，而情感、薪資、升遷都必須小心翼翼「謹慎地核計／精敏地盤算」，詩人在內心中吶喊，雖然宣稱現實生活中遠離登頂的夢想和過去的壯志，卻仍在深層意識中無法擺脫來自原我的呼召，否則怎會「依稀聽見／那聲音／那遙遠的呼喊」呢？社會與空間一樣，兩者皆非存於針尖之上，詩人的感受在社會過程中逐漸形成，在其辦公室與其制度下，於生產空間中體會到的束縛感與空虛感，是現實與自我意識拉鋸的產物。

　　台灣的經濟政策以犧牲農業換取工業〔註 29〕，大量新一代的就業人口從農村湧入都市，形成人口位移，城鄉移民的現象屢見不鮮。社會關係、經濟關係在空間中不停的被形構出現，甚至社會建構的過程，也都是在空間中不斷演化，其中本文以李昌憲和他的詩集作為討論「加工區」此一生產空間的文本。李昌憲在高雄楠梓加工出口區工作，在其《加工區詩抄》裡所見證、描寫的勞工困境，大部分的焦點關注現實生活裡，最基本的生存問題。在台灣曾經創造出經濟奇蹟的同時，龐大的勞工族群默默耕耘，付出勞力與青春供雇主和資本家支配運用。在工廠裡他們是不具有權力和保障的一群，資方與管理者以「控制」作為回應廣大競爭和市場力量的手段。

　　因此在詩中讀到加工區裡不同的心聲：懷孕婦女為了家計、夜校生半工半讀、遭到謠言或誤會而被退婚的女工、在薪資與物慾間徘徊矛盾的窘困心情、自殺未遂、未婚懷孕、加班、裁員、想念家鄉……等，面顯示出勞工問題必須正視，除了在加工區裡的問題，在加工區之外，社會大眾對於勞工們

〔註29〕葉秀菊，〈加工區生產線上的現代詩人——李昌憲〉，《笠》244 期，頁56。

的不平等對待，也是作者極力揭櫫的議題。社會結構上不同的生產空間固然與地理環境有直接的關係，而也連帶與文化、地方認同、階級分布有很大的關連性。因此，在討論任何一個層面時，都必須跳脫以往單一線性的空間分佈、社會過程，來看待研究討論時所援例的文本內容。

與李昌憲有著不同工作經驗的林彧，其「上班族詩鈔」，則表現出現代人在都會生活中所遇到的另一種衝突和衍生的問題。雖然不像藍領階級直接被雇主、企業消費了勞力和時間，但是除了勞動以外的精神空虛、壓力、以及內心與現實社會的落差，同樣使得在其辦公室中水深火熱。不公平的裁員、性騷擾和失業心情和經驗與藍領階級有的僅僅是程度與層面上的差異，因為兩者的寫作出發角度有其相似處，都是從受雇者的角度出發。

在不同的生產空間中，有不同的體驗和感知，林彧所代表的是從農村來到都市進入職場的知識份子，在地理空間上的位移之外，原有的地方認同開始與都市空間產生對話、抗衡，或是作者的自我意識與工作上的經驗和制度產生衝突，而使得有矛盾、焦慮的情形產生。這點可以不斷從林彧的創作中可以見到，並且以許多形式和不同的層面表現在文字當中。而這兩位詩人的作品，極其難能可貴且足以成為生產空間援例的最重要原因，是他們都曾經親身歷經在他們書寫的時空之中，以極近的距離、極真實的接觸過那些文字敘述裡的點滴心情與生活。林彧認為，詩人不足以代表身分地位，也非職業，詩人只是一種情懷，要能興觀群怨；要能溫柔敦厚〔註30〕。而李昌憲也在《加工區詩抄》扉頁寫著：

> 詩，是我的心靈與現實社會撞擊的火花也許
>
> 是紅色也許是藍色，也許什麼都不是。
>
> 但──他是存在而真實的。

李昌憲與林彧的創作特徵，除了都親身經歷任職過他們筆下的工作環境以外，在現代詩形式方面，也都使用第一人稱表達他們在不同空間下接收到的生命經驗。較為不同的是工作地點、環境、空間的差異，而使得書寫人物、工作內容層面上，各有必須面對的問題。《加工區詩抄》關注勞工大眾的生存、受到的壓迫和不公的對待；「上班族」詩鈔的焦點則來是都市與農村、自然與現代科技、自我意識與工作環境的牴觸、精神上的焦慮與恐閉，由此

───────────────

〔註30〕林彧，〈無意眾生，不離世間──我心目中的詩人〉，《單身日記》，頁4。

能夠得知生產空間的意義，除了反應時代精神，也生發了文化圖象。而兩位詩人也都真實地在各自的作品中展現了台灣在一九七〇年代末至一九八〇年代中期，不同生產空間下的時代縮影。

第三章　存眞與失眞——現代詩中
都市空間與自然空間的扞格

第一節　都市之興起

　　對於都市的定義，各家學派不盡相同。可以確定的是，都市代表了人類社會的現代化進程，現代化造成了空間結構、區域組織的改變。在上一章以台灣爲例，曾提及都市的興起是由於經濟結構的逐漸改變。過去以農業爲主要經濟核心，順應世界情勢和國家政策而漸漸改變，成爲以工業爲主的經濟型態。隨著大批就業人口的湧入，兩大都市（台北、高雄）逐漸被建立起來，交通發達、人口稠密、資訊網絡快速而密集，儼然成爲台灣面對國際的兩個樞紐位置。在都市化、現代化之際，隨之而來有勞工、區域空間的問題亟待解決，上章主要檢視的是現代詩中書寫生產空間的一個過程，這一章將進入都市空間以及與其對應的自然空間，將已經對立許久的兩個空間重新並置討論。在夏鑄九〈全球經濟再結構的台灣區域空間結構變遷〉（1993）中，提到台灣都市化的趨勢以及隨之而來的問題，並且提及空間結構與國家經濟脈絡、政治策略，這些其實都極爲相關〔註1〕：

　　　　首先，空間結構經常在社會與經濟的脈絡中爲國家之都市與區域政
　　　　策的中介所塑造。台灣的都市與區域結構往往是經濟發展的扭曲模
　　　　式。經濟發展的社會過程之歷史，製造了嚴重的都市與區域空間矛

〔註1〕 夏鑄九，〈全球經濟再結構的台灣區域空間結構變遷〉，《空間，歷史與社會論文選》，台北：台灣社會研究季刊社，1993，頁282。

盾。台灣現存的特殊的工業化過程是台灣都市矛盾之根源，台灣的
都市之結構性矛盾並未因經濟發展而自然解決，因爲兩者是平行存
在的。台灣特殊的經濟發展所造就的依賴都市化（dependent
urbanization）情境是：經濟發展了，工業也發展了，但是都市與區
域的結構性矛盾並未解決。

所以，台灣的都市化、工業化與經濟發展過程其實是處於一個與先
進工業國家不同的歷史情境之中。甚至，我們可以這麼說，一如勞
工問題、環境問題、農業問題……等，台灣的都市與區域問題是經
濟發展的社會代價之一。

所謂的「依賴都市化」（dependent urbanization）是什麼呢？夏鑄九曾以曼
威·柯司特（Manuel Castells，1942～）的觀念爲主軸〔註2〕，將開發中國家
（developing country）的「依賴」空間結構重新定義和解析，以分析台灣的都
市空間和發展。基本上，這個理論原本是用來解釋國際分工下國家與國家之
間的不對等依賴關係〔註3〕，在這裡我們沿用並且將其討論轉譯成特殊的空間
結構，並以此理解台灣的都市化狀況。當我們對依賴理論和依賴關係有所了
解之後，便可知台灣的依賴都市化的狀況是由於社會生產逐漸改變，經濟型

〔註2〕 「依賴都市化」（dependent urbanization）是指某一地區的都市化來自於社會
對某種利益的依賴，導致都市化發展並不均衡，城鄉差距也因此而生。這依
賴形式和類別不一定是單一現行的發展，夏鑄九經常用這個觀念來分析台灣
某些社會現象或是都市結構、文化發展等等。依賴理論的觀念主要是由曼威·
柯司特再度延伸而擴張它的意義，當我們在使用這個觀念和理論時，仍舊必
須兼顧歷史與其地區的獨特發展性質，才不會偏離了討論的核心和實際社會
的發展現象。在下一個註解將會繼續深入解釋依賴過程的形式。

〔註3〕 依賴關係與空間結構一樣複雜、並具有多樣性。正如同一個空間之下，其
中也具有各種組成的因素和分工。這裡提及的依賴過程，主要指的是在開
發中國家（或第三國家）與已開發國家（或第一第二國家）間，兩個社會
間的關係並非相互依賴，爲了達成已開發國家的社會利益目標，然後才構
成開發中國家的社會組織，這種國際關係並非均衡，是一種不對等的依賴
關係。夏鑄九舉例了曼威·柯司特依照不同形式和類型將依賴關係分爲：「殖
民依賴」（colonial dependency）、「商業依賴」（commercial dependency）、「金
融依賴」（financial dependency）、「工業依賴」（industrial dependency）、「技
術依賴」（technological dependency）、「地緣政治依賴」（geo-political
dependency），這些依賴類型有時是並存的，而並非單一線性的方式進行，
詳細原文可以參考夏鑄九，〈空間形式演變中之依賴與發展──台灣彰化平
原的個案〉，《空間，歷史與社會論文選》，台北：台灣社會研究季刊社，1993，
頁 167。

態的更換而產生的。最重要的原因之一，是因為傳統農業受到衝擊，大量的農業人口受到受到生產模式改變、經濟型態的影響，相繼進入大型現代化都市如高雄市、台北市謀取工作和薪資。台北與高雄的人口與經濟發展集中的過程在 1960 年開始漸漸成形，造成城鄉移民（unban-rural migration）此一現象頻繁，簡單的說，城鄉移民是一種城鄉差距所造成的都市集中現象，原因也就是來自於台灣的經濟發展和工業化過程。都市集中意謂著財富、人口、交通運輸、權力等層面的集中，台灣的都市集中又以台北市為最具代表性。

也就是由於夏鑄九所認為的都市和區域之間的「結構性矛盾」〔註4〕，提醒了我們在以都市為核心的角度下，思考相對性空間所可能面臨的問題，也就是經常被邊緣以待的地理空間。在進入討論都市空間之前，要注意到台灣經濟發展與政府所實施的國家政策這些層面對於整個社會文化系統、台灣文壇的影響。大型都市被建立的同時，農村正在加速萎縮與大量流失人口。逐漸地，社會文化、價值觀也連帶造成了位移、改變的狀況。以此社會現象作為小說主題的文本中，對於自然空間與都市空間的爭辯與諷刺，可以從人物的樣貌與情節的安排突出作者的意圖〔註5〕。在台灣現代詩，以都市作為空間範疇，提及都市空間以及現代人的精神意識，此類創作則在一九八〇年代被視為台灣現代詩空間書寫的主要類別。同時，都市是在空間研究下，最常突出而被關注的空間。關於都市詩的沿革和發展脈絡，在一九五〇至一九六〇年代間，詩人吳瀛濤的詩中，已經出現了許多在都市成長的經驗，可以說是創作都市詩的先聲〔註6〕。接後，吳望堯的〈都市組曲〉（1958）也是都市詩的先行代〔註7〕，吳望堯的詩作，可視為開啟都市詩書寫的里程碑，代表了都市詩的深化與開拓。那麼，空間書寫的現代詩除了都市空間之外，還有別的可能

〔註4〕 台灣都市與區域間的「結構性矛盾」，來自於台灣都市化發展不均衡。因此造成城市和鄉鎮之間的落差。

〔註5〕 短篇小說如黃凡的〈梧州街〉（1987）、張大春的〈公寓導遊〉（1986），長篇小說如七等生《城之迷》（1975）等。

〔註6〕 一般研究都市詩很少談到吳瀛濤，但他的確有許多以台北市作為藍圖的都市詩，如〈都市素描〉、〈都市這是一幅油畫〉、〈都市四章〉等等，皆收入《吳瀛濤詩集》，台北：笠詩刊社，1970。林亨泰也曾提到吳瀛濤曾極力提倡都市詩，詳見林亨泰，〈從八〇年代回顧台灣詩潮的演變〉，收入林燿德、孟樊編，《世紀末偏航：八〇年代台灣文學論》，1990，頁 131。另外關於吳瀛濤都市詩風格評介，可參考阮美慧，〈第七章：分論（五）——其他：巫永福、吳瀛濤、羅浪〉，《笠詩社跨越語言一代詩人研究》，台中：東海大學中國文學系碩士論文，1996，頁 251～257。

〔註7〕 吳望堯，〈都市組曲〉，《地平線》，台北：藍星詩社，1958。

性出現嗎？答案是肯定的。因為，在另一方面，現代化對於農村、鄉鎮，甚至是自然生態所帶來的影響和汙染，漸漸在現代詩中出現，在都市空間成為詩人吟詠對象的同時，也出現了對於都市負面形象的書寫，如吳晟〈路〉、余光中〈控訴一支煙囪〉、沙穗〈失業〉等等。筆者認為不可不注意這些現代詩文本的主體意識和內容，進一步地說，可能藉此更能宏觀分析出城鄉空間之間的消長和意涵。

關於都市詩的發展脈絡，前行研究者陳大為在〈對峙與消融——五十年來的台灣都市詩〉（2004）將二十世紀後半期台灣都市詩的發展分為四個紀元〔註8〕。張漢良〈都市詩言談——台灣的例子〉（1988）提到了城鄉對立之於都市詩的本質意義〔註9〕：

> 假設都市詩的興起果然是基於城／鄉對立，基於一浪漫主義式「田園詩（牧歌）」的形而上與心理慾求，正如它在西方被視為肇始於浪漫主義運動，那麼讓我們逆歷史之流漫步到台灣「田園模式」大敘述，意即我當時惘然的情形。根據這種城／鄉對立的神話，都市與鄉村也分別被賦予對立的道德含意……（頁44～45）

實質的城鄉空間對立，不但是台灣社會結構一直存在的矛盾，背後衍伸而來的意識型態更是不容小覷。從都市空間切入對照另個空間——自然空間，指向的是建立在人工營造空間以外，存有自然生態和自然景觀的空間，例如農村、鄉村的空間結構，再者，都市中的河川、山坡，也都屬於實質的自然空間，不容忽視，將一併納入討論。察覺都市與自然之間的衝突對立，牽涉了地理環境、社會經濟、國家政策種種的原因，這兩種不同的地理位置各自代表不同的符號和意義，例如都市代表現代化以降的種種現象和狀態，而自然代表了反思現代化後的懷鄉意識與危機意識，但是這樣的二分法容易落入一個僵化的框架和思考模式，因此，本文的第一個問題意識是：現代詩中抒情傳統的書寫模式，在現代化與社會模式的快速發展和改變，在城與鄉的不同空間脈絡之下，將會有如何不同的發展？在現代詩文本利用都市空間與自然空間相互辯證之際，當空間意義逐漸失去或仍舊保存其真實意涵時，

〔註8〕 陳大為，〈對峙與消融——五十年來的台灣都市詩〉，《亞洲閱讀——都市文學與文化（1950～2004）》，台北：萬卷樓，2004，頁3～60。

〔註9〕 張漢良，〈都市詩言談——台灣的例子〉，《當代》32期，1988.12，頁38～52。後收錄在孟樊編，《當代台灣批評大系（卷四）·新詩批評》，台北：正中書局，1993，頁157～171。

這對立過程之中是否有其立場的考量，或是有其更深層的意識形態？

　　李豐楙的〈七十年代新詩社的集團性格及其城鄉意識〉（1995）〔註10〕，提及在一九七〇年代興起的新詩集團，有別於一九四〇、五〇年代以來詩語言的晦澀和隱喻，建立了新的典範和新的意象。更重要的是他觀察到了詩人對於城鄉意象的不同詮釋。李豐楙認爲一九七〇年代出現了許多描寫城與鄉對立的作品，是因爲從民國六十幾年開始台灣社會的經濟類型轉變使得人口大量遷徙，從農村生長的詩人們來到都市中，對於都市的水土不服與懷鄉，致使詩人在描寫都市空間時有更多的現實批判意識：

> 土生土長的詩人既關愛先組開發的土地和故鄉的語言，因而離開他
> 就較易產生臍帶關係割斷後的失落感，不過在六〇年代農業衰退而
> 工商成長的階段，二、三十歲的一代無不被整個城市的鉅大吸力吸
> 納進「台北」的神話世界中，神話自是被集體創造出來的語言象徵，
> 不過集體中的各個個體卻爲了要融入這個神話儀式中而成爲帶血帶
> 淚的犧牲。所以六〇年代的「台灣奇蹟」神話就是一群都市游民在
> 希求安定中所創造完成的。（頁337）

　　以城鄉移民的社會背景來看，一九六〇年代開始漸漸建立的台灣「經濟奇蹟」，在另一面也促成城鄉移民的現象和隨之而來的社會文化位移，城鄉意識的對立開始在一九七〇年代形成，直至一九八〇年代。在 1972 至 1978 年一連串發生的鄉土文學論戰，對於現代詩的發展上影響甚鉅，成爲下個世代創作風格的延續與不變之前因，而在回歸現實成爲當時時代風潮之際，也能觀察到文壇的典範更迭與移轉持續進行〔註11〕。鄉土文學論戰是一場官方與在野之間文學思想、政治立場的辯難，卻也勾勒出當時另一面社會現象：城鄉差距逐漸拉大，自然與都市之間的扞格逐漸形成，整個社會結構和文化層次產生移動。蕭蕭的〈現代詩裡的城鄉衝突〉（1987）〔註12〕一文，以吳晟爲代表

〔註10〕　李豐楙，〈七十年代新詩社的集團性格及其城鄉意識〉，文訊雜誌社編，《台灣現代詩史論》，台北：文訊雜誌社，1996，頁 325～355。

〔註11〕　對於 1970 年代的文壇風潮、時代語境，可參考林淇瀁，〈康莊有待——七十年代現代詩風潮試論〉，《康莊有待》，台北：東大，1985，頁 49～86。以及 1970 年代以來都市文學風潮之相關討論文集：鄭明娳編，《當代台灣都市文學論》，台北：時報文化，1995。

〔註12〕　蕭蕭，〈現代詩裡的城鄉衝突〉，《現代詩學》，台北：東大出版社，1987，頁 135～145。

的鄉土詩人和以羅門爲代表的都市詩人爲例，分析他們各自吟詠的鄉城空間，這兩個對比又對立的例子分別代表了不同的詩觀與風格。吳晟在以鄉土生活經驗爲書寫對象，此一創作風格已經將台灣的鄉土農村生活實質地表現出來，將以往前行詩人對中國地理的想像、鄉愁書寫轉爲對台灣土地的熱愛和守護；羅門則在現代都市範疇之中，書寫自然空間之不可得與都市文明中的現代性惡果。

　　林淇瀁〈「台北的」和「台灣的」——八〇年代以降台灣文學的「城鄉差距」〉（1995）〔註13〕中，則不只是討論實際地理位置帶來的對抗。而是從早期農村爲主而改變以都市爲中心之變遷，以及進入文學商品化的一九八〇年代台灣社會總體趨勢下，「台灣的」與「台北的」兩大文學社群之間的「城鄉差距」，在這篇文章中已經不再只是地理位置「城市」與「鄉村」的區別，而更多是討論關於文化認同和語言操作下的主體認同差異。由此可知，在進入一九八〇年代後，都市更成爲詩人經常使用的符號，不但已經隱含地理位置的差距，也形構成兩股歧異的文化認同和主體思維。

　　也就正如林燿德〈不安海域——八〇年代前葉台灣現代詩風潮試論〉（1986）〔註14〕所言，提及都市詩的精神內涵時，他認爲一九八〇年代新興的都市詩已經進入了「後（post-）都市詩」的階段，與一九五〇年代、一九七〇年代時出現的都市詩有了區別。前行研究者對「城鄉差距」議題做了諸多的探討，那麼如果以城鄉移民、城鄉差距的角度切入，在對立之外還能不能夠生發出另外的詮釋途徑？現代詩的抒情傳統，在都市／自然兩個空間的消長之中，有何演變？本文試圖從城鄉對立的兩個空間出發，找出相關的現代詩文本，討論在抵抗／接收、善良／邪惡、進／退等等對立關係之外，是否尚有其他的態度與關懷未被看見：如對自然空間的呼籲和保護、都市空間裡的流浪、疏離心境等等。筆者將仔細審視其中的關係和意涵，在存有／失去之間，挖掘更多的可能詮釋。

〔註13〕　林淇瀁，〈「台北的」和「台灣的」——八〇年代以降台灣文學的「城鄉差距」〉，《書寫與拼圖——台灣文學傳播現象研究》，台北：麥田，2001，頁 179～191。

〔註14〕　林燿德，〈不安海域——八〇年代前葉台灣現代詩風潮試論〉，《不安海域》，台北：師大書苑，1988，頁 1～79。

第二節　自然空間的不變

從上節的歸納可以得知，台灣城鄉移民的過程是都市化的主因，但是農業被納入世界市場卻造成農業的不穩定，更加強了城鄉移民的模式〔註 15〕。夏鑄九再次提及不可忽視台灣農業與城鄉移民之間的因果關係：

> 在台灣，1960 年之後經濟發展的模型根本地改變了城鄉間的關係。城鄉移民的升級過程確實是都市化之主因。然後，農業因被納入世界市場，利潤較高，卻造成農業的不穩定。加上國家以農養工的低糧價政策，更鞏固了既有的城鄉移民模式。1970 年代初期之後，農村剩餘的邊際勞動力，透過分包與代工成爲外銷加工廠的非正式勞工，而另一方面，這些工廠也汙染了農村環境。到了 1980 年末，這些工廠又將下游加工遷出台灣，這趨勢目前正在流行，它勢將再進一步強化台灣城鄉移民的模式。

都市化與農村、自然環境的關係如同一體兩面。在進入一九八〇年代之前，回顧一九七〇年代台灣現代詩的時代語境，可以發現陸續出現了許多詩社集團，其中隱含了詩壇內部的改革和遷移〔註 16〕。同時，更重要的是，詩人們在歷經社會結構變遷之下，展開對台灣土地的反省與思考。在台灣，自然空間做爲具體的例子，首先提到的是鄉土、農村。而自然空間中，可作爲鄉土和農村的代表詩人，筆者援引吳晟（1944～）作品爲例。生長於彰化縣溪州鄉，年少時即有文學創作，詩集《吾鄉印象》（1985）收集了他在一九七〇至一九八〇年代的創作，內容真切地書寫對於鄉村農地的關懷。在時興讚頌與諷刺都市文化與文明之際，吳晟則是樸實安靜地，寫下他對於台灣自然空間的祈慕和認同。在其作品之中，描寫了農民與農地互動的經過、現代化對於農村的衝擊、農民生活等等主題。自然空間孕育他的生命情調，成爲他詩中永恆的母題、生命中的最終歸屬。在空間書寫的視角之下，吳晟的創作風格與都市的空間書寫，具有很大的相對性，兩個不同的空間意象在詩人筆下各自展演成不同的景況。吳晟的〈路〉（1972），以「路」的意象延伸出電線杆／月色星光、城市／鄉的對照組，堪稱代表：

〔註15〕夏鑄九，〈都市過程・都市政策和參與性的都市設計制度〉，《空間、歷史與社會：論文選 1987～1992》，頁 249。

〔註16〕彭瑞金，〈回歸寫實與本土化運動〉，《台灣新文學運動四十年》，高雄：春暉，1997，頁 196。

自從城市的路，沿著電線桿

──城市派出來的刺探

一條一條伸進吾鄉

漫無顧忌的袒露豪華

吾鄉的路，逐漸有了光采

自從吾鄉的路，逐漸有了光采

機車匆匆的叫囂

逐漸陰黯了

吾鄉恬淡的月色與星光

自從吾鄉恬淡的月色與星光

逐漸陰黯

吾鄉人們閒散的步子

攏總押給小小的電視機

而路還是路

泥濘與否，荒涼與否

一步跨出，陷下多少坎坷

路還是路，仍然

──引向吾鄉的公墓

　　城市的絢爛繁華對比鄉村裡月色星光的黯淡，還有在〈入夜以後〉裡店仔頭／電視機的對比〔註17〕等等，可視做揭示當時城鄉之間的相互關係，也就是現代化進入傳統農業社會結構的過程。按李豐楙的分析，吳晟已經提到了城／鄉對立的原型性意象，他認為最關鍵的問題在於土地的荒廢引發人口結構、社會價值觀的改變〔註18〕。張漢良卻說吳晟屬於浪漫主義式的田園詩人，是站在局外人的視角書寫都市空間〔註19〕。但是筆者認為，也正因為吳

〔註17〕 吳晟〈入夜以後〉，《吾鄉印象》，台北：洪範書店，1985，頁31。

〔註18〕 這個觀念的陳述，原意與夏鑄九的科學分析結果相同，可參考本文第一節引援的都市化原因。另外，此段原文可參考李豐楙，〈七十年代新詩社的集團性格及其城鄉意識〉，頁334。

〔註19〕 張漢良，〈都市詩言談——台灣的例子〉，孟樊編，《當代台灣批評大系（卷四）·新詩批評》，頁160。

晟站在城市之外的視角，書寫了他所關懷的自然空間，才能確認城鄉對立的關係是社會結構一體之兩面，其創作不啻為城鄉對立的面向之一，真實地描寫了城市以外的鄉土自然。

城鄉對立所產生的衝突，倘若繼續深層的討論下去，便可以發現吳晟面對現代化、都市化，態度是矛盾而帶著消極情緒的，如〈路〉的末段，不管城市的路將引領人們到如何豪華光鮮的物質、科技生活之中，也仍舊是要面對自然規則中生命的殞落。在夏鑄九考察吳晟所處之彰化平原的空間結構發展中〔註20〕，他提到一九六〇至一九七〇年代的彰化平原農業人口被大量擠出，簡而言之，此一時期的新生勞動力幾乎全部轉向工業，並且因為就業機會的缺乏而導致人口外移。可知吳晟所處的傳統的農業社會組織逐漸改變，文化和社會向心力、傳統習俗也逐漸潰散〔註21〕，詩人的憂慮其來有自，懷舊感（nostalgia）因而在現代化之際逐漸產生。由於對於過去的文化與社會結構抱持著憧憬和懷念，因此將所居之空間美化、陰柔化、浪漫化。除了抒情與懷舊之外，吳晟的創作理念立基於農民、土地之上。不可遺漏的是，他並非單純地描寫鄉土景物，在背後存有批判當時社會情勢的色彩和立場〔註22〕。

都市化持續在 1980 年代進行著，並且開始出現一些伴隨著國際分工和工業加工而來的危機，例如住宅不足、環境惡化等等。而社會發展也在國際情勢與經濟結構、政治現象中不斷地向前邁進，在〈不安海域——八〇年代前葉台灣現代詩風潮試論〉裡，林燿德接續向陽的看法，對 1980 年代的詩壇風潮作一耙梳，他依據主題歸納了幾種詩類，並且依類別舉出幾個代表性的詩人。其中，劉克襄（1957～）被歸類在「政治詩」之中〔註23〕。在林燿德之後，

〔註20〕夏鑄九，〈空間形式演變中之依賴與發展——台灣彰化平原的個案〉，《空間、歷史與社會：論文選 1987～1992》，頁 165～232。

〔註21〕由內政部歷年人口統計要覽可知，這個時期彰化的農業人口佔就業的比例從 1971 年的 61.9%降到 1985 年的 40.9%，專業農戶從 1970 年的 33.66%降為 1980 年的 10.04%，而兼業農戶的比例卻從 1970 年的 66.34 昇高到 1980 年的 89.96%了，也就是說有將近一半的農戶並不是以農業活動為主，但是身分登記仍為自耕農，因為這樣便可保有農地買賣的權利。夏鑄九，〈空間形式演變中之依賴與發展——台灣彰化平原的個案〉，《空間、歷史與社會：論文選 1987～1992》，頁 193。

〔註22〕施懿琳，〈從隱抑到激越——論吳晟詩的政治關懷〉，林明德編，《台灣現代詩經緯》，台北：聯合文學，2001，頁 310。

〔註23〕林燿德，〈不安海域——八〇年代前葉台灣現代詩風潮試論〉，《不安海域》，

向陽也繼續書寫了〈八○年代台灣現代詩風潮試論〉（1997）〔註24〕，文中提及了一九八○年代前葉的特性，乃是延續了一九七○年代以來寫實主義、鄉土文學的走向，如「政治詩」便是挑戰官方威權體制之一例。政治詩書寫現實的尖銳，達到高度的政治、社會關懷，也因此受到官方的打壓和關注，但是仍舊在短時間之內形成一股不容小覷的風潮。而向文中一個指標性的分析是，認為一九八○年代後興起的「都市詩」，與政治詩正好處於相互對立的兩種意識形態上：

> 這種「反動」，一方面是意識型態的鬥爭，一方面是詩壇權力「世代交替」的爭奪；而表現在八○年代第二階段「分歧期」中的書寫策略，即是「都市詩」的倡議。都市詩相對於政治詩，這兩個現代詩類型的符號表具之下，深潛著戰後世代兩代〔戰後代／新世代；第三代／第四代〕之間對立的符號詮義。

與城鄉對立相關的另外一組意識形態隱然出現，並且在此背後有更深的意涵，也就是台灣／中國意識的對立。在一九八○年代，政治詩與都市詩的意識型態互相扞格之外，環境生態詩一類則更與現代化的現象息息相關，劉克襄對於自然生態的考察與熱愛尤其深厚。政治詩於其後隨著解嚴後逐漸式微，但是環境生態詩卻急起而成為另一書寫類別，兩者互相消長轉化之間的關係，筆者認為十分微妙。在意識形態上，環境生態詩雖然沒有政治詩來得強烈對比，但是和都市詩的空間意象比起政治詩來，卻更加相互對映。

環境生態詩在一九七○年代時，已經隨著現代化與工業發展而崛起〔註25〕，林燿德在文章中也提及一九八○年代持續出現「環境生態詩」一類的書寫，這一直是劉克襄非常關心的範疇，他還是一位著名的鳥類生態觀察家。他的詩主題大多圍繞在關懷自然生態、批評現實社會上頭，筆法技巧寫實，他早期的詩集內容以直敘社會現象為主，晚期則多寄情於自然環境。詩集有《河下游》（1978）、《松鼠班比曹》（1983）、《漂鳥的故鄉》（1984）、《在測天島》（1985）、《小鼯鼠的看法》（1988）、《最美麗的時候》（2001）等等。在前面，筆者提到了吳晟對於城鄉對立、現代化的觀察面向，是在農村之中關心著自然空間的發

頁 29。

〔註24〕 林淇瀁，〈八○年代台灣現代詩風潮試論〉，「第二屆現代詩學研討會」，彰化：彰化師範大學，1997。電子資源：http://hylim.myweb.hinet.net/disind.htm

〔註25〕 可參考莫渝，〈關愛我們的生活空間——十年來「環境汙染」詩篇的回顧〉，《台灣文藝》87 期，1984.3，頁 19～25。

展；而劉克襄則是在都市郊區，城市的邊緣中，看見現代化過程如何產生污染，侵犯自然環境，甚至危害了自然生態。如〈大肚溪口〉（1984）一詩〔註26〕，詩人看見了自然空間受到工業污染的危害：

> 我經過邊陲的大肚溪口
>
> 時而屬於海時而屬於陸地的海岸
>
> 原先適合鳥，現在適合人群
>
> 將來什麼也不能棲息
>
>
> 油汙漂自海面
>
> 廢水流出河川
>
> 同時淤積三里長的沙灘
>
> 有一股魚腥臭伴隨著
>
> 風來時到處四散
>
> 聽說春天時，不是果實
>
> 氧化硫懸垂每棵樹上
>
>
> 假時我向南行
>
> 水田地帶棲息著一萬隻田鷸
>
> 翅膀沾滿著油污
>
> 多半隱伏著
>
> 無力飛行
>
> 緊鄰的化學工廠
>
> 轟隆地機器聲裡
>
> 三千名員工習慣戴口罩
>
> 有人常吃淺田錠

詩中描寫大肚溪受到化學工廠的汙染，生態環境大受改變，而魚鳥植物並非唯一的受害者，在化學工廠中工作的員工也是戴著口罩、靠吃藥避免身受其害。詩中意象鮮明，在在都是警惕。現代化歷經一九六〇至一九七〇的時間之後，逐漸暴露出各種隨之而來的社會危機和影響。工業污染尤其嚴

〔註26〕劉克襄，〈大肚溪口〉，《漂鳥的故鄉》，台北：前衛，1984，頁67～68。

重,在溪流、海岸邊的環境生態首當其衝。劉克襄以現實生活入詩,他針貶政治、批判社會現象,善於用敘事的方式開展詩中議題。雖然在一九八○年代後政治詩漸漸式微,但是崛起的生態環保問題與生態環保詩,其立場和意識型態值得深入思考,以空間的角度加以觀察,可以視做城鄉對立的環節之一。林燿德另一篇文章中,曾提及在一九八○年代劉克襄仍舊未完成他的寫實主義詩想〔註27〕,但是當時的確引起了一陣「劉克襄旋風」〔註28〕,由此可知其詩主題圍繞在生態、政治、社會現象的互相交疊之中,劉克襄的確可以說是一九八○年代本土的、現實論述的代表人物之一。

另外,早年在楠梓加工區服務的詩人李昌憲(1954〜),也是一個非常值得一提的例子。前章已經提過他的《加工區詩抄》、《生產線上》,可以逐漸從創作的脈絡中覺察他從體驗工業區的經歷,直接地觀察、接觸到在都市空間中受到工業污染對於環境生態所帶來的嚴重後果。加工區的工作經驗,讓他具體的看見台灣經濟奇蹟與隨之而來的環境問題,有如一體之兩面,不可分割。因此,在他的創作中也開始大量書寫都市空間中存在著生態環保的問題,詩集《生態集》(1993)、《仰望星空》(1996)等,皆有大力著墨高雄地區的生態議題,如〈在都市與農村之間〉、〈後勁溪〉、〈愛河畔沉思〉等等皆屬此類。

在與城鄉關係相關的創作中,不同的作家因其意識形態、生長背景、歷史意識等等的認知差異,衍生出不同的對應態度。對於自然空間的眷戀、環境生態議題的批判等等,相對地召喚出對於城鄉空間的思考立場。這一節所討論的文本都仍舊是在具體區域空間上著眼,下一節將進入都市空間,探究詩人們書寫都市空間時,所呈現的幾種都市精神面貌和社會現象,並且如何運用都市空間召喚不同的意識型態。

〔註27〕 林燿德認為寫實主義者必須要能夠提供自己的觀點和答案,但是他認為劉克襄在 1980 年代時仍舊未能提出自己的詮釋,而每每在詩中仍有未竟之語,因此林將其作品視作未完成的辨證。全文可參考林燿德,〈食夢的貘──劉克襄寫作芻議〉,《一九四九年以後──台灣新世代詩人初探》,台北:爾雅,1986,頁 181〜194。

〔註28〕 據林燿德的說法,詩壇「劉克襄旋風」的說法來自於劉克襄在 1980 年、1984年曾分獲時報文學獎敘事詩獎和新詩推薦獎,在八四年又連獲中外文學詩獎、「笠」詩獎及《台灣詩季刊》首屆「台灣詩」獎。同上註,頁 181。另外關於 1980 年代政治詩的發展,可參考葉振富,〈一場現代詩的街頭運動──試論台灣八○年代的政治詩〉,《台灣現代詩史論》,頁 459〜473。

第三節　都市空間的精神

　　一九八〇年代風靡詩壇的創作類別，與城鄉對立最爲相關的主題，焦點自然而然投射到「都市詩」上頭。都市詩在政治詩、環境生態詩之外，迅速成爲另一股龐大的立場和姿態，這也是因爲都市詩與針貶政治、批判生態汙染的兩類詩依樣，都具有其存在的歷史性和沿革性。但城鄉對立的問題在一九八〇年代開始也進入一個新的階段，更加地深化、意象化。針對城鄉對立的問題，羅青在《草根》雜誌的「都市詩專號」中，以導言〈現代詩的草根性與都市精神〉（1986）〔註29〕，提出草根性與都市精神的融合可能，可以視爲對於城鄉對立現象的一種詮釋途徑：

> 直迄八〇年代初期，我們可以進一步發現現代詩的草根性與都市精神在「都市詩」中有交會的可能性存在。羅門一再預言的都市王朝已經來臨：世界島不再僅僅存在於噩夢裡；現代台灣也已在網狀組織和資訊系統的聯絡和掌握中成爲一座超級都會，即使以狹義的都市定義來看台灣的人口分配，也會使當下所有在冷氣房和教師休息室中製造出來的鄉土文學全部成爲夢囈中的回憶；所謂草根性必然要撒播在都市那華美與罪惡交纏的泥沼中，而都市精神卻止不住地隨著鐵路、航線、輸送帶與電梯延伸到所有人類棲息的空間裡。

　　林燿德與向陽在其討論一九八〇年代詩風潮的文章中，分別都引用了這段導言，可見這段導言其指標性和議題性的重要度〔註30〕。那麼，這段宣言能夠將城鄉對立的問題化解嗎？到了一九八〇年代更加深化和僵化的學術探究出在城／鄉兩端的意識型態，如林燿德的〈八〇年代台灣都市文學〉（1990）〔註31〕提到文學中的田園模式，隨著時代變異而產生不同的文化體系，林燿德延續張漢良對於田園模式的詮釋，認爲在舊有的價值體系崩塌之際，都市文學的興起是推翻與革新，是時代下的產物〔註32〕。

〔註29〕 羅青，〈現代詩的草根性與都市精神〉，《草根》復刊九期，1986.6，頁 1。

〔註30〕 雖然現實上「中國結」與「台灣結」兩種意識型態的趨向仍舊對立，但是向陽認爲這段文字試圖將草根性與都市精神融於都市詩之中，感性十足，也有整合詩壇風潮於一的企圖。而林燿德認爲這篇導言所指的「都市詩」已經隱含後工業社會的意識，也深表認同。

〔註31〕 林燿德，〈八〇年代台灣都市文學〉，林燿德、孟樊編，《世紀末偏航──八〇年代台灣文學論》，頁 361～404。

〔註32〕 林燿德，〈八〇年代台灣都市文學〉，林燿德、孟樊編，《世紀末偏航──八〇

羅門（1928～）是書寫都市詩的大宗師，對於都市空間的興起，在一九七○年代便已經有相關的創作主題出現。他曾在一場都市文學研討會上發表了一篇〈談都市與都市詩的精神內涵〉（1994）〔註33〕透露對都市詩的定義：

> 現代詩人，不斷從現代「都市文明」中體驗到現代生存的現代感、新穎性與前衛意識，所寫的或多或少或深或淺同「都市」有關的「都市詩」——具體化與實際化了「現代詩」特殊的創作精神與思想型態。同時尚可說是寫與「都市」生活經驗有關的現代詩，都可說是廣義的「都市詩」。（頁92）

羅門將其都市詩的創作價值提高為「所有詩型中，最能貼切地表現與傳真現代人在都市中生存的生命真況與實踐」〔註34〕，他對於都市空間的觀察與觸碰在〈都市之死〉（1963）首度出現，領悟現代化、都市空間對於現代人精神意識的影響，他自剖這首詩是「針對人類所面臨的生存危機與精神上的死症，提出了警示性的批判與指控」〔註35〕。羅門對於都市詩的推廣與創作不遺餘力，他從一九七○年代開始豐沛地創作此一主題，後來集結收錄在《羅門創作大系》〔註36〕其中一輯《都市詩》，林燿德在 1995 年規劃了一套系列，誕生動機是為了「呈現羅門四十年來詩與藝術創造世界的完整藍圖」〔註37〕，陳大為在其碩論〈羅門都市詩論〉（1996）〔註38〕中提及，在這套創作大系中，都市詩雖然被支解、流放到各個不同的主題分卷裡，但是也因此可以從「都市詩」分卷中，選出的都市詩作品和羅門自己對於都市

年代台灣文學論》，頁 375。

〔註33〕羅門，〈談都市與都市詩的精神內涵〉，《羅門創作大系（卷八）‧羅門論文集》，台北：文史哲出版社，1995，頁 91～110。

〔註34〕羅門，〈談都市與都市詩的精神內涵〉，《羅門創作大系（卷八）‧羅門論文集》，頁 92。

〔註35〕羅門，《長期受著審判的人》，台北：環宇，1974，頁 179。

〔註36〕羅門創作大系依序共分十卷：《戰爭詩》、《都市詩》、《自然詩》、《自我‧時空‧死亡詩》、《素描與抒情詩》、《題外詩》、《麥堅利堡》特輯、《羅門論文集》、《論視覺藝術、燈屋‧生活影像》。

〔註37〕這套總結性的全集除了是一次成果展，也是羅門在與蓉子結婚四十週年的獻禮，羅門對於這套全集十分看重，還配合策劃者林燿德的規劃，在每一個分卷前頭都寫了一篇大綱式的導讀和前言，介紹自己的創作和每個分卷的定義。

〔註38〕陳大為，《羅門都市詩論》，台北：東吳大學中國文學系碩士論文，1996。本文沿用的頁數為後來出版的專書《存在的斷層掃描——羅門都市詩論》，台北：文史哲，1998。

詩的定義，掌握到羅門對於都市詩的深層界定，他對於現代化有許多觀察，進而對都市產生觀感：

> 例如：速度，時間換取空間，時間被運輸工具壓縮了，距離縮短。空間也被分割，於是居住的地方空間被壓縮了，被消費壓縮。（堆積物慾）消費是都市文化的核心。消費絕對越來越便利，因為這樣才能增進利益輸送的關係。另外，時間被壓縮，因此有時間追求更多更好更高級的娛樂與享受。豐富的物質景觀造成都市文化中的奇異景色，也成為越來越多現代人心中的烏托邦與寶藏。快速的消費與被消費，成為物慾、刺激感官的都市場景，也是大部分的都市人生活所感知到的現象與文化。消費文化。因而造成內心精神的空虛空洞，焦慮、緊張、寂寞、孤獨、荒謬、無奈等等精神狀況，成為都市的材料與內在思想。形而下的世界逐漸擁擠，形而上的世界被壓縮到遠方或最上層，不但遙遠而且難以企及（緩慢、遙遠的特性與都市特性正好背道而馳）。（頁 93）

陳大為的碩論《羅門都市詩論》（1996）從羅門的存在主義思想出發，歸類出羅門都市詩的有兩個基本的面貌：一是都市的空間結構及其內涵，分別是雄渾的都市氣象還有「方形」與「窗」象徵生存的壓力與黏滯；其二是聲色的速讀與縮寫，針對羅門都市書寫中的性慾與物慾兩大母題提出見解。

若只針對羅門的都市詩作為切入聚焦的重點，那麼對於他的詩觀，只能停留在創作都市詩上頭，無法進行全面性的理解。筆者認為除了將分析出羅門都市詩中的核心議題之外，也要對於都市詩中的絃外之音，進行解讀和轉譯。都市詩是理解羅門對於都市空間的認知與象徵一個極為重要的線索，這裡舉〈「麥當勞」午餐時間〉（1985）〔註 39〕為例，在詩中已經探討到都市空間的文化內容了，「麥當勞」速食餐廳的出現，就是最好的屬於都市人造產物的証明：

一

一群年輕人
　帶著風

〔註39〕羅門，〈「麥當勞」午餐時間〉，《羅門創作大系（卷二）‧都市詩》，頁 84～88。

衝進來
被最亮的位置
　　　拉過去
　　同整座城
　　坐在一起

窗內一盤餐飲
窗外一盤風景
手裏的刀叉
較往來的車
還快速地穿過
　　迷你而帥勁的
　　　　中午

二
　三兩個中年人
坐在疲累裏
手裡的刀叉
慢慢張開成筷子的雙腳
走回三十年前鎮上的小館
六隻眼睛望來
六隻大頭蒼蠅
　　　　在出神
整張桌面突然暗成
　　　一幅記憶
那瓶紅露酒
又不知酒言酒語
　把中午說到
那裏去了
當一陣陣年輕人
　來去的強風

從自動門裏
　　吹進吹出
你可聽見寒林裏
　　飄零的葉音

三

一個老年人
坐在角落裏
穿著不太合身的
　　　　成衣西裝
吃完不太合胃的
　　　　　　漢堡
怎麼想也想不到
漢朝的城堡那裏去
玻璃大廈該不是
那片發光的水田

枯坐成一棵
　室內裝潢的老松
不說話還好
一自言自語
必又是同震耳的炮聲
　　　　在說話了

說著說著
眼前的晌午
已是眼裏的昏暮

由於這首詩的臨場感刻劃鮮明，並且出現羅門所看見、所要批評、和
所懷念的三個不同層次。此首詩可視作羅門對於一個一九八○年代台北速

食店場景的速寫〔註 40〕，另外，這首詩的後記〔註 41〕，也透露出羅門對於都市文明的反思與態度。他在場景的描寫之中，提到年輕人／中年人／老年人接收都市文化時，所持的三種態度，分別代表了內化、鄉愁、不合時宜的不同心境。「麥當勞」代表的美國速食文化在此被視作一九八○年代一個具有全球性質的消費符號，甚至隱含了不同於台灣本土的飲食文化。在都市中被容納建立起來的新穎消費系統，成為詩人對於文明與文化抱持著隱憂態度的來源。羅門營造出的都市空間，往往帶著消費性質的物慾與感官的性慾，並且使文本中現代人的面孔淪落為失去自然空間、精神虛無之面貌〔註 42〕。

　　因此，在重新審視的結果可以發現，一九七○年代有人在台北市描寫五光十色的繁華景觀，同樣地有人在農村安靜的舖寫田園情懷；有人在一九八○年代不斷地書寫環保議題，有人卻已經在一九八○年代宣稱後現代已經巨大而強勢地到來。作者所處的地理位置和空間結構，基本上都立足在台灣這塊土地上，因而本文所提出的當代空間書寫語境，是由許許多多現象和事件的拼湊還原而成。關鍵在於，以什麼樣的姿態去面對、觀察這些文學現象，這甚至也牽涉到某一種立場的歷史意識。在羅門深陷於都市空間中而期待找

〔註 40〕　1984 年 1 月，麥當勞在台北開幕，而羅門這首詩創作在 1985 年。陳大為對這首詩的見解是：「很顯然，在羅門寫『麥當勞』的時候，它所代表的美式速食文化對本土飲食文化所造成的衝激與震撼已成『過去』，更廣被台北市民所接受（羅門筆下的麥當勞店裡就有三個不同年齡層的顧客）……羅門非旦沒有在麥當勞對本土飲食文化產生最大衝擊的時候，站在時代變遷的最前端，透過『敏銳視野』記錄它或抨擊它；而竟然在廣被接受了一年半之後，在描述過程當中犯下『用刀叉』進餐的嚴重錯誤（詩裡先後出現兩次『手裡的刀叉』）」。詳見陳大為，〈詩與時代的脈動〉，《存在的斷層掃描——羅門都市詩論》，頁 140～141。

〔註 41〕　後記：「寫完此詩，深深感到現代文明，像是頭也不回地向前推進的齒輪，冷漠而無情，文化則是對存在時空產生整體性的關懷與鄉愁。從文明看此詩，我們看到麥當勞午餐時間同一時空出現的中國人，竟有三處斷層的生命現象；從文化的窗口看此詩，我們看到貫穿整個時空與歷史文化大動脈而存在的一個分不開來的中國人。誠然人必須自覺地從文明層面轉化到文化層面上來，否則，人將被冷酷的機械文明不斷的進行切片。」參考羅門，〈「麥當勞」午餐時間〉，《羅門創作大系（卷二）‧都市詩》，頁 87～88。

〔註 42〕　羅門的詩觀將第一自然定義為自然空間，第二自然指得是都市空間，而第三自然則是由第一自然與第二自然中介產生的心靈空間，也就是「第三自然螺旋形架構」。可參考羅門，〈「第三自然螺旋型架構」的創作理念〉，《羅門創作大系（卷八）‧羅門論文集》，頁 113～144。

尋到更深沉、雄渾的另個時空意義時，歐團圓（1956～）則在都市空間中呈
現一種疏遠、淡漠的姿態，〈一朵都市雲〉（1985）：

> 如果你厭煩了這城市
>
> 這時代
>
> 我說
>
> 我說：你就搬家吧
>
> 你就立刻出發
>
> 尋找
>
> 另一片更廣大，雖然更不真實
>
> 更遙遠、雖然更不可測
>
> 的天空
>
> 在這居不易的時代
>
> 與其是一隻鴿子
>
> 不如為一朵流浪的都市雲吧。

　　歐團圓在都市空間中，捕捉到的是一種冷漠而迷惘困惑的情緒，這首詩
對於都市有種「不如歸去」的無奈感。不能在都市中獲得滿足的精神狀態，
因此必須遁逃到一種抽象的狀態之中，如同一朵「流浪的都市雲」，他消極
地表達自己對於都市空間的拒抗和逃避，這一切情緒來自於首句與第二人稱
的傾訴「如果你厭煩了這城市／這時代」，也可以視為作者自剖心情的開始。
在面對書寫都市空間的現代詩，不同的文本有其不同的意涵，而城／鄉的對
立關係之所以產生，滲雜了許多因素。筆者認為城／鄉之間的關係，並非只
是單純的對立。吳晟的自然空間存有懷舊氛圍，並在文本中隱含對都市的觀
感。

　　從探討都市空間與自然空間的扞格過程，並且從不同的詩人和文本之
中，比對了兩種空間中曾經出現過不同意識，這些意識被詩人們捕捉，也使
得筆者藉以還原時代氛圍下的切片經驗。由此發現，在時代語境的遞嬗下，
「都市」或「自然」兩種不同的空間，它們甚至是作為象徵符號，在文本中
不斷位移，承載了不同的指涉對象和意識形態。自然空間在與都市空間的相
對之下，除了懷舊的抒情模式之外，也隱含了如劉克襄從環保生態的角度批
判都市空間的觀感。都市空間則在不斷壯大、進步之中，吸吮自身所散發的
雄渾與豐富，但也必須面對自身的複雜與矛盾，甚至是來自於詩人們針貶與

逃避的眾多意識。這兩個空間不斷地在時代下相互對照、參看，進而召喚出
不同的書寫情境。

第四章　理想與異想——現代詩中的差異空間

第一節　差異空間與後現代的崛起

　　從現今台灣戰後現代詩的文本來看，被指認而定位爲與空間相關的現代詩，創作主題包含了鄉村與自然的景色描寫、反應台灣社會開始工業化種種現代性的後果，當然，還有永恆的地方感——鄉愁以及懷舊，這些文本都從不同角度對空間做出詮釋。除此之外，由於經濟因素的改變，台灣社會型態開始從農業社會轉型爲工業化社會，建立起以台北爲首的現代都市型態。從一九八〇到九〇年代之間，文壇也開始大量出現了有關於都市生活的的作品和創作，這一類型的文學風格，甚至被歸類成爲一種「都市文學」〔註1〕。相關的「都市詩」也受到重視和提倡，因而，「都市詩」也漸漸地成爲當時現代詩所流行的創作風格之一，如羅門、林彧、侯吉諒、林燿德等人，都曾經發表過許多的都市詩。其中，又以「台北」地區作爲詩人們刻畫都市的首要藍圖，題材內容包含了工廠生產線、加工區、交通問題、現代上班族、都市建築、現代社會消費模式等，詩人們從自己的位置寫出不同時代下對現代人心態、生活的觀察。並且，台灣已經從工業化的社會，又漸漸轉型成後工業的型態，「都市」的概念與以往書寫的空間已經有所差異，意義更加延伸，

〔註1〕　關於台灣都市文學的相關討論，可參考：林燿德〈八〇年代台灣都市文學〉，收入林燿德、孟樊編，《世紀末偏航：八〇年代台灣文學論》，台北：時報文化，1990。以及鄭明娳編，《當代台灣都市文學論》，台北：時報，1995。

變異。在這個過程之中，詩人對於自身所處的地方產生不同的反省和回應，而這個觀看、體現（embodiment）都市空間的演變過程，使得精神／身體、時間／空間、物質／心靈的辨證，皆由都市空間中再現出來，都市空間成為詩人們高度關注的主題之一，是大部分現代人不可脫離的文化類型。

　　都市空間也成為新的框架，例如筆者已在前一章曾經提到都市空間與自然空間兩者的對立，分析現代詩文本內容從描述具體的地理位置延伸而到意識形態上的操作。而一九八〇年代風馳電掣的都市文學以及都市詩，是第二次甚至第三次的都市文本之演繹。林燿德以都市文學為大蠹，從都市空間中汲取文學的養分，他將文本視為再現空間（the text as representational space），如都市小說、電影，現代詩等等，以都市作為正文，也意味著將都市空間視為一個書寫的單元或形式，具有各式各樣具象的比喻。都市是否為林燿德所重新定義，在文學變遷下的新座標？劉紀蕙〔註2〕曾對林燿德與後現代之間的關係做出評析，她認為林燿德使用「後現代」是為了要擺脫壟斷詩壇的固有體制，並且以新世代之姿，重新選擇與自我銜接的歷史和定位，因此「後現代」之於林燿德，並非是一種奉行的主義或信仰理念，而是一個「過渡性的思潮」〔註3〕。

　　不可諱言地，一九八〇年代台灣的確逐漸注意到了空間在文學上的重要性，雖然當時是以都市空間為最主要的書寫地區，但是以都市為主題的都市文學，可以說在相當大的程度開啟並且影響了文壇，值得肯定的是，一九八〇年代的確進入了空間書寫的重要年代，也擴展了文本對於空間性的認知和嘗試。林燿德在一九八〇年代不斷提出新的思考與論點，不論「後現代」對他而言的意義，不可否認的是，文壇挾帶著新舊交替的氣象，進入了另一波新的轉變。因此張錯在〈抒情繼承：八十年代詩歌的延續與丕變〉（1996）〔註4〕觀察到，在時代演化下，詩壇過去十年或二十年以來所建立起來的現代詩典律（canon），必須接受下一個世代的詩人挑戰、顛覆，這無疑是解構，也是再度建構的一個過程。

　　其中，文學商品化與消費主義，成為台灣社會與文化可供辨認的兩大特

〔註2〕　劉紀蕙，〈林燿德與台灣文學的後現代轉向〉，《孤兒・女神・負面書寫：文化符號的徵狀式閱讀》，台北：立緒文化，2000，頁368～395。
〔註3〕　語出林燿德，〈羅門 v.s.後現代〉，《觀念對話》，台北：漢光，1989，頁209。
〔註4〕　張錯，〈抒情繼承：八十年代詩歌的延續與丕變〉，《台灣現代詩史論》，台北：文訊雜誌社，1996，頁407～424。

性。「輕薄短小」式的文學作品、商品推陳出新，在出版市場供需越漸不平衡之下，雖遠看百家爭鳴，但在力挽狂瀾下，銷售量仍舊不敵大眾文學，或是出現文學經典作品依舊不動如山的狀況出現。雖然讀者的閱讀需求與購買動機是一個重要的指標，然而，視覺刺激、大量的影像和圖片正逐漸取代了過去讀者的閱讀文字習慣，新一世代創作者的創作風格持續偏向實驗性，或走向小敘事與私密化、陌生化、去中心化，與後現代精神不免有些貼合。當然，其中也不乏如林燿德等人重置歷史意識之企圖者，如其論〈不安海域——八〇年代前葉台灣現代詩風潮試論〉，已經自覺地認識到詩壇走向新的多元分歧形式〔註5〕，在 1987 年 7 月台灣正式解嚴後，分水嶺更爲明顯。

　　後現代（postmodern）的崛起與隱發契機，便是在此時開始凝聚另股風潮，一般而言，確立「後現代」一詞的推手乃是來自於美國建築評論者查理斯·詹克斯（Charles Jencks 1939～）〔註6〕，而台灣後現代詩與更多引介後現代主義的推手，一般歸於來自羅青的演講〈七〇年代新詩與後現代主義的關係〉（1986），以及後續發表諸多篇相關的文章〔註7〕。前行研究者孟樊也持續觀察這個時期的變化，在〈台灣後現代詩的理論與實際〉（1990）〔註8〕一文中，便已經替「後現代詩」做一統合整理，而後在《台灣後現代詩的理論與實際》（2003）〔註9〕更重新出版修改後的文章，專論了台灣後現代的發展和特徵，蒐集後現代詩的類別與相關意涵。孟樊以〈台灣後現代詩史〉（2003）〔註10〕爲開端，將一九八〇年代至九〇後現代詩發展的狀況總體而

〔註5〕　這一個新的形式發展至後期，還有一個新的特點，也就是詩人的群聚性格漸漸消失，而隨之而來的影響則是詩社的瘖啞化和蒸發。

〔註6〕　Charles Jencks, *The Language of Post-Modern Architecture.*, New York: Rizzoli International Publications, Inc., 1977.中譯本：吳介禎譯，《後現代建築語言》，台北：田園城市，1998。

〔註7〕　羅青的演講在 1986 年 4 月於中山大學發表，題目爲〈七〇年代新詩與後現代主義的關係〉，演講記錄發表於 1986 年 5 月 19 日高雄《民眾日報副刊》，後收錄於羅青，《詩人之燈》，改題爲〈詩與後設方法：「後現代主義淺談」〉，台北：光復書局，1988，頁 261～271。以及爲創立於 1985 年的詩社「四度空間」之成員合集《日出金色：四度空間五人集》所作之序〈總序：後現代狀況出現了〉，同收於《詩人之燈》，頁 237～251。皆是台灣文壇中重要的後現代相關文章。

〔註8〕　孟樊，〈台灣後現代詩的理論與實際〉，收入林燿德、孟樊編，《世紀末偏航：八〇年代台灣文學論》，台北：時報文化，1990，頁 145～221。

〔註9〕　孟樊，《台灣後現代詩的理論與實際》，台北：揚智文化，2003。

〔註10〕　孟樊，《台灣後現代詩的理論與實際》，頁 14～179。

論，再從梳理前行研究對於「後現代詩」的定義與論述，論及台灣後現代語言詩的文本政治與敘事模式。本書最重要的觀點在於提出了主流論述的史觀，與詩史作為一論述（poetry history as a discourse）的過程，當中都不免涉及了政治性〔註11〕，也不可避免會流於一偏之見。一九八〇至九〇年代所出現的斷代詩史意義，在於對主流論述的詩史產生斷裂與隔閡，此時文本與過去典律的關係斷裂。

　　林燿德使用傅柯（Michel Foucault，1926～1984）與其理論，提出他在〈八〇年代台灣都市文學〉（1990）的嶄新論點，其中使用了傅柯所云的「差異空間」（heterotopias，也另譯作差異地帶、或是異質空間）的概念，並且引伸成為都市文學的一種定義，藉由此段論述可見其對於都市文學的見解和界定〔註12〕：

> 多稜鏡的每一片鏡面都是朝向某一個別的主體（在敘述中成為客體）開放的場域，使得各別的「我」或「他」在自己缺席之處（自我並非真正進入鏡片內部）看見自己的存在和結構。這種場域十分接近傅柯所提出的差異地帶（heterotopias）。如前述，都市本身可以視作一種正文，只是它並非以文字的符徵書寫下來，而是以各種具體的物象作為書寫的單元，這些具象的符徵指向各個時代變異、遷徙中的權力結構和生產方式，同時也透過空間模式延展、規模出當代人類的知覺形態和心靈結構。

　　林燿德對都市文學與都市詩的貢獻，不遺餘力。並且他在此使用傅柯的觀點來討論小說的都市定義，可作為輔助論點，以及文本閱讀上的一個新詮釋。而他在定義都市文學時，也對於此一空間賦予了新的意涵。但是，對於「差異空間」的意涵也許需要再作一次審慎的思考與界定，筆者在本章不是只討論後現代狀況反應於現代詩文本下產生了何種空間，而是差異空間在現代詩中若有生發的可能，那麼會是以何種面貌出現？

　　傅柯的〈不同空間的正文與上下文（脈絡）〉（1986）〔註13〕是一篇稍晚

〔註11〕「不論是以殖民、再殖民、後殖民作一九二〇年代以迄於八〇／九〇年代的台灣文學發展史分期，或是用現代、寫實及後現代來為一九六〇、七〇及八〇年代的台灣詩史定位，都是出於論述的一種政治性選擇」，孟樊，《台灣後現代詩的理論與實際》，頁 15。

〔註12〕林燿德〈八〇年代台灣都市文學〉，收入林燿德、孟樊編，《世紀末偏航：八〇年代台灣文學論》，頁 384。

〔註13〕Michel Foucault, "Texts/Contexts of Other Space.", *Diacritics*, 16(1)(spring),1986,

才被發現的演講，原為法文題〈關於其他空間〉(Des Espaces Autres)(1967)，後來在 1984 年刊登於法文雜誌上，引起重視之後，1986 年才被翻譯成英文集結出版，在人文與社會地理學的研究範疇中，是個極為重要的空間觀點。他提到我們所居住、使用的空間裡融合了我們自身的個人生命、歷史、時代，在這些出現於我們生命之中的不同空間和基地，因此具備了關係。從伽利略發現地球繞日的地理概念打破了宗教傳統中的定位空間之後，相對而起的延伸性便開始被發現存於文化之中。傅柯將特定的空間以「基地」一詞代稱，例如暫時休憩的基地有咖啡座、電影院、海灘等等，而封閉或半封閉的休息基地有住屋、臥室等等：

> 當然，我們可試著找尋某組界定特定基地的關係，以描述這些不同
> 基地。例如，描述那組界定運輸、街道、火車等基地的關係（火車
> 是這些關係的異常包裝，因為它是那個跑動的東西，它同時是從一
> 個點跑到另一個點的工具，而且又是一個跑走的東西）。我們可以經
> 由一組可被界定的關係，來描述暫時休憩的基地──咖啡座、電影
> 院、海灘等。同樣地，我們可以經由關係網絡，來描述封閉與半封
> 閉的休息基地──住屋、臥室、床等等。但是，在所有基地中，我
> 對某些特定基地與其他基地相關的奇妙特性感興趣，然而，是在一
> 種懷疑、中性化、或倒轉這組作為指示、照見及反映的關係的方式
> 下感興趣。這些空間，一如過往，與所有其他空間關連，同時和其
> 他基地矛盾，它們有兩個主要的類型。（頁 402）

在眾多基地之間，傅柯發現到許多主體和客體在基地之間相互存在著關聯性。尤其對於相關並且和其他基地產生矛盾的特性，這類空間有其不同關係上的對立性，因而成為「差異空間」。差異地點也就是異質空間，它們與具有「同質性」的空間有其相對性。傅柯基於地點的真實性與虛構性，舉出了兩個重要的空間類型，進一步說明：

> 首先，有一類是虛構地點「烏托邦」(utopia)。虛構地點是那些沒有
> 真實地點的基地。它們是那些與社會的真實空間，有一個直接或倒
> 轉類比之普遍關係的基地。它們或以一個完美的形式呈現社會本

---

pp.22-27.中譯：陳志梧譯，〈不同空間的正文與上下文（脈絡）〉，夏鑄九、王志弘編譯，《空間的文化形式與社會理論讀本》，台北：明文書局，1994，頁 399～409。往後以此譯本為主。

身，或將社會倒轉，但無論如何，虛構地點是一個非真實空間。（頁402～403）

　　烏托邦一詞最早可以追溯到柏拉圖的《理想國》，甚至在公元前就已經存在著，由此可見人們很早以前便已經對於理想世界產生嚮往和追尋的心態。1516 年，英國神學家湯瑪斯‧莫爾（Sir Thomas More，1478～1535）所創作的《烏托邦》（Utopia）小說批評當時的英國社會，而小說中「烏托邦」所代表的意義是「自由」、「幸福」、「正義」、「和平」等等涵意，並且在無時間性的永恆之中是一個不可知的理想境界。它代表了人類想要解決各種矛盾、衝突、戰爭、掠奪問題的願望，但是它卻也代表了一種空洞、幻想、不切實際的夢想。從字義上去解釋，可以發現烏托邦的原字「utopia」由兩個希臘語組成〔註14〕，而帶有解釋。

　　烏托邦可依照類別分為「宗教」、「美學」、「政治」等等而有不同層面上的意義，並且由文學、繪畫、音樂等等形式構築出來。如傅柯所論述，烏托邦指涉的是一個和現實社會相對而產生的「非真實之地」，它是一個虛構地點，在文學之中，可以舉出一連串與烏托邦主題有關聯的文本，經由時代變遷，烏托邦的形式和構築也有著不同的改變。烏托邦是一個傅柯察覺到具有同質性的空間，它來自虛構的地點，與現實社會中的空間相互對立。而「差異地點」（heterotopias），它與虛構地點的性質有些不同，它的確存於現實社會與文化之中，但是具有差異性：

　　　　同時，可能在每一文化、文明中，也存在著另一種真實空間──它們確實存在，並且形成社會的真正基礎──它們是那些對立基地（counter-sites），是一種有效制定的虛構地點，於其中真實基地與所有可在文化中找到的不同真實基地，被同時地再現、對立與倒轉。這類地點是在所有地點之外，縱然如此，卻仍然可以指出它們在現實中的位置。由於這些地點絕對地異於所有它們的反映與討論的基地，並因它們與虛構地點的差別，我稱之為差異地點（heterotopias）。（頁 403）

〔註14〕　「ou」意思是「沒有」和「虛無」，「topos」是「地方」或「處所」，在拉丁文中意思是「烏有之處」或「不存在的地方」。同時，因為「ou」和「eu」是「美好」的諧音，所以這個字組合而成為「utopia」之後還有「理想」和「縹緲」、「虛幻」等涵意。參考趙一凡主編，崔竟生、王嵐，〈烏托邦〉，《西方文論關鍵詞》，北京：外語教學與研究，2006，頁 613。

　　差異地點有其不同的形式和生成因素，並且因爲各種文化匯集、文化差異而有其不同的特性。它們不屬於完全虛構、幻想中的理想國，因此與虛構地點有不同的定義，換言之，它們是在每一文明、文化之中被有意識地塑造出來，標誌出來的特殊地點，是在現實空間之中被對立、倒置出現的，它具有融合又獨立的特殊性質：

> 我相信在虛構地點與這些截然不同的基地，即這些差異地點之間，可能有某種混合的、交匯的經驗，可作爲一面鏡子。總之，這片鏡子由於是個無地點的地方，故爲一個虛構地點。在此鏡面中，我看到了不存在於其中的自我，處在那打開表層的、不眞實的虛像空間中；我就在那兒，那兒卻又非我之所在，是一種讓我看見自己的能力，使我能在自己缺席之處，看見自身：這是一種鏡子的虛構地點。但就此鏡子確實存在於現實中而言，又是一個差異地點，它運用了某種對我所處位置的抵制。從鏡子的角度，我發現了我於我所在之處的缺席，因爲我在那兒看到了自己。從這個凝視起，就如它朝我而來，從一個虛像空間的狀態，亦即從鏡面之彼端，我因之回到自我本身；我再度地開始凝視我自己，並且在我所在之處重構自我。這個鏡子，在下述的角度有一差異地點的作用：當我凝視鏡中的我時，那瞬間，它使我所在之處成爲絕對眞實，並且和周遭所有的空間相連，同時又絕對不眞實，因爲，爲了感知它，就必須穿透存在於那裡面的這種虛像空間。（頁 403）

　　他所云的空間，首先是爲虛構地點的烏托邦，具有同質和穩定性，而第二個則是對立的基地，也就是差異空間，具有異質性和雙重性。傅柯認爲差異空間存於既定社會之中，可以被分析、成爲研究對象、描繪、敘述、閱讀，甚至藉由差異空間找出不同於此類基地的空間範疇。那麼，差異空間在現實社會之中，傅柯提及的例子有哪些？具有虛幻性又存在著與眞實反轉、對照的空間，在現代詩文本之中又會用何種形式出現？林燿德從異質空間的大範疇之下，提的是都市文學的精神內涵與意義。在與差異空間相關的前行研究裡頭，顏忠賢曾經發表一篇〈不在場□台北——八○年代以後台灣都市小說的書寫空間策略〉（1998）〔註15〕，從假設一個「不在場」（absence）的書

〔註15〕顏忠賢，〈不在場□台北——八○年代以後台灣都市小說的書寫空間策略〉，《不在場：顏忠賢空間論文集》，台北：田園城市，1998，頁 19～33。另外他在《影

寫空間理論，將台灣一九八○年代後的台北都市小說分爲他處（elsewhere）、差異地點兩種不在場的類別。邱貴芬的〈尋找「台灣性」：全球化時代鄉土想像的基進政治意義〉（2003）〔註16〕則是以鹿港爲例，將庶民文化中的「暗訪」比擬爲「異質城邦」，也就是將其視爲差異空間，並且這個異質城邦的形塑，具有凝結以及撕裂台灣性的可能，從這點進而思考台灣性的定義與脈絡。

在與差異空間有關的其他論文，尚有馮品佳的〈創造異質空間——《無禮》的抗拒與歸屬政治〉（2001）〔註17〕，也是以傅柯的異質空間意涵，討論電影當中的殖民空間所具有的差異性質，在開一心〔註18〕的論文中也屬於此類。援引傅柯的觀點，在他們的論文當中，特別愛用殖民地與差異空間的關係來作爲辯證的根據，這與理論原本的內容有很大的關係，在傅柯的論點中，「殖民地」屬於差異空間的「極端類型」〔註19〕。顏忠賢將差異地點納入「不在場」定義之中，以都市小說文本作爲觀察目標，他以假設不在場的經驗，也是一種反向的在場思考，藉此角度來觀察小說中的地理空間如何被書寫，激發了筆者對於「差異地點」的再次閱讀。使得筆者開始思考在現代詩文本之中若也有差異地點之存在，那麼從理想化的想像到異想式的再現空間，各自有何種形式的挪變？

第二節 烏托邦／同質空間／反烏托邦

傅柯提出「虛構地點」的概念，法國文化研究者詹明信（Fredric Jameson，1934～）則提出例證詮釋了烏托邦與現代主義之間的關係〔註20〕。

像地誌學：邁向電影空間理論的建構》中第三章〈影像與空間的差異地學：從傅寇到巴赫汀的理論建構〉也有提及差異地學與電影空間的相互效應，見顏忠賢，〈影像與空間的差異地學：從傅寇到巴赫汀的理論建構〉，《影像地誌學：邁向電影空間理論的建構》，台北：萬象圖書，1996，頁 80～94。

〔註16〕 邱貴芬，〈尋找「台灣性」：全球化時代鄉土想像的基進政治意義〉，《中外文學》32 卷 4 期，2003.09，頁 43～65。

〔註17〕 馮品佳，〈創造異質空間——《無禮》的抗拒與歸屬政治〉，收在劉紀蕙編，《他者之域——文化身份與再現策略》，台北：麥田，2001，頁 429～445。

〔註18〕 開一心，〈空間、記憶與屬性認同：論《偶然生爲亞裔人》〉，《中外文學》33 卷 12 期，2005.05，頁 155～188。

〔註19〕 Michel Foucault 著，陳志梧譯，〈不同空間的正文與上下文（脈絡）〉，夏鑄九、王志弘編譯，《空間的文化形式與社會理論讀本》，頁 408。

〔註20〕 現代主義強調一種烏托邦性質的空間性，參考詹明信，〈第五章：後現代主

若將烏托邦的概念置入現代詩以及語言敘事發展的方向來看,可以發現大部分的現代詩,使用烏托邦概念多半在於在田園模式與個人抒情的主題上,而經常被使用的烏托邦意境來自於中國古典典律,最具代表性的空間符號是陶淵明的桃花源。與過去的典律產生了延續與創新的文本性(textuality),因此,古典意境在現代詩文本之中,有許多翻轉、再書寫的眾多例子。語言敘述的線性、規則發展若被稱之為正統的現代詩書寫規則,那麼下面將從女詩人夐虹(1940～)的這首〈則你是風景〉(1976)〔註21〕短詩為例,這首詩所代表的是,一九六、七〇年代以來遵從的一種傳統抒情模式:

則你是風景

此地滿是藍,浩浩的沉寂
我們返回最初,正是冬
掌心無有風雨
　　東籬以東,菊開菊謝

而為我神者,一度將我提升
玉石的額上,酣夢千年
則成山林之形,醒後的時代
而你是可愛的風景
若你前來,由起自紅橋蜿蜒小徑

無有琴音始綻的驚震
此地是浩浩的沉寂
　　小小菊花開,小小菊花謝
冬日的輝影,投自林外

　　烏托邦性的理想交疊著田園模式,展現出空靈祥和的氣息。在本首詩中,能夠察覺詩人將理想化的典型與理想化的意境交相重疊在一起,並且將此一理想化的目標,比擬為特殊的一種理想式的風景,而這種理想式的風景挾帶著古典的色彩。此一文本裡所形塑出的空間,有其靜止地永恆的時間

義〉,《後現代主義與文化理論》,台北:合志文化,1989,頁176～177。
〔註21〕 夐虹,〈則你是風景〉,《夐虹詩集》,1976,頁66～67。

感，是一種內在的抽象形式。作者將對於理想的憧憬，將理想投射在自然景物之中，形構靜謐緩慢的恬適，「東籬」、「菊花」帶著陶淵明的古意脫化而來，處處有古典的影子。鍾玲稱敻虹早期詩中有兩個重要的私有象徵（private symbolism），即「藍」和「蛹」。其中「藍」所象徵的是女詩人理想中半人半神化的意中人〔註22〕，而此詩的第二句即是「此地滿是藍」，將人物與空間重疊化，在書寫抽象的自然空間也填充了精神上對另個對象之皈依，依循著傳統抒情田園模式，並且投射一己之感情，開創出另個高宕雋永的意境。

張漢良在〈現代詩的田園模式──「八十年代詩選」序〉（1976）〔註23〕提及：

> 田園模式的追求，其立足點是現世的，詩人的觀點是世故的。他身
> 處被科技文明摧殘的現實社會，懷念被城市文化與成年生活取代的
> 田園文化與童年生活，於是藉回憶與想像的交互作用，透過文字媒
> 介在詩中再現一個田園式的往昔，其本質是反科學的、反歷史進化
> 的。（頁 82）

田園山水、自然空間的寧靜與和諧感接近烏托邦式的理想世界。烏托邦追求的是一種普遍性的正義與和平，因此時間感在總體來說，是靜止的、永恆的。宗教裡有極樂世界、天堂、伊甸園……等烏托邦的形式，這是一種社會理想而非個人理想，因此消解矛盾、紛爭、對立，獲得幸福和一致性的快樂，這些極致的理想發展中其實也隱含了本質化、教條式、專制統一的可能性，使烏托邦在另個層次上來說也可能是不貼近現實、妄想、虛幻、流於膚淺的虛構地點。如果將詹明信的理解更加清晰地說明，烏托邦的情結與不同的時代相互對應，而出現不同的形式和解讀方式。在是敻虹詩中所表現的，烏托邦的意境類似於中國天人合一的情境。在思考傅柯對於不同空間的詮釋之際，也應該思考關於虛構地點的產生因素和文化歷史背景。烏托邦式的思考模式和哲學，則也可能正在重構另一種反撲的思想，例如形成反烏托邦主義，或者進一步強調以理性思考為主的論點。

一旦把理性、科學、現代化的力量，視作為讓社會進步的現實策略和手

〔註22〕 鍾玲，〈五十年代清越的女高音〉，《現代中國謬司──台灣女詩人作品析論》，台北：聯經，1989，頁 174。

〔註23〕 張漢良，〈現代詩的田園模式──「八十年代詩選」序〉，《八十年詩選》，台北：爾雅，1976，頁 80～93。

段，科技與現代社會將人們帶入了另一個高密度的文明社會，文化與思考模式也隨之而移轉或被龐大的知識整體影響，關於烏托邦的想像也隨之翻轉或對倒。當再次回過頭來再次檢視詩文本的虛構地點，可以發現烏托邦式的理想模式、或是單一線性的敘述語言，在時代進程中不斷變遷、解構，甚至受到挑戰和質疑，接續來看一首林彧的詩〈採菊〉（1987）〔註24〕，與敻虹所使用的符碼相似，但建構的空間卻已別於敻虹的理想意境：

> 悠然的不是南山
> 竹籬在施工圖上消失
> 當工程師爬上草坡，
> 他發現：一片壯烈的
> 黃菊，在挖土機下，
> 有志一同
> 斷頭！

　　這一首詩當中介入了詩人的理性和批判思考，因此陶淵明「採菊東籬下，悠然見南山」的理想情懷在敻虹筆下，成為另個理想境界的延伸；卻在林彧的筆下，成為自然與現代社會之間的斷裂關係之一，並且具有寫實性格。烏托邦離文明社會又更遠了一些，甚至是在另個時代語境下，人們所賦予烏托邦的內在定義或訴求產生細微地改變。發現了追求理想進程裡不可避免的矛盾性，例如進行建築工程卻不可避免地必須破壞了自然環境和生態。如果能夠假設烏托邦的產生與反對都是在某一特定時代下所提出來的一種思考向度，那麼詩人們極力開創與實驗新的空間形式，是漸漸將想像空間的表現形式有意識地再生、再製出來。假設後現代於台灣一九八〇年代末期逐漸形成一波風潮，在前面所提及的都市詩之外，科技走向的現代詩文本也逐漸令人矚目，可說是在現代化下，出現的另一種帶有後現代意味的虛構地點。八〇年代後期相繼出現的科技詩，主要創作詩人有林燿德（1962～1996）、林群盛（1969～）等等，尤以林群盛以電腦程式語言寫下的〈沉默（Poetry-BASIC）〉（1987）〔註25〕，這首詩可視為對現代詩語言的一次實驗與挑戰：

〔註24〕林彧，〈採菊〉，《鹿之谷》，台北：漢藝色研，1987，頁20。
〔註25〕林群盛，〈沉默（Poetry-BASIC）〉，《七十六年詩選》，台北：爾雅，1987，頁87～88。

```
1 ø CLS
2 ø GOTO   1. ø
3 ø END
```

RUN

在張漢良〈詩觀、詩選，與文學史——「七十六年詩選」導言〉（1987）
〔註 26〕說明了他在挑選此年度選詩的遊戲規則，資訊的革命，媒體的改變，
是當時，並且在當時文壇流露著一股想要打破宗經徵聖的觀念。他認為文學
史的變動是一種革命式（revolutionary）而非演進式（evolutionary），因此他特
別以林群盛作為一個例子。〈沉默（Poetry-BASIC）〉也就是〈沉默（詩——基
本程式）〉之意，以電腦程式語言作為全詩的符碼，整首詩代表的是清除螢幕，
再循環不已，因此電腦畫面會不斷地變成一片漆黑空無一物，用這樣的狀態
去敘述週而復始的「沉默」。這樣的週而復始帶來了一種全然冷漠的意味，電
腦語言的組合排列被賦予新的衍生意義，「沉默」，的虛擬空間，孟樊認為此
詩帶來的後現代詩特徵還有很重要的一點，也就是「文類界線的泯滅」〔註27〕。

「沉默」是語言開始之前與結束之後的狀態〔註 28〕，而林群盛在此詩中
所使用的符碼和語言敘述，完全顛覆了前代詩人的思考模式和範圍。烏托邦
最初是基於一種空間聯想，在過去它是詩中的一個遙遠的神祕境界，一個未
被發現的地方。但是在時代的演變之下，烏托邦的內在涵意逐漸改變，隨著
現代性的矛盾性質，以及後現代的意識逐漸風靡，烏托邦必須拓寬以包含自
身反面的意義〔註 29〕。烏托邦的概念進入後現代的時代之後，已經不再強調
一個中心性而是一個全新的體驗和感受，並且是一個挑戰性的、反思性的虛
構場景。後現代標榜與出現的重要特點在於解構，諸如林群盛的科技詩，這
一類別是時代下的產物，但筆者認為科技詩是時代下的一個歷史見證，那也
許是一個感覺結構（Structures of Feeling）下的產物，是詩人透過電腦語言形
式，展開個人覺知與社會文化下相互撞擊的見證。現代化過程造就了都市，

〔註 26〕 張漢良，〈詩觀、詩選，與文學史——「七十六年詩選」導言〉，《七十六年詩
選》，頁 1～9。
〔註 27〕 孟樊，〈後現代主義詩學〉，《當代台灣新詩理論》，台北：揚智，1995，頁 211。
〔註 28〕 張漢良在〈沉默（Poetry-BASIC）〉詩後的編者按語。
〔註 29〕 Matei Calinescu, *Five Faces of Modernity.*, Durham:Duke University Press, 1987.
中譯本：李瑞華譯，《現代性的五副面孔》，北京：商務印書館，2003，頁 74。

都市是現代化下的空間產物，但是，都市似乎在某個層面上沒有變成烏托邦，反而變成一種反烏托邦（dystopia）的夢魘。

從敻虹到林彧，再到林群盛的文本，虛構空間的轉變和時代也許沒有必然直接的因果關係，但卻不斷推衍並且別出新意。同時，符碼的改變與語言敘事軸線的替換、重置，一再地顯示了一九八○年代現代詩版圖推移換置的現象。而後現代也成為台灣文壇一九八○年代末至一九九○年代最使人矚目的風潮。林燿德〈八○年代現代詩世代交替現象〉（1996）〔註30〕，提到世代交替是八○年代詩壇最顯明的一個現象。科技、電腦程式、終端機等等是此一年代中，象徵時代精神的符碼之一，意圖在表現詩人的歷史想像與塑造個人意識，或為批判或為擬仿，世代交替的過程以及新世代的崛起可視為一個「擴張的隱喻」〔註31〕，在八○年代的意識形態大抵上為此種精神。現代詩中的空間書寫也隨著時代逐漸挪變，從理想的烏托邦之中，延伸出另一個空間形式，下一節將進入差異地學的核心，從特定的幾個差異空間，觀察詩文本裡的異想如何從空間形式上去呈現，甚至與世界接軌。

第三節　異質空間／火車／電影院

差異空間又可稱為差異地點，以及異質空間。這類型的空間允許來來去去，有互相鏡映的特質，或者只對某些人開放的限制，或是在某些時間才開放的限制，也或者是讓許多空間在同一個地點存在的特點，以及與真實空間互相產生鏡映的特質。傅柯對於差異空間的第一個分析是：

> 這在一個既定的社會中，可以成為研究對象，分析、描述與「閱讀」這種差異空間，或這種不同空間。作為我們生活空間的某種並存之神話與真實的論爭，這種描述可稱為差異地學（heterotopology），它的第一原則是：或許在這個世界上，沒有任何文化不建構差異地點。這對任何人類群體都是不變的。但是差異地點明顯地有相當不同的形式，同時，或許不可能找到差異地點的絕對普遍形式。（頁404）

沒有任何文化不建構差異地點。然而，它將具備不同的形式，出現在各

〔註30〕林燿德，〈八○年代現代詩世代交替現象〉，《台灣現代詩史論》，台北：文訊雜誌社，1996，頁425～435。

〔註31〕林燿德，〈八○年代現代詩世代交替現象〉，《台灣現代詩史論》，頁427。

個文化、社會結構之中。藉由某些特定空間（甚至設定為某一些特定的人群使用的空間）出現。第二個原則是，如每一個社會歷史所展現的，可以讓既存的差異地點用非常不同的方式去運作；因為每個社會中，各種差異地點都有它精確而特定的功能，而且，相同的差異地點，會根據它所在之文化的共時性，而有不同的作用。傅柯舉的是墓園與墓地、墓碑的位置〔註 32〕。第三原則是差異地點可在一單獨地點中，並列數個彼此矛盾的空間與基地。傅柯認為「劇院在長形的舞台上，可一個接一個地引入一系列彼此無關的地點」。在此思考下，電影院作為一個長形房間，在一端的二度銀幕上，使觀眾看到一個三度空間的投影，出現了不同的各種空間。在夏宇（1956～）的一首〈與動物密談（三）〉（1991）〔註 33〕，就出現過以劇院為文本空間的思考邏輯：

> 關於反面。
>
> 一座可以容納數億人的大劇院裡
> 階梯成幾何級數往不可知的黑暗排列
> 階梯上一個接一個橫生的座位每個位子
> 都坐滿了看電影的人一面巨大的布幕
> 懸掛在劇場中央放映的片名
> 叫做「事物的狀態」布幕的另一面
> 也如同這一面有著無以計數的階梯
> 無以計數的座位無以計數的人坐著
> 在看同一部反面的電影

夏宇在這首詩中，描述的主題是「事物的狀態」，透過劇院的空間形式將其延伸、演繹出來。空間化地將事物表達為一個現象，而在這個現象中有其另一面的可能性，反面與正面的對應下，又可能生成更多的面向，形成一個相互對照又各自成一個世界的狀態，而這正是差異地點的其中一個意義，相互鏡映的關係。差異地點第四原則是：差異地點通常與時間之片刻相關——這也就是說，它們對所謂的（為對稱之故）差異時間（heterochronies）展開〔註 34〕，除了永恆的時間性，另外還有一個絕對瞬間（chroniques）的差異

〔註 32〕 Michel Foucault 著，陳志梧譯，〈不同空間的正文與上下文（脈絡）〉，夏鑄九、王志弘編譯，《空間的文化形式與社會理論讀本》，頁 405。

〔註 33〕 夏宇，〈與動物密談（三）〉，《腹語術》，台北：現代詩，1991，頁 17。

〔註 34〕 傅柯解釋為第三原則的特性為：「當人們到達一種對傳統時間的絕對劃分時，差異地點才開始全力作用。這種情境顯示：對個體而言，當墓園開始了這種

時間，例如渡假村或是遊樂園。

　　第五原則是差異地點經常預設一個開關系統，以隔離或使它們變成可以進入的，例如監獄、軍營。然而，差異地點的最後特徵第六個原則，是它們對於其他所有空間有一個功能。這個功能開展了兩種極端：一方面，它們的角色，或許是創造一個幻想空間，以揭露所有的真實空間，（即在其中人類生活被區隔的所有基地）是更具幻覺的（或許，這就是那些著名妓院所扮演的當今我們被奪取的角色）；另一方面，相反地，它們的角色是創造一個不同的空間，另一個完美的、拘謹的、仔細安排的真實空間，以顯現我們的空間是汙穢的、病態的和混亂的。與夏宇詩相似的空間文本，還有陳黎（1954～）的〈家〉（1992）〔註35〕所出現的差異時空：

　　　　他們的驚訝和我們的是一樣的：坐在自己的家裡看電視，看到
　　　　自己的家在電視裡出現；坐在奔跑的火車看窗外，看到自己的
　　　　搭乘的火車在窗外奔跑。

　　　　莫非那是兩列平行，對開的火車？或者是兩種家？但確實只有
　　　　一個（電視上清楚地播著），並且不是鏡的反映。

　　　　啊，我們坐在自己的座位上，看自己的家在窗外奔跑。啊我們，
　　　　坐在一列長長長長的火車中間，在轉彎的地方，看到前面、後
　　　　面的車廂拖著一條條街道、一間間房子、一台台冰箱，在時間
　　　　的鐵道上奔跑。

　　　　穿過荒野的暗夜的火車
　　　　是旅客們集體的家

　　在電視中觀看他人的經驗，或是在電視中發現別人觀看著我們寓所的可能，都是非常後現代的感知經驗。陳黎的〈家〉所陳述的便是一種看似瞬間卻又的確可能發生的謬論，透過兩種不同的空間觀點鋪陳形式，一個來自於家中電視，一個來自於火車，再來是以火車內與火車外的不同視角互相觀看，最後稱火車「是旅客們集體的家」作結。在傅柯的文章中，提及差異空間有

　　　　奇怪的差異地點，生命的喪失，以及它在城市中心的經常基地開始消失瓦解，
　　　　而準永恆性昇起的一刻，墓園才真正地成為高度的差異地點。」，Michel
　　　　Foucault 著，陳志梧譯，〈不同空間的正文與上下文（脈絡）〉，夏鑄九、王志
　　　　弘編譯，《空間的文化形式與社會理論讀本》，頁 406。
〔註35〕陳黎，〈家〉，《家庭之旅》，台北：麥田，1993，頁 154～155。

兩種特定的形式，一個為「危機的」一個是具「偏差的」〔註36〕，其中傅柯談到了「無處」，又稱「無地點」（nowhere）。

「無地點」所指涉的空間形式如火車，火車是個深為人知的運輸工具，然而它也是一個可以移動的空間，但卻也是一個不固定的空間，無法被標示出穩定的地理位置。它是構成基地與基地之間關係的特殊工具，從一個定點到另一個定點，短暫停留然後再度移動離開或者抵達。在火車此一空間中，裝載著各種現象的進行。當從陳黎的〈家〉來看，可察覺在家、電視、火車三個不同空間相互跳躍的連結關係。電視是西方工業革命以來，台灣現代化過程中出現的現代媒介工具，由於現代化的介入使得空間與時間的概念逐漸改變，人們對於時間的感受和空間的轉換，透過「電視」觀看到遙遠地區、世界各地的氣候、文化、社會行為，或是看著自己的地域空間也參與了「電視」的播出，「坐在自己家裡看電視／看到自己的家在電視裡出現」本身就帶著濃厚後現代的意味，這也標示出中介空間的因素多重化，在現代文明生活中處處可以找到具有差異地點性質的空間。

麥克魯漢（Marshall McLuhan，1911～1980）在其理論當中，指出電視媒體的出現讓家中客廳變成地球村的一部分，進入了地球村的時代，電視不僅運用傳輸速度促進全球意識，也利用即時影像進入人們私人的家庭空間〔註37〕。火車則是現代化過程中出現的交通運輸工具，具有移動性，能夠穿梭於不同的地點之間，范銘如曾經引用法國文化研究者色鐸（Michel de Certeau，1925～1986）的一段文字說明火車、巴士等大眾運輸有其航行的弔詭以及禁錮的隱喻〔註38〕：

> 窗玻璃允許我們去看，而鐵軌，允許我們行過。它們是兩種互補性的隔離模式。第一種製造出觀看者的距離：你不該觸碰；看得越多，掌握越少——剝奪手裡以換取眼裡更大的軌跡。第二種銘記著，無

〔註36〕 一個是危機差異地點（crisis heterotopia），一個是偏離差異地點（heterotopia of deviation），它們各自意謂著社會中某些特定族群使用某些空間下的情境，構成文化中的不同差異地點。

〔註37〕 可參考麥克魯漢，鄭明萱譯，《認識媒體：人的延伸》，台北：貓頭鷹，2006。或保羅‧李文森，宋偉航譯，《數位麥克魯漢》，台北：貓頭鷹，2000。

〔註38〕 Mich de Certeau, Steven Rendall trans., "Railway Navigation and Incarceration.", in *The Practice of Everyday Life.*,Berkeley:University of California Press,1988,pp.112. 中譯參考范銘如，〈本土都市——重讀八〇年代的台北書寫〉，《文學地理：台灣小說的空間閱讀》，台北：麥田，2008，頁 206。

限期的，通過的指令；寫在單一卻無盡的軌道上：走，離開，這不
是你的鄉土。

　　如果將色鐸的觀點與陳黎的文本並置，火車所代表的運輸工具內部空間
更浮現出移動與禁錮的雙重性，差異空間的特質一覽無遺。在文學中，詩文
本有其與差異空間相互發展的脈絡，夏宇的〈與動物密談（三）〉、陳黎〈家〉
便是各自在文本中陳述了與差異空間相同的概念。

　　另一位對於空間性情有獨鍾的女詩人零雨（1950～），她所出版的五本
詩集《城的連作》（1990）、《消失在地圖上的名字》（1992）、《特技家族》
（1996）、《木冬詠歌集》（1999）、《關於故鄉的一些計算》（2006）中，不
難發現，作者對於「空間」隱喻描寫的執著與慣習，從一開始「四方形」
〔註39〕的箱子、盒裝等概念，到逐漸延伸出「房間」的比擬使用〔註40〕，
可見詩集中的空間主題詩作與組詩，遂成為零雨的個人重要風格之一。其
中〈鐵道連作（1～6）〉（1996）〔註41〕和火車旅行、家人、家族、記憶有
其相關性。試看〈鐵道連作5〉的片段，從火車的移動之中，召喚了記憶，
私人的歷史因空間而發展出特殊的意境：

　　　無關痛癢的悲喜
　　　在月台上流動

　　　我的前世從月台走來
　　　經過我的身旁
　　　進入另一節車廂

　　　所有臉孔迅速沒入

〔註39〕「箱子系列」共四首，分別是〈我的記憶是四方形〉、〈既不前進也不後退〉、
　　　　〈你感到幸福嗎〉、〈這凌厲的光線毫不留情〉。收錄在零雨，《消失在地圖上
　　　　的名字》，台北：時報，1992，頁38～45。
〔註40〕與零雨詩作所出現的空間性，相關研究論文詳見沈曼菱，〈閉鎖與開放──論
　　　　零雨詩作中的「房間」隱喻〉，《第四屆台灣文學研究生學術論文研討會》，台
　　　　北：政治大學，2007，頁157～186。
〔註41〕零雨，〈鐵道連作〉共六首，前面四首有副標題，分別是：〈鐵道連作1──過
　　　　蘭陽平原〉、〈鐵道連作2──過北濱〉、〈鐵道連作3──細雨過蘭陽平原〉、〈鐵
　　　　道連作4──給1991逝去的祖母〉、〈鐵道連作5〉、〈鐵道連作6〉，《特技家族》，
　　　　台北：現代詩，1996，頁109～120。

　　　　一個龐大的記憶庫
　　　　這是我們認識的人
　　　　那是我們不認識的人

　　　　起起落落的哈欠
　　　　互相推擠　張大嘴

　　　　但我心裡知道
　　　　他要毀滅了自己之後
　　　　才認識我

　　主觀的知覺在充滿移動性的火車之中流動著，使得幻覺與現實在一瞬間相互碰撞，火車能夠前進或倒退，記憶亦同，甚至藉由差異空間而延伸出另一個不屬於現在和過去的「異域」，它從無地點的火車延伸而來，因而具有其同樣的特性。傅柯認為差異空間是現代世界的典型空間，已取代了中世紀時的定位空間形式和整體的空間感。差異空間與現實生活相互存在著關聯性，並非是一種無內容的虛無，也不是儲藏著許多物質的收納抽屜，它在不同的文化形式中存在著不同的詮釋性和可變動性。

　　美國人文地理學家索雅（Edward W. Soja，1941～）在其著作《後現代地理學──重申批判社會理論中的空間》（1989）認為，差異空間也就如列斐伏爾（Henri Lefebvre）所言的「實踐的空間」，實際上是以實踐並由社會創造的空間，在同一時間具體又抽象，形成一種具有雙重聚焦性質（bifocal）的視野，也就是以傳統方式將空間視為不是一種心理形式，就是一種物質形式〔註42〕。在這首詩中藉著火車的軌道而與自己的前世相遇，這樣的經驗不存在現實生活之中，因此作者是在火車的空間中，延伸了心理形式的時空，使得物質形式與心理形式相互出現，這一切在差異空間中得以展現。差異空間的異質性，使得不論是社會文化中的歷史，或是私人感知經驗中的歷史，都在空間之中交相互感而成為特殊的經驗和聯繫。透過穿越差異空間，不論是劇院、火車，或是傅柯提及其他形式的差異空間，文化與歷史得以穿

〔註42〕 Edward W. Soja, *Postmodern Geographies: The Reassertion of Spase in Critical Social Theory.*, USA: Verso, 1989. 中譯本：王文彬譯，《後現代地理學──重申批判社會理論中的空間》，北京：商務印書館，2004，頁27。

越，甚至是在文本中有更多的延展性。傅柯的差異地學（heterotopology）提供另一個觀察的角度，在現代詩的空間書寫中，成爲理想與異想的一個演化過程。

第五章　寓言與預言──現代詩中的
　　　　全球化與在地性

第一節　陳黎與空間書寫

　　在上一章提到了空間理論中著名的差異地學（heterotopology），由傅柯所
提倡的這論點，而烏托邦（utopia）在差異地學中屬於文化中虛設的虛擬空間，
它代表的是與真實社會中相對立的理想境界，具有同質和永恆性；差異空間
（heterotopia）則是在真實社會中真正存在的基地，他們存於文化之中，與真
實相互融合又抗拒，充滿了流動和雙重性質，在時代的演變之下，同質空間
與差異空間也出現了新的可能性，空間的結構存於文化之中，詮釋著不同時
代下的意義和空間性，也和私人與大眾的歷史互相演繹不同的聯繫。在英國
人文地理學家大衛‧哈維（David Harvey，1935～）的重要著作《後現代的狀
況》（1990）〔註1〕中，曾經將福特主義中的現代性與後現代主義做一表格相
互比較，其中同質性的烏托邦分屬於現代性之中，而差異空間則屬於後現代
主義的範疇。或許這份整合性的表格仍舊有許多限制和商榷之處，畢竟現代
性與後現代之間仍舊有著矛盾與複雜的交混意義，但是大致與本文所要討論
的方向相符合。由上一章延伸至本章，將繼續以陳黎的詩作為例，觀察台灣

〔註1〕 David Harvey, *The Condition of Postmodernity: An Enquiry into the Origins of
　　　 Cultural Change.*, Oxford:Blackwell, 1990, pp.340-341.沿用譯本為：閻嘉譯，〈啓
　　　 蒙運動規劃的空間與時間〉,《後現代狀況》，北京：商務印書館，2003，頁421
　　　 ～422。

在後現代風潮籠罩之下，是否還有其他類型的空間書寫。

陳黎（1954～）出生於花蓮，出版的詩集依序有《廟前》（1975）、《動物園搖籃曲》（1980）、《小丑畢費的戀歌》（1990）、《親密書》（1992）、《家庭之旅》（1993）、《小宇宙》（1993）、《貓對鏡》（1999）、《島嶼邊緣》（1995）、《苦惱與自由的平均律》（2005）以及（輕／慢）（2009）、《我／城》（2011）、《妖／冶》（2012）、《朝／聖》（2013）、《島／國》（2014）。創作能量豐沛，詩風格多元而深邃，主題的面向也十分廣泛，並且跨界翻譯、關注英美、拉丁、亞洲等地的作品，也因此他的創作具有文化匯流的特質。

在吳潛誠的〈閱讀花蓮：地誌書寫——楊牧與陳黎〉（1997）〔註 2〕中，提及「地誌詩」與陳黎的文本，注意其地理空間與詩觀之間的微妙關係。而奚密〈本土詩學的建立——讀陳黎《島嶼邊緣》〉（1997）〔註 3〕、古繼堂〈台灣後現代詩的重鎮——評陳黎《島嶼邊緣》〉（1997）〔註 4〕，都對於《島嶼邊緣》的詩觀有其呼應，並且也關注其書寫花蓮地域的相關作品，認為這是後殖民與後現代的結合。本章主要聚焦在於他詩作中的兩種空間議題，也就是全球化，以及地方感的有無，雖然有許多文本將略去不提，但是它們仍舊意味著陳黎的創作脈絡，並且是陳黎對於特定議題的關注、醞釀而持續書寫的部份。

在有關陳黎的前人研究中，通常以後殖民和後現代兩種理論來討論並且研究其作品〔註 5〕，以地理概念和中心／邊陲、原鄉意識來評析其文本，在《在想像與現實間走索：陳黎作品評論集》（1999）中收編了許多前行研究者的評論。其中，在張仁春的研究中，曾經約略提到的後現代與空間，以及文本的關係，但是並非其行文之重點，因此並無繼續深入討論〔註 6〕。在進

〔註 2〕 吳潛誠，〈閱讀花蓮：地誌書寫——楊牧與陳黎〉，王威智編，《在想像與現實間走索：陳黎作品評論集》，台北：書林，1999，頁 195～201。

〔註 3〕 奚密，〈本土詩學的建立——讀陳黎《島嶼邊緣》〉，同上註，頁 163～173。

〔註 4〕 古繼堂，〈台灣後現代詩的重鎮——評陳黎《島嶼邊緣》〉，同上註，頁 185～194。

〔註 5〕 評析陳黎作品者首推張芬齡，另外與陳黎相關的學位論文如劉志弘，《邊緣敘事與島嶼書寫》，台中：靜宜大學中文研究所碩士論文，2003。鄭智仁，《苦惱與自由的平均律：陳黎新詩美學研究》，高雄：中山大學中文研究所碩士論文，2003。

〔註 6〕 張仁春，《陳黎後現代詩的研究》，嘉義：嘉義大學中文研究所碩士論文，2005。後專書出版《邊陲的狂舞與穆思——陳黎後現代詩研究》，台北：稻鄉，2006，頁 186～187。

入陳黎文本前，全球化與風行下之影響與效應，將是本章首要勾勒的重點。

關於台灣文學與全球化的研究，前一章已經提及邱貴芬的一篇〈尋找「台灣性」：全球化時代鄉土想像的基進政治意義〉（2003）〔註7〕，提供筆者對於在地性與全球化之間關係的一個思考方向，以及關於在地性的在思考〈「在地性」的生產——從台灣現代派小說談「根」與「路徑」的辯證〉（2007）〔註8〕此篇論文，對於台灣現代性時間與空間的思辯，從現代化下的現代性，以及延伸而出現的後現代性，作為時代語境，人們對於時間與空間的感受和使用，在現代化甚至是全球化之下已經逐漸被改變。這是一個很重要的徵兆與特性，這個部份將是首先需要釐清的。接著，陳黎處於全球化下的台灣，文本裡如何捕捉、再現到了此一現象對於時間與空間的影響，甚至是無地方感（placeless）的產生，以及另一方面，陳黎又是如何在文本中表達，台灣此塊島嶼的邊緣地理位置，他所體驗生命之地——花蓮，此一地點區位所帶給他的地方感和歸屬感。

第二節　全球化效應與消費性格

現代性和全球化、後現代性三者的關係，全球化（globalization）的社會現象是，在科技發展與資訊流通之下，世界各國之間的交流透過媒介管道而日益增多，互相融合，朝向「地球村」的方向邁進。不過，全球化的實質是經濟效益，也就是推行全球資本主義，本質與新的帝國主義〔註9〕息息相關。與跨國主義（transnationalism）相似的是，在於提升全世界人民的聯繫，鬆動國與國之間的邊界，達成貨物、思想、族群文化、消費之間的流通，全球化影響了國家原有的社會結構、日常生活、意識型態等等範疇。世界體系（world

---

〔註7〕　邱貴芬，〈尋找「台灣性」：全球化時代鄉土想像的基進政治意義〉，《中外文學》32卷4期，2003.09，頁43～65。

〔註8〕　邱貴芬，〈「在地性」的生產——從台灣現代派小說談「根」與「路徑」的辯證〉，《重寫台灣文學史》，台北：麥田，2007，頁326～326。

〔註9〕　現代的新帝國（empire）是相對於過去透過宗教、政治、武力的統治方式，以經濟與消費行為同質化以及生活文化的傳播，在全球的新秩序中有效地囊括了全球的地理空間。不再是用支配的手段去「征服」其他疆域和國家，而是利用抹去、覆蓋舊有國家歷史打破原有疆界，滲透進入其空間底層和社會結構，可參考廖炳惠，〈帝國 empire〉，《關鍵詞200：文學批評與研究的通用詞彙編》，台北：麥田，2003，頁95～96。

system）和網路社會（internet society）也就是全球化現象的兩個特點，在全球化的效應之下，同質化與融合性的可能不斷出現，經濟體系的合併或融合成爲趨勢，文化匯流與雜糅（hybridization）狀態也相繼衍生，新的世界秩序隨之而來，不可避免地產生了一些新的問題。顯而易見的問題是經濟結構中，本地的失業與市場落差，供需無法平衡、資金流向不明，以及地區／跨國、本土／全球、中心／邊陲兩者之間的互動關係是否均衡等等。

第二章時筆者曾提及，夏鑄九在〈全球經濟再結構過程中的台灣區域空間結構變遷〉（1989）〔註10〕中已經分析，全球經濟改變的過程，也使得台灣區域空間結構產生了變遷。這一個區域空間的變遷並非只是面對核心／邊陲隨之而來的問題而已，還牽涉了建立社會價值觀與文化上的認同關係。空間結構並非永恆靜置不變，空間與社會有無限可能性，台灣在世界體系與國際情勢的演變下，也不能避免地進入了全球化的現象。全球化隨之而來的特徵之一，是時間與空間的再度壓縮。在進入再度壓縮的語境下，先重新回溯到英國社會學學者紀登斯（Anthony Giddens，1938～）提出現代性後果之一，時空分割重組的特性〔註11〕：

> 農業社會中，曆書、沙漏、觀象學爲人提供了粗略時序，特點是時空相聯。也就是傳統時間總與地理、天象標誌相關。例如農婦看見羊群下山，便知該爲丈夫做晚飯的時候到了。教堂鐘聲迴蕩，標誌著禮拜或是婚禮。鐘錶則意味著現代時空的出現，它分割時空，把時間從空間中剝離出來，變成有序的格柵。譬如鬧鐘將一天分爲幾個工作段和休息段；又如20世紀的全球計時產生了火車時刻表、股市營業表等等。只有遵守嚴密時間表，人們方能工作生活。重組的後果是：距離感淡化、空間幾成幻像，人倍感時間趨迫。

由時間與現代性的關係可知，時間被劃分成有效率和講求速度的格局，現代性強調的是創意、效率、進步、秩序和工具理性（instrumental rationality），在此一歷史發展下，現代性成爲具有雙重和分裂的一個語彙。現代性的發展，導致過去的信仰和傳統時空、文化習俗等等逐漸被介入與破壞。所有人們過

〔註10〕 夏鑄九，〈全球經濟再結構過程中的台灣區域空間結構變遷〉，《空間，歷史與社會論文選》，台北：台灣社會研究季刊社，1993，頁281～304。

〔註11〕 Anthony Giddens, *The Consequences of Modernity.*, USA: Stanford University Press, 1990.使用譯本爲：田禾譯，《現代性的後果》，北京：譯林，2000，頁。

去舊時依賴的傳統價值觀念，都在消失以及被替換。取而代之的是抱持著對未來的理想和進步、資本的積累等。現代性也是一個含有矛盾的概念，由於它的變動性和革命性，也帶來了反動和批判，從而使得焦慮、質疑、頹廢等情結植入了文化和藝術的各個層面，甚至影響了現代社會下人們的生存情境。

當社會進入後現代後，跨國與全球化的現象持續產生，於現代性當中衍生而來的後現代情境，或者稱為後現代性（postmodernity），則出現了不同於現代性，或者說混雜於現代性之中的一些特性。它往往和現代情境互為對話而非對立的形式存在，消彌了現代性當中二元對立、崇拜個人神話、以及純粹和一致性的特徵。相對於現代性來說，後現代強調邊緣、多元、含混、在地性和小敘事，注重與大眾性質相關的文化和商品化，由於全球化，資訊、交通、技術、消費都邁入更便利普遍的階段，但也造成了地理區域的發展不均、原有文化、歷史的流失、生態的破壞等等接續而來的問題。這些是後現代性關懷、關注的部份，包含了對於地方性為主的認同和關懷〔註12〕，以及對於現代性的反思。

後現代主義與後現代性理論對於都市研究（Urban Studies）和人文地理學來說，發揮重要而意義深遠的影響。都市作為現代性的起源與核心再合適不過，人們對於時間的感受和對生活的理解，來自於如何使用以及感受社會空間，並且在實質的空間之中，透過再現或是書寫另一個時空，建立起自我對於世界的觀感，或是召喚／拒抗某種意識形態。

一九八〇年代末，陳黎重新感受到法國詩人波特萊爾（Charles-Pierre Baudelaire, 1821～1867）在上個世紀末的體會，〈世紀末〉（1989）〔註13〕形容世紀末如同百年輪迴般幽幽移轉：

> 世紀末
>
> 世紀末，像一班長途列車
>
> 繞過大半個地球，拖著長長的人名地名

〔註12〕現代性和後現代性之間的脈絡，根據李歐塔（Jean-Francois Lyotard）的說法，兩者之間的差異，不一定是時間順序的先後之別，後現代也不必然就在現代之後，事實上，後現代的「後」在拉丁文中，是「由於」（due to）的意思，因此，在時間順序中，現代性中可能就已隱藏了許多後現代的因子。廖炳惠，〈後現代性 postmodernity〉，《關鍵詞 200：文學批評與研究的通用詞彙編》，頁 208～209。

〔註13〕陳黎，〈世紀末〉，《家族之旅》，台北：麥田，1993，頁 56～58。

在慵懶的午後，準時來載你

要載你到遙遠的國度
那懸著一張張綺麗的、狂放的、夢幻的
畫的迴廊
要讓你坐很久很久的車子
讓你嘔吐、暈眩、不耐
逐次掙脫道德與教條的束縛

要讓你放棄意義
跟著風奔跑
跟著雲墮落
要讓你因全然的倦怠無助地跌入
顏色的陷阱，頹廢的心境

從一枚小小的螺絲釘出發
從憂愁，從妝鏡
從旋轉旋轉的十字門
要載你到陌生而快樂的田野
去種植鐵鏽
去散播禁忌
去收割惡之華

世紀末，一場自發性的傳染病
每隔一百年流行一次

　　波特萊爾在 1857 年創作《惡之華》，在文學理論上，一直被視為現代主義風格的重要著作。陳黎用火車和傳染病兩個意象形容世紀末，形容時間的流動和接踵而至的感受，更重要的是，這首詩表達了存於世紀末的時間與空間，已如同傳染病般的，隨著文化與全球經驗，逐漸產生質變。
　　詹明信（Fredric Jameson，1934～）在《後現代主義與文化理論》（1989）

中提到了後現代與商品化、消費性緊緊相聯在一起，不同於現代主義總是朝著烏托邦的理想、一致性境界靠攏〔註 14〕。在全球化理論的聲浪中，詹明信將全球化所帶來的影響，大致分為五個層面，分別是技術的、政治的、文化的、經濟的、社會的。而每個層面上都有其需要面對的問題和發展〔註 15〕。傳播全球化效應的一個很重要的因素，在於廣告工業。透過廣告，各國的商業與經濟結構得以利用媒體更加快速地散播到世界各國。在陳黎的〈小城〉（1999）〔註 16〕中，也就從廣告招牌的陳列，構築了一條街，甚至是城鎮中的一隅：

> 遠東百貨公司
> 阿美麻糬
> 肯德基炸雞
> 惠比須餅舖
> 凹凸情趣用品店
> 百事可電腦
> 收驚
> 震旦通訊
> 液香扁食店
> 真耶穌教會
> 長春藤素食
> 固特異輪胎
> 專業檳榔
> 中國鐵衛黨
> 人人動物醫院
> 美體小舖
> 四季咖啡
> 郵局
> 大元葬儀社

〔註 14〕 Fredric Jameson，唐小兵譯，〈第五章：後現代主義〉，《後現代主義與文化理論》，台北：合志文化，1989，頁 178。
〔註 15〕 可參考趙一凡主編，王逢振，〈全球化〉，《西方文論關鍵詞》，北京：外語教學與研究，2006，頁 460～461。
〔註 16〕 陳黎，〈小城〉，《貓對鏡》，台北：九歌，1999，頁 145～146。

　　　　紅蓮霧理容院
　　　　富士快速沖印
　　陳黎用廣告招牌營造了一個小城的切片，在這個以堆砌店面招牌形成的空間中，沒有多餘的其他詞彙，而招牌的符碼指涉人們日常生活的文化以及食衣住行，信仰與死亡，有西方的教會，也有偏向民俗性的收驚，有英國的連鎖美妝店，也有美國的連鎖速食店，還有當地著名小吃，以及理容院、葬儀社……等等，在地形格與全球化相容於這座台灣小城之中，使得物質意象具有多元與廣泛發展的特色，這些被作者選擇書寫出來的店面招牌，其實已「在物質中轉向了精神性」〔註17〕，陳黎並非只停駐於此，這首〈小城〉只是陳黎實驗全球化與後現代下空間書寫，一個小小的開場。在詩集《苦惱與自由的平均律》中，他將所描寫的小城擴大了，成為一體兩面的另座城市。

　　這座一體兩面的城市出現在陳黎的〈雙城記〉（2004）〔註18〕，本詩加入了忽前忽後的時間次序，兩個城市出現短暫又恆久的時空交錯，互為對照、互為參考。在這首詩中，陳黎書寫了兩個互相聯繫的城市，一座是「完整封閉如字母O」的O城市，一個是出現缺口的C城市，這兩個城市各自象徵了不同的時空。O城市的「我」要到六十年代去買醬油，卻與位於C城的「你」同在中華路上相互擦肩邂逅了：

　　　　我走在O城的中華路上　經過一心泡泡冰　美美布莊　慶和鞋行
　　　　你走在 C 城的中華路上　經過阿一鐵板燒　上真髮廊　寶島鐘錶眼鏡
　　　　我轉進博愛街經過花王冰淇淋買了一支紅豆冰棒　我的同學跟他爸爸
　　　　在他家門口洗腳踏車
　　　　你轉進博愛街　經過西雅圖咖啡　買了一杯水果花茶　你的手機忽然響起
　　　　是我在你尚未降生的六十年代街頭電話亭亂撥號碼找你嗎？

　　　　我的母親叫我去買醬油　我忘了把用過了的醬油瓶子帶出來

〔註17〕 張仁春，〈第三章：詩壇邊陲的狂舞〉，《邊陲的狂舞與繆思——陳黎後現代詩研究》，頁185。
〔註18〕 陳黎，〈雙城記〉，《苦惱與自由的平均律》，台北：九歌，2005，頁82～88。

　　我走在春天的街上　　它像一列拖著好幾節車廂的火車往南方駛去

　　我坐了許多站　　睡覺又醒來　　我下車　　發現自己站在原來上車的地方

　　莎凡妮服飾店　　整條街的櫥窗換了季

　　秋裝上市　　歐美名牌精品六折起　　新款彩色手機門號免費

　　唱片行門口排了一列列等候簽名的歌迷　　我趕快走到中正路

　　發現本來應該在那裡的那一間鹿標醬油不見了　　現代彩色沖印　　夢工房

　　在我眼裡顯現的是一幅幅黑白的畫面　　東海自動車運輸株式會社

　　筑紫館劇場　　Café 祇園會館　　橫濱屋洋服店　　塚原博愛堂藥銷

　　我走回中華路　　找到那一家熟悉的回春藥房　　勤工鐘錶　　莎樂美理髮廳

　　就在轉角的地方　　在時間與風景接壤的縫隙　　我和你擦身而過

　　我沒有看到你　　你轉進自由街　　走進一家新開的百貨公司：

　　「是我在你尚未降生的六十年代街頭電話亭亂撥號碼找你嗎？」與在「時間與風景接壤的縫隙／我和你擦身而過」的短暫連結，顯示出六十年代的「我」在 O 城市和現代 C 城市的「你」，頻頻呼召。接著，陳黎在詩中大量使用樓層介紹的文字，沿著樓層陳列銷售品牌，建築出一座紙上的百貨公司，用來對比六十年代老舊的雜貨店。正如詩中所言，陳黎營造出的百貨公司，「感覺百貨公司是城市中的城市／一座上升又下降／下降又上升的空中花園」，如迷宮般的精巧、繁雜，和六十年代的自由街雜貨店「混合著各種食品味道的陰暗濕黏的屋子中間坐著一位沉默的老人」有著截然不同的氛圍。同樣的一條自由街，六十年代的雜貨店與充滿現代氛圍的百貨公司，尤其陳黎不厭其煩地透過堆疊地下六樓到六樓的品牌和樓層介紹，企圖將文本裡的兩種空間營造得更完整，突顯其對立。百貨公司此類的大型商場出現，將城市中原本舊有的風景和地誌置換，使得城市中出現了無地方感（placeless）的後現代情境，加拿大人文地理學家瑞夫（Edward Relph）著作中認為現代地景的出現，逐漸排除了人們對其地方有存在依附的聯繫情感〔註19〕，這與陳黎文本中的 C 城不謀而合。

〔註19〕 Edward Relph, *Place and Placelessness.*, London: Pion, 1976.這本是瑞夫的著名之作，對於無地方感的產生和空間演變多有探討。

　　但是，O 城的「我」仍在六十年代頻頻對 C 城的「你」招手，這在時間軸線上來說是一種「回到過去」的過程。換句話說，也就是「你」所處的現代 C 城展開了對過去城市種種的懷舊感：

　　　　我的母親叫我去買醬油　但我沒有直接回家
　　　　我走在 O 城的中華路上　經過天泉銀樓　大振帆布　中國國際商銀
　　　　一個完整封閉如字母 O 的城市
　　　　我在銀行門口撿到一張電話卡　想要用它打電話　卻錯插進銀行的
　　　　自動櫃員機
　　　　螢幕上閃現請輸入密碼這幾個字　我隨意按了幾個號碼　畫面上出
　　　　現
　　　　你走在 C 城的中華路上　經過全家便利商店　地中海水族館　奧黛
　　　　莉內衣
　　　　一個有著小小缺口　小小出入口　張著勾勾　開啓如字母 C 的城市
　　　　勾引一座縅口的城啓齒　櫃員機前面路人的手機忽然響起
　　　　是你在我已然不在的另一個六十年代街頭打電話找我嗎？

　　〈小城〉與〈雙城記〉，有著不同的面貌，卻有同樣的內在精神。這兩首詩都是陳黎透過物質、廣告、消費符碼書寫現代都市之面貌，而在〈雙城記〉中更進一步滲透了更多的作者意識，對於全球化所帶來的影響加以批評，在這裡表現於空間的均質化，對於引起作者對於地方性的歸屬感產生不安與懷念，因而對於「六十年代」進行時空中的呼喚和想像。透過短暫響起的手機通訊，傳達兩個城市在不同時空中的相互對應，在現代中回憶過去，但現代卻在當下也轉瞬成為另一個過去，這便是詹明信所提及的後現代特徵，也是陳黎詩中的一則關於全球化與懷舊的寓言。

第三節　無地方感與在地性

　　後現代和全球化悄悄影響了詩人的創作方向，然而，這並不是陳黎最後的依歸和唯一關注的現象。上一節從現代性、全球化、後現代性的爬梳之下，可以得知從啓蒙時代開始，在接續的現代化過程裡，人們對於時間與空間的經驗，不斷地被科技取代克服，造成了時空壓縮（time-space compression）的現代性經驗。「時空壓縮」這個概念來自哈維（David Harvey），原文如下

〔註20〕：

> 我的意思是指：這個詞語標誌著那些把空間和時間的客觀品質與革命化了。以致於我們被迫、有時是用相當激進的方式來改變我們將世界呈現給自己的方式的各種過程。我使用「壓縮」這個詞語是因爲可以提出有力的事例證明：資本主義的歷史具有在生活步伐方面加速的特徵，而同時又克服了空間上的各種障礙，以至世界有時顯得是內在地朝著我們崩潰了。花費在跨越空間上的時間和我們平常向我們自己表達這一事實的方式，都有利於表明我所想到的這種現象。由於空間顯得收縮成了遠程通信的一個「地球村」，成了經濟上和生態上相互依賴的一個「宇宙飛船地球」——使用兩個熟悉的日常形象化的比喻——由於時間範圍縮短到了現存就是全部存在的地步（精神分裂症患者的世界），所以我們必須學會如何對付我們的空間和時間世界「壓縮」的一種勢不可擋的感受。

　　在哈維眼中，時空壓縮的原因是因爲資本主義藉由時間來消除空間。他主要認爲時空壓縮乃是資本主義「藉由時間來消除空間」的衝動之產物，受商品生產與資本積累的法則所塑造。用「壓縮」這個字強調資本主義歷史的特徵是生活步調的加速，並且如此迅速地摧毀障礙。哈維特別注意到，時空壓縮如何擾亂了賦予社會生活原本的穩定，或是以往具有一致性的習癖（habitus），它糾結在再現的危機裡，因此，它的後果是危險的、擾亂的，並且是具有威脅的。隨著空間距離大幅度地被科技克服，空間範疇壓倒時間範疇，時間被空間化，因此全球化過程中的後現代文化，可以說是時空壓縮、地方聯結全球化下的景觀〔註21〕。

　　全球化所帶來的文化、消費同質性，使得不同族群可以透過網路媒介、消費行爲達到情感連結，或是透過交通運輸大量消彌空間所帶來的距離感。其中一個後果，也就是在上一節已經提及過，無地方感（placeless）的隨之

〔註20〕 David Harvey, *The Condition of Postmodernity: An Enquiry into the Origins of Cultural Change.*, Oxford:Blackwell, 1990.此處沿用中譯本爲：閻嘉譯，〈啓蒙運動規劃的空間與時間〉，《後現代狀況》，北京：商務印書館，2003，頁260。

〔註21〕 許多學者提出其實時空壓縮是個不均質的過程，利益分霑的仍舊在某些特定族群、階級上，並非涵括全球化之下的所有居民。關於時空壓縮的分析還可參考廖炳惠，〈時空壓縮 time-space compression〉，《關鍵字200：文學批評與研究的通用詞彙編》，頁261～262。

而來，由於在地性格薄弱因跨國資本主義的進駐和介入，逐漸而無從辨識。甚至在大型都市中，使得過去的在地性質日趨平面化，並且開始被新的消費地標、運輸系統取代。一九八○年代開始甚至直至現在，一直陸續出現了許多（國際）都市發展的特徵性場所，例如特大型的超級市場（大賣場或是量販店）、商業購物商場、連鎖百貨公司、交通運輸系統……，這些場所在人們居住的都市中，佔據了新的顯著位置，伴隨著廣告和行銷或是週邊房地產的大肆開發，發展了新的商圈、新的投資機會和新的地域性，這如同開始宣告一種無地方性的城市誕生。「只要身處購物中心或縱橫交錯的公共交通系統之中，人的感覺在世界上的任何地方都是相似的」〔註22〕，因此「無地方性」其實是對在地性和原本擁有的現代性，一種深度模式的消解和抹除，這也就是後現代都市的明顯特性，如陳黎〈捷運系統〉（1993）〔註23〕，也就是一種無地方性的展演：

> 入口處是雨夜——如果在冬夜，一個旅人——硬幣般突然掉進一具巨大而混亂的公用電話機，一座因四處進行的捷運工程而使原有的線路全然癱瘓的藍色的城市。一枚冰冷而孤單的硬幣，受困在未成形的捷運系統的鋼架與鋼架間，企圖穿過冷雨，撥出自己的聲音。淹沒他的是一塊塊喊著危險、勿近車輛改道的箭頭與告示。
>
> 攜手共渡黑暗期。他和他的鄉愁，在冬夜，置身在一座迷宮似的城市，一個除了孤寂之外無一物能自由通行的秘密的捷運系統。在企圖撥出自己而不能的電話機裡，他發現自己像一枚硬幣，被冰冷的雨融化成孤寂，自退幣口流出…………

「攜手共度黑暗期」也就是台北市 1990 年時因建設捷運系統而的公共標語「攜手共度交通黑暗期」，但是在詩中這座城市除了交通系統而沒有提及任何地方特徵，使得城市如迷宮般令人困惑、圍困、寂寞。在社會與人文地理學的研究中，無地方感是後現代狀況的特徵之一。這也使得文學地景出現了不同於前的發展。而文學地景所代表的是，文學文本中表達作者對於地方或城市的獨特知覺，甚至於包含認同和歸屬感。「地方」（place）依照政

〔註22〕 包亞明，〈後現代性與都市研究〉，《後現代性與地理學的政治》，上海：上海教育，2001，頁3。

〔註23〕 陳黎，〈捷運系統〉，《家庭之旅》，頁 84～85。

治地理學家阿格紐（John Agnew）的說法，內含了區位、場所（locale）以及地方感。

　　「區位」可以用一個例子解釋，如地球上將台灣所定位的固定位置，也就是緯度所指的座標，我們可以沿著地圖或地球儀找到。阿格紐以場所指涉社會關係的物質環境，如文學文本中描述主角的生長背景、特定地點，透過作者的筆觸，以各種視覺、情節來讓讀者從文字間去想像、召喚出主角成長的場所，這便是場所的意義。因此，地方是一個物質性的事物，以一個具體的形式存在，它擁有真實的物質樣貌，而「地方感」，是指人類對於地方有主觀和情感上的依附〔註24〕。文學文本和電影都可以喚起地方感，讀者或觀眾知道置身於當地是如何的一種「感覺」，這個「感覺」包含了對當地的人文、風俗習慣、地標風景、天氣等等記憶和感知，進而引起懷念和歸屬感等情緒，而這也相當程度地涉及了「地方的特殊性」〔註25〕。因此，地方可以說是一種關係性的空間觀點，指涉某一特定的區位。〈捷運系統〉這首詩消解了地方感，是一座冰冷而無人性的城市，陳黎準確地捕捉了某些現代人的經驗和對於空間的徬徨。

　　經歷全球化的地方經驗，在陳黎的詩文本裡頭，有兩個空間面向值得注意，他觀察到了全球化下的消費性和同質性，在這個部份經常出現的文本較為突顯後現代風格，如之前提及的〈小城〉、〈捷運系統〉、〈雙城記〉等等。另外，他也在全球化和後現代現象下，漸漸浮現出他所生長、認識的島嶼邊緣——花蓮。花蓮是他體驗生命和台灣的依據，而台灣作為世界中的一方島嶼，擁有多重身份和被殖民的歷史經驗，這些成為台灣文化的多元性和複雜性，從種族與語言的多重性格便可以達到理解。

　　後殖民論者霍米巴巴（Homi K. Bhabha）認為混雜（hybridity）能夠達到多元文化的雜糅，讓異文化之間產生交織（inbetween）與交錯（crosscutting）

〔註24〕Tim Cresswell, *Place: a short introduction.*,Oxford: Blackwell, 2004.中譯本：王志弘、徐苔玲譯，〈第二章：地方的系譜〉，《地方：記憶、想像與認同》，頁14～15。

〔註25〕「全球化」對於地方的特殊性、地方文化有不可抹滅的侵蝕力量，隨著跨國經濟體系和資本網路的世界體系，地方的差異性逐漸被均質化，這也是文化研究和文化地理學中，十分關注的空間議題之一。而文學文本或是電影文本中，哀嘆地方感的逐漸喪失，不管是在西方文學還是台灣文學當中，都存在著許多相關的作品。

的作用，得到新的文化形式和多元精神。用陳黎的〈蔥〉（1989）〔註26〕很能
夠表達出台灣文化在語言中出現混雜的情形：

> 我的母親叫我去買蔥。
> 我走過南京街，上海街
> 走過（於今想起來一些奇怪的
> 名字）中正路，到達
> 中華市場
> 我用台語向賣菜的歐巴桑說
> 「甲你買蔥仔！」
> 她遞給我一把泥味猶在的蔥
> 我回家，聽到菜籃裡的荷蘭豆
> 用客家話跟母親說蔥買回來了
> 我像喝母奶般地喝著早晨的味噌湯
> 理所當然地以爲 ㄇㄧㄙㄡ ㄒㄧ˙ㄉㄨ 是我的母語
> 我吃著每天晚上從麵包店買回來的 pan
> 不知道自己吃的是葡萄牙語的麵包
> 我把煎好的蛋放進便當，把便當放進書包
> 並且在每一節下課時偷偷吃它
> 老師教我們音樂，老師教我們國語
> 老師教我們唱反攻、反攻、反攻大陸去
> 老師教我們算術：
>
> 「一面國旗有三種顏色，三面國旗
> 有幾種顏色？」
> 班長說九種，副班長說三種
> 便當裡的蔥說一種
> 因爲，它說
> 不管在土裡，在市場裡，在菜脯蛋裡
> 我都是蔥
> 都是台灣蔥

〔註26〕陳黎，〈蔥〉，《小丑畢費的戀歌》，台北：圓神，1990，頁 49～52。

　　我帶著蔥味猶在的空便當四處旅行

　　整座市場的喧鬧聲在便當盒裡熱切地向我呼喊

　　我翻過雅魯藏布江，翻過巴顏喀喇山

　　翻過（於今想起來一些見怪不怪的

　　名字）帕米爾高原

　　到達蔥嶺

　　我用台灣國語說：「給你買蔥！」

　　廣漠的蔥嶺什麼也沒有回答

　　蔥嶺沒有蔥

　　我忽然想起我的青春

　　我的母親在家門口等我買蔥

　　張芬齡稱「買蔥」的過程是回歸本土的過程〔註 27〕。因此，陳黎從「買蔥」的過程中，發現外來語言混雜於日常生活的現象，以及意識到對地理想像與文化之間的差異性。台灣的特殊性質來自被殖民的經驗，曾經受過荷蘭、西班牙及葡萄牙的殖民統治，又在 1895 年被清朝割讓給日本，統治半個世紀；1945 年，國民黨來台接收台灣。屢次更換統治者的歷史之下，台灣文化內涵已是充滿混雜糅和。生長在台灣的人們早已見怪不怪地習用外來語，「理所當然地以為 ㄇㄧ ㄙㄡ ㄒㄧ‧ㄉㄨ 是我的母語」，以為「pan」就是台語的麵包之意，而「不知道自己吃的是葡萄牙語的麵包」。

　　在國民黨遷台之後，進行了一連串有別於日本統治下的文化與教育的重新編制，與空間息息相關的，例如台灣的街名有許多被南京、上海、瀋陽、河北、成都等等這類大陸省份地理名稱所取代，而且「老師教我們國語／老師教我們唱反攻、反攻、反攻大陸去」，教育著人民時刻以回歸大陸為目標與理想。在意識形態國家機器的引導下，台灣文化的本土性無可避免地遭受到斬傷或忽略。但是真實的是，大陸的地名並未真正喚起詩人的地方感，因此「蔥嶺沒有蔥」，也正是如此詩人有意用「蔥」做為台灣本土文化的象徵，以蔥強調「不管在土裏，在市場裡，在荣脯蛋裡／我都是蔥／都是台灣蔥」生

〔註 27〕張芬齡，〈註釋〉，《小丑畢費的戀歌》，頁 192～193。

於在台灣的歸屬感。在克蘭恩（Mike Crang）的〈地方或空間〉〔註28〕之中，提到，「地方」指出了歸屬感，人群並非定出自我的位置，同時也藉著地方感的形構來認同自我：

> 透過遷移、度假、從事田野考察，才能了解這些模式多麼具有地方
> 特殊性。……空間「歷久」之後，轉變爲地方。這些空間的過去與
> 未來，連結了空間內的人群。這種生活聯繫凝聚了人群與地方；讓
> 人能夠界定自我，與他人分享經驗，並組成社群。（頁 137）

從台灣所生長的「蔥」更進一步地，從日常生活中的語言與作息模式，演變成一場意識形態的思辯，在其自敘〈尋找歷史的聲音〉（1995）〔註29〕，更將這首〈蔥〉所內含的個人經驗和台灣文化的多元性解釋得非常清楚，這是一個更貼近台灣本體的思考過程。陳黎在〈島嶼飛行〉（1995）〔註30〕中繼續透過認識地理和山群的考察方式，記錄下他所成長的花蓮，也繼續表達了他的認同與歸屬感來自於台灣的特質：

> 我聽到他們齊聲對我呼叫
> 「珂珂爾寶，趕快下來
> 你遲到了！」
> 那些站著、坐著、蹲著
> 差一點叫不出他們名字的
> 童年友伴
>
> 他們在那裡集合
> 聚合在我相機的視窗裡
> 如一張袖珍地圖：
>
> 馬比杉山　卡那崗山　基寧堡山
> 基南山　塔烏賽山比林山

〔註28〕Mike Crang 著，王志弘、徐苔玲譯，〈七、地方或空間〉，《文化地理學》，台北：巨流，2004，頁 133～157。

〔註29〕陳黎，〈尋找歷史的聲音〉，王威智編，《在想像與現實間走索：陳黎作品評論集》，頁 121～140。

〔註30〕陳黎，〈島嶼飛行〉，《島嶼邊緣》，台北：皇冠，頁 199～201。

羅篤浮山　蘇華沙魯山　鍛鍊山
西拉克山　哇赫魯山　錐麓山
魯翁山　可巴洋山　托莫灣山
黑岩山　卡拉寶山　科蘭山
托寶閣山　巴托魯山　三巴拉崗山
巴都蘭山　七腳川山　加禮宛山
巴沙灣山　可樂派西山　鹽寮坑山
牡丹山　原茖腦山　米棧山
馬里山　初見山　蕃薯寮坑山
樂嘉山　大觀山　加路蘭山
王武塔　山森阪山　加里洞山
那實答　山馬錫山　馬亞須山
馬猴宛山　加籠籠山　馬拉羅翁山
阿巴拉山　拔子山　丁子漏山
阿屘那來山　八里灣山　姑律山
與實骨丹山　打落馬山　貓公山
內嶺爾山　打馬燕山　大磯山
烈克泥山　沙武巒山　苳子濟山
食祿間山　崙布山　馬太林山
卡西巴南山　巴里香山　麻汝蘭山
馬西山　馬富蘭山　猛子蘭山
太魯那斯山　那那德克山　大魯木山
美亞珊山　伊波克山　阿波蘭山
埃西拉山　打訓山　魯崙山
賽珂山　大里仙山
巴蘭沙克山　班甲山　那母岸山
包沙克山　苳苳園山　馬加祿山
石壁山　依蘇剛山　成廣澳山
無樂散山　沙沙美山　馬里旺山
網綱山　丹那山　龜鑑山

　　註：珂珂爾寶，山名，屬中央山脈三叉山支脈，在花蓮縣境內。

　　詩以珂珂爾寶山作為第一人稱的「我」，以擬人化的方式將這首詩排列
而成。與前面所舉的例子相似，這一首詩，陳黎又重複用大量堆疊的形式，
將這些山名排列成〈島嶼飛行〉一詩，陳黎透過中央山脈的支脈山群們想要
訴說的是什麼？這個形式有何用意？他在《島嶼邊緣》的〈跋：在島嶼邊緣〉
中，進一步提及〔註31〕：

　　　我的詩嘗試融合不同的元素和源頭。融合本土與前衛，島嶼與世
　　　界。……珂珂爾寶（很原住民、很童話，也很「異國色彩」的名字）
　　　飛行在島嶼上面，他的朋友催他下來，一起合照，他看到底下各就
　　　各位，一大堆他舊識的山。詩的倒數第六行有一處空白，是珂珂爾
　　　寶山的位置，他應該回到的地方。對我來說，這首詩也是「紀念照」
　　　（同學會，家族團聚），一次認同、回歸的儀式──對腳下的土地，
　　　對過往的歷史。（頁 205～206）

　　《島嶼邊緣》依照陳黎之說，也就是在指花蓮，這是他生長成就生命的
原鄉，選擇用這個書名來標記自己的創作集，因此「島嶼邊緣首先是花蓮」
〔註32〕。這一次，陳黎以同樣的手法用在不同詩觀的主題，如果說〈小城〉、
〈雙城記〉是後現代和全球化的展演與寓言，那麼〈蔥〉與〈島嶼飛行〉則
明顯地顯示出後殖民與重申在地性的立場。後現代與後殖民的雙列並置，陳
黎在創作現代詩中，也透露出每首詩指涉的不同範圍和現象。而後現代與後
殖民不必然一定成為陳黎風格之主流或是單一的特色，相反地，台灣也就是
處於這兩大思潮之中，由於本身歷史與文化的多元，更顯其全球中獨特的文
化特性。

　　在大衛‧哈維的〈時空之間：關於地理學想像的省思〉（1990）當中，提
到地方與空間之間的緊張關係〔註33〕，而這緊張關係的原因來自於資本主義

〔註31〕陳黎認為，台灣是一個由不同族群混居、不同文化元素交雜的充滿生命力的
　　　　島嶼。不只是現在所說的四大族群──原住民、閩、客、外省人，早在十七
　　　　世紀，她就已經是一個世界舞台。西班牙人來過，葡萄牙人經過，荷蘭人佔
　　　　據過，日本人統治過……這一切構成了台灣的特質：一種因不斷混血、包容，
　　　　激發出來的生命力。陳黎，〈跋：在島嶼邊緣〉，《島嶼邊緣》，頁 205。

〔註32〕廖咸浩，〈玫瑰騎士的空中花園──讀陳黎新詩集《島嶼邊緣》〉，《島嶼邊緣》，
　　　　頁 4。

〔註33〕David Harvey, "Between Space and Time: Reflections on the Geograghical
　　　　Imagination.", *Annals of the Association Geographers.*,80（3）,1990, pp.418-434.

經濟的矛盾，「需要有特殊的空間組織，才能取消空間；要有長周轉時間的資本，才能促進其他資本的快速周轉」（頁 65）。哈維認為跨國資本主義對於地理少有尊重，因為要削弱其距離與阻礙，才能使全世界更為開放，作為進軍獲利的市場。但也就是因為在空間阻礙減弱的時代裡，地方之間的細微差異變得更為重要，因為資本正處於能夠更有利地剝削它們的位置，而地方也更關切它們的環境。更進一步地說，全球化引發了地緣政治的對抗，使得保存在地性和維護地方感更為人們所捍衛、注意。台灣文學轉向關心本土文化之因素，不能只化約為後現代或全球化兩個視角來觀察，當然與政治因素也極有相關，但是能夠肯定的是，陳黎的詩文本在空間書寫的面向中，可做為一個從全球化現象到關注在地性的過程，這點毋庸置疑。

中譯：王志弘譯，〈時空之間：關於地理學想像的省思〉，夏鑄九、王志弘編譯，《空間的文化形式與社會理論讀本》，台北：明文書局，1994，頁 47～79。

第六章 結 論

第一節 台灣現代詩的空間書寫發展概況

　　台灣現代詩的空間書寫，與台灣社會結構、經濟型態等面向皆有相關。
從現今台灣戰後現代詩的文本來看，被指認而定位為與空間相關的現代詩，
創作主題如鄉村與自然的景色描寫、反應台灣社會開始工業化之後種種現代
化的後果，當然，還有永恆的地方感──鄉愁以及懷舊，這些大抵是空間書
寫中最被注意到的幾個範圍，也就是都市空間與鄉土、農村，甚至是自然空
間。這些文本都從不同角度對各自所關注的空間做出詮釋。除此之外，由於
經濟因素的改變，台灣社會型態開始從農業社會轉型為工業化社會，建立起
以台北為首的現代都市型態，都市成為現代化與現代性的重要指標，而都市
詩也是空間書寫最被研究者提及的範疇，它包含了現代人的精神向度，也包
含了不同時代下的意識形態。在工業化社會之後，進入了後工業社會的情境
之中，也從都市詩的發展概況，延伸出更多值得關注的空間面向，這也就是
本文的主要脈絡，從現代到後現代之間，空間書寫擁有其多元性和不同的面
貌。

　　在都市詩的挪變之下，其他的空間也逐一浮現，不論是以現代都市作為
出發點反思自身時空，或是以現代都市作為批判、逃避的對象，都市之興起
代表了空間性在穩定與鬆動之間，不斷流動。而都市空間也有其更細微的轉
移與變動，在這些空間結構之間，便有幾個特色值得注意。在第二章裡，李
昌憲與林彧所代表的生產空間，成為較為寫實、具有現實傾向的現代詩文本，

李昌憲筆下的加工區，描述了女性勞動者的幽微心情，在運輸帶制式而單調的節奏下，不斷地朝業主輸送了自己的青春年華，換取微薄的薪資。林彧從代表辦公室意象的各種物件，如「釘書機」、「迴紋針」等等，轉喻上班族心情被鋼鐵大樓禁錮著，心中百轉千迴嚮往自然和山水田園，然而卻被現實生活的需求桎梏在水泥叢林之中。直到第三章所提及的吳晟、劉克襄等人，也將都市化下帶給農村的影響，或是近郊生態被工業污染的情形，一一揭櫫。

由此可知，在現實主義風格下的都市詩，大多帶有現實層面上的針貶意義，也注入了詩人對於環境生態的關懷。都市的想像總是多元、複雜、並且充滿年代差異的，如夐虹、歐團圓、零雨等人，則紛紛投入自身精神與現實環境之間的縫隙之中，使空間書寫發展成不同的節奏與旋律，帶有私人性質和獨特的美感氛圍，而他們較為不屬於現實主義風格，傾向現代主義式的語境。在現代主義與後現代主義的交界下，羅門從早期對都市空間的書寫，直至後來勾起對於後現代的興趣，將都市做為他非常重視的主題與象徵之一，他以都市為新穎的文化座標，連林燿德也深受他的影響。夏宇、陳黎，則在後現代風格之中，各自發展迥異的空間主題。夏宇執著於文字語言之中的比喻和意象，但在詩中卻又有其隱喻和邏輯，令人玩味；陳黎游移在後現代與後殖民之際，具有不可移轉的歷史意識和在地認同。現代詩的空間書寫發展至此，從寫實到現代，甚至後現代三種時代風格，而有層次上的差異，並且有其不同的書寫特色。

第二節　台灣現代詩的空間書寫特色

論文之中提及，台灣現代詩的空間書寫，從最主要被關注的都市詩類別挪變而有其他的主題和形式，它們與都市詩的關係或近或遠，而在各個作者筆下有其不同的特性和語調。以加工區和辦公室為例，筆者觀察到了作為生產、勞動的生產空間（spatial divisions of labour），生產空間存於在時間與社會之中，並且具有不同的空間組織和類型，每一種生產的空間結構，都牽涉了某種社會分化模式。社會群體的建構是從空間層次上進行，勞工群體的位移與就業地理（geography of employment）不應該以一種平面（空間）上的模式來做分析，應該解釋為一種「社會——經濟過程在空間裡的運作的結果」。因此，藉由李昌憲與林彧的文本比對，從一九七〇年代後期高雄楠梓加工區，直

至進入到一九八〇年代中期的台北市之間，在兩種不同的生產空間中，可以發現兩者的不同之處，《加工區詩抄》關注勞工大眾的生存、受到的壓迫和不公的對待；「上班族」詩鈔的焦點則來是都市與農村、自然與現代科技、自我意識與工作環境的牴觸、精神上的焦慮與恐閉。都市代表了人類社會的現代化進程，現代化造成了空間結構、區域組織的改變。在兩種不同生產空間之中，所共同擁有的勞動運作過程，在精神內涵中卻隨著空間的不同性質而有不同的轉變。

　　以台灣為例，都市的興起主要是由於經濟結構的逐漸更動，這其中也牽涉了國家政策與世界情勢。台灣過去以農業為主要的經濟核心，在順應世界情勢和國家政策之後，核心產業漸漸改變，成為以工業為主的經濟型態，因此造成「城鄉移民」（unban-rural migration）和城鄉差距的狀況出現。隨著國家政策與經濟型態的位移，社會文化與文學書寫也逐漸調整，文壇因此掀起多次歧異觀點之對話，在空間書寫中，都市空間與自然空間也成為拉扯相對的兩端。過去討論都市與農村兩個層面，多以「城鄉差距」的二元對立來進行思辯，城鄉空間的消長過程，隱含了來自台灣社會結構的矛盾，因此有必要仔細觀察兩者之間扦格所各自代表的意義為何。一九八〇年代的台灣，是一個轉變的世代，也是都市詩大量出現的年代，這一個現象並非異軍突起，當敘述、詠嘆田園、農村的現代詩仍舊被視作城鄉對立的另一端，在詩壇中也出現了環保詩或政治詩等不同的主題，這些詩作與都市詩的關係，卻隱而不彰。回到文本，發現自然空間書寫中，除了如吳晟詩的懷舊氛圍，也出現了如劉克襄、李昌憲等對於工業污染環境生態的批判和憂傷，如果書寫自然和農村鄉鎮的抒情模式已經歪變，都市空間其中所隱含指涉的象徵，逐漸地也不再只是實體的都市景觀。都市空間所構築的消費系統、物質與精神之間的關係，是一個文化符碼化的過程，在羅門、林燿德、歐團圓等人的不同詮釋之下，都市空間隨著社會文化變遷，也終將成為眾多符號中的一個，並且內含了現代化、現代性與後現代性的複雜系統。

　　延續對於都市空間的梳理，進入後現代的情境，現代性中所強調的烏托邦（同質空間），與充滿後現代的差異空間（異質空間），成為傅柯所提倡之差異地學（heterotopology）的重要空間型態。在討論都市空間與自然空間之後，進入更細微的另外兩個類別，它們存於現代詩之中，與時間共軸，或與私人記憶、客觀歷史相互呼應，在物質與精神之際來去。首先，烏托邦（utopia）

之於文學的意義在於，建立一個理想而虛構的典範空間，但是在人們建構烏托邦的當下，時代卻賦予它們各自擁有不同的定義與想像。甚至在烏托邦的空間意涵中，也隱含了反烏托邦（dystopia）的確立，而烏托邦不屬於未來，只能是過去，在現代詩中，烏托邦典範經常以中國「桃花源」為古典的理想意象，烏托邦屬於理想空間中的核心，如夐虹的詩。但是，在一九八〇年代中後期，現代詩開始出現了新一波世代交替的現象，而後現代風潮也在此時嶄露鋒芒，從夐虹到林彧，再到林群盛的文本，虛構空間的轉變和時代雖無直接的因果關係，但卻不斷推衍並且別出新意。

同時，符碼的改變與語言敘事軸線的替換、重置，一再地顯示了一九八〇年代現代詩版圖推移換置，也使得烏托邦想像逐漸潰散，中心不再是追求的典範與目標，而或者也可以假設，烏托邦的想像加入了反面的思考方向，將當時所衝擊影響詩人的科技、數位、終端機等意象置入後，現代化所建構的都市空間，並沒有將人們真正帶入一個充滿理想而美好的世界，反而是更加遠離了烏托邦，甚至成為不確定性、充滿複雜而充斥幻想與真實的差異空間。「去中心化」此一現象，使得私人性質變得強烈，以此觀點關注差異空間，則可從夏宇、陳黎、零雨等人的文本看出不同的特性和詩觀，他們的創作與差異空間交相構成了陌生而又熟悉的意境，或是在文本之中再現了意識形態裡的另一個差異空間，因而充滿異質、流動的特性。差異空間實際上是以實踐並由社會創造，是在同一時間具體又抽象，形成一種具有雙重聚焦性質（bifocal）的視野，擁有雙重性的空間。「差異空間」概念使得原本聚焦於同質性的中心模式，重新接受界定和挑戰，並且成為另一種觀看社會文化和文學文本的視角。

台灣所處的世界地理位置，也在跨國資本主義與新文化帝國主義的籠罩下，逐漸進入了全球化（globalization）的現象和階段之中，不論是經濟或是文化、習癖（habitus），都因為時空壓縮（time-space compression）而出現了全球同質化的狀況。在全球化狀況出現之後，由於消費市場的擴張與進駐，引起都市中的無地方感（placeless），當然也形塑出在地性（locality）對於全球化的反撲勢力。而這些現象在陳黎的現代詩文本中，也逐一出現。全球化和在地性的辯證，後現代與後殖民的思維模式，是台灣文學的發展進程，也是空間書寫將面臨的階段。「全球化」與「在地性」的相互影響，將使得這兩條軸線相互牽引又相互排斥，也使得人們重新思考本土定位和主體，陳黎在

其文本中，有消費性和全球化的描寫，也有無地方感和重拾在地性的敘述，並且逐漸在拼湊土地記憶的當下，也漸漸找回自己所認同的座標，如何在環球與本土這兩者之中找尋平衡，也許值得人們在時空之間繼續思考，在現代與後現代之間繼續建構或壓抑。

第三節　台灣現代詩的空間書寫新展望

　　文學與時代脈動息息相關，空間與社會結構、文化有著一體兩面的關係。台灣現代詩的空間書寫可作為另一個觀察現代詩發展的面向，近來空間理論與文本之間的關係，越來越被注意，並且引起不同的觀點與討論，這對於擁有複雜多元的地緣政治和空間結構的台灣文學來說，不啻是個積極的發展。代表著更多的文學地景將被正視、研究，在討論台灣鄉土（自然）／都市空間的研究過程中，也逐漸生發出其他歸納、切入的空間，在與理論時而平行、時而交錯的文學文本裡，台灣文學與空間書寫的緯度，逐一浮現。

　　在現況以及近未來，由於空間詩學的相關研究已經成為一股嶄新的風潮，在現代詩中的文本所呈現的各種空間意涵，將被持續關注，因此建立空間書寫相關的研究脈絡，應該將會繼續蓬勃發展。另外，由於學院與研究的帶動之下，詩學理論和研究，將納入提及空間書寫的重要性與歷史發展，使空間書寫成為現代詩史中不可或缺的一環。透過空間詩學的建立，現代詩的發展也將更為多元、充滿流動性，逐漸精深而廣泛。

　　現代詩文本則持續地在創作中，衍生出各種空間形式。不論是自我意識的衍異，或是歷史與現實之中的對話，甚至是夢境與精神式的想像，在各種媒介與語境之中，空間與詩不斷互文，書寫彼此，在不同國境與全球角度下，對於空間與建築擁有無限的描繪和想望。前行與新一代的詩人，將持續關注與生命相遇或重逢的空間形式，不論是音樂形式的抽屜或是深夜的迷津，都增添空間書寫的特殊性與意義，值得繼續令人期待。

　　現代詩中的空間書寫，是詩人們充滿再現與隱喻的形式，從現實到理想、從中心到邊陲，如同旅行與回歸的往返，在現實與想像之間層層堆疊，文本將不斷地與社會或是自身進行思辯，而現代詩的未來仍舊有無限的可能與不確定性。但是，可以確定的是，從現代到後現代，甚至是後現代之後，現代詩的發展與空間書寫，兩者的關係在台灣文學中的星空，將隨著時間的軸線，如同星座般相互牽引，持續轉動，熠熠閃爍。

參考書目

一、詩　集

1. 李昌憲，《加工區詩抄》，台北：德華，1981。

2. 李昌憲，《生態集》，高雄：春暉，1993。

3. 李昌憲，《生產線上》，高雄：春暉，1996。

4. 李昌憲，《仰觀星空》，高雄：春暉，2005。

5. 吳望堯，《地平線》，台北：藍星詩社，1958。

6. 吳晟，《吾鄉印象》，台北：洪範書店，1985。

7. 林彧，《夢要去旅行》，台北：時報文化，1984。

8. 林彧，《單身日記》，台北：希代，1986。

9. 林彧，《鹿之谷》，台北：漢藝色研，1987。

10. 林燿德，《都市終端機》，台北：書林，1988。

11. 陌上塵，《玉香集》，高雄：德馨，1978。

12. 陳黎，《廟前》，台北：東林，1975。

13. 陳黎，《動物搖籃曲》，台北：東林，1980。

14. 陳黎，《小丑畢費的戀歌》，台北：圓神出版社，1990。

15. 陳黎，《家庭之旅》，台北：麥田，1993。

16. 陳黎，《島嶼邊緣》，台北：皇冠，1995。

17. 陳黎，《苦惱與自由的平均律》，台北：九歌，2005。

18. 夏宇，《備忘錄》，台北：夏宇自印，1984。

19. 夏宇，《腹語術》，台北：現代詩，1991。

20. 夏宇，《摩擦‧無以名狀》，台北：現代詩，1995。

21. 夏宇，《Salsa》，台北：唐山，1999。

22. 夏宇，《粉紅色噪音》，台北：田園城市，2007。

23. 零雨，《城的連作》，台北：現代詩季刊社，1990。

24. 零雨，《消失在地圖上的名字》，台北：時報，1992。

25. 零雨，《特技家族》，台北：現代詩季刊社，1996。

26. 零雨，《木冬詠歌集》台北：零雨自印，1999。

27. 零雨，《關於故鄉的一些計算》，台北：零雨自印，2006。

28. 劉克襄，《漂鳥的故鄉》，台北：前衛，1984。

29. 敻虹，《敻虹詩集》，台北：大地，1976。

30. 羅門，《羅門創作大系：（卷二）都市詩》，台北：文史哲出版社，1995。

31. 羅門，《羅門詩集》，台北：洪範書店，1993。

32. 羅門，《長期受著審判的人》，台北：環宇，1974。

二、專　書

1. 王志弘，《流動、空間與社會：1991～1997 論文選》，台北：田園城市，1998。

2. 王威智編，《在想像與現實間走索——陳黎作品評論集》，台北：書林，1999。

3. 包亞明編，《後現代性與地理學的政治》，上海：上海教育，2001。

4. 余光中主編，《當代台灣文學評論大系（4）新詩批評卷》，台北：正中書局，1993。

5. 李清志，《鳥國狂：世紀末台北空間文化現象》，台北：創興出版，1994。

6. 林彧，《愛草》，台北：華成圖書，2003。

7. 林明德編，《台灣現代詩經緯》，台北：聯合文學，2001。

8. 林燿德、孟樊編，《世紀末偏航——八〇年代台灣文學論》，台北：時報文化，1990。

9. 彭瑞金，《台灣新文學運動四十年》，高雄：春暉，1997。

10. 范銘如，《文學地理：台灣小說的空間閱讀》，台北：麥田，2008。

11. 奚密，《現當代詩文錄》，台北：聯合文學，1998。

12. 張仁春，《邊陲的狂舞與穆思——陳黎後現代詩研究》，台北：稻鄉，2006。

13. 孟樊，《當代台灣新詩理論》，台北：揚智出版，1995。

14. 孟樊，《台灣後現代詩的理論與實際》，台北：揚智出版，2003。

15. 夏鑄九，《理論建築：朝向空間實踐的理論建構》，台北：台灣社會研究季刊社，1992。

16. 夏鑄九、王志弘編譯,《空間的文化形式與社會理論讀本》,台北:明文,1993。

17. 焦桐,《台灣文學的街頭運動（1977～世紀末）》,台北:時報文化,1998。

18. 楊宗翰《台灣現代詩史:批判的閱讀》,台北:巨流,2002。

19. 陳義芝,《聲納——台灣現代主義詩學流變》,台北:九歌文化,2006。

20. 陳千武,《台灣新詩論集》,高雄:春暉出版,1997。

21. 陳坤宏,《消費文化與空間結構——理論應用》,台北:詹氏書局,1995。

22. 陳坤宏,《空間結構——理論、方法論與計劃》,台北:明文書局,1994。

23. 陳大爲,《存在的斷層掃描——羅門都市詩論》,台北:文史哲,1998。

24. 陳大爲,《亞洲中文現代詩的都市書寫（1980～1999）》,台北:萬卷樓,2001。

25. 陳大爲,《亞洲閱讀:都市文學與文化（1950～2004）》,台北:萬卷樓,2004。

26. 廖炳惠編著,《關鍵詞 200:文學與批評研究的通用詞彙編》,台北:麥田文化,2003。

27. 畢恆達,《找尋空間的女人》,台北:張老師,1996。

28. 畢恆達,《空間就是權力》,台北:心靈工坊,2001。

29. 畢恆達,《空間就是性別》,台北:心靈工坊,2004。

30. 詹宏志,《城市人——城市空間的感覺、符號和解釋》,台北:麥田,1996。

31. 顏忠賢,《不在場——顏忠賢空間論文集》,台北:田園城市,1998。

32. 鄭明娳編,《當代台灣都市文學論》,台北:時報文化,1995。

33. 鄭毓瑜,《文本風景:自我與空間的相互定義》,台北:麥田,2005。

34. 劉象愚、楊桓達、曾艷兵主編,《從現代主義到後現代主義》,北京:高等教育,2002。

35. 鍾玲,《現代中國謬司——台灣女詩人作品析論》,台北:聯經,1989。

36. 趙一凡主編,《西方文論關鍵詞》,北京:外語教學與研究,2006

37. 羅青,《什麼是後現代主義》,台北:五四,1989。

三、國外評論與專書

1. Anthony Giddens, *The Consequences of Modernity.*, USA: Stanford University Press, 1990.中譯本:田禾譯,《現代性的後果》,北京:譯林,2000。

2. Charles Jencks, *The Language of Post-Modern Architecture.*, New York: Rizzoli International Publications, Inc., 1977.中譯本:吳介禎譯,《後現代建築語言》,台北:田園城市,1998。

3. David Harvey,*The Condition of Postmodernity:An Enquiry into the Origins of Cultural Change.*,Oxford:Blackwell,1990.中譯本：閻嘉譯，《後現代狀況》，北京：商務印書館，2003。

4. David Harvey,"Between Space and Time: Reflections on the Geograghical Imagination.",*Annals of the Association Geographers.*,80（3）,1990,pp.418～434.中譯：王志弘譯，〈時空之間：關於地理學想像的省思〉，夏鑄九、王志弘編譯，《空間的文化形式與社會理論讀本》，台北：明文書局，1994，頁 47～79。

5. Doreen Massey, *Spatial Divisions of Labour: Social Structures and the Geography of Production.*,1984.

6. Doreen Massey," Power-geometry and a progressive sense of place", in Jon Bird, Barry Curtis, Tim Putnam,George Robertson & Lisa Tickner （eds）,*Mapping the Futures: Local Cultures, Global Change.*,London: Routledge.1993.pp. 59～69.中譯：〈權力幾何學與進步的地方感〉收錄在 Tim Cresswell,*Place: a short introduction*,Oxford: Blackwell,2004.王志弘、徐苔玲譯，〈第三章：解讀「全球地方感」〉，《地方：記憶、想像與認同》，頁 104～116。

7. Edward W. Soja,*Postmodern Geographies:The Reassertion of Spase in Critical Social Theory.*,USA:Verso,1989.中譯本：王文彬譯，《後現代地理學──重申批判社會理論中的空間》，北京：商務印書館，2004。

8. Edward W. Soja,*Thridspace:Journeys to Los Angeles And other real -and -imagined places.*, Oxford: Blackwell,1996。中譯本：索雅，王志弘、張華蓀、王玥民譯，《第三空間》，台北：桂冠圖書，2004。

9. Edward Relph,*Place and Placelessness.*,London:Pion,1976.

10. Fredric Jameson，唐小兵譯：《後現代主義與文化理論》，台北，合志文化，1989。

11. Henri Lefebvre, Nicholson-Smith trans, *The Production of Space*, USA：Wiley-Blackwell, 1992.

12. Matei Calinescu,*Five Faces of Modernity.*,Durham:Duke University Press,1987.中譯本：李瑞華譯，《現代性的五副面孔》，北京：商務印書館，2003。

13. Michel Foucault, "Texts/Contexts of Other Space.", *Diacritics*, 16（1）（spring）, 1986, pp.22～27.中譯：陳志梧譯，〈不同空間的正文與上下文（脈絡）〉，夏鑄九、王志弘編譯，《空間的文化形式與社會理論讀本》，台北：明文書局，1994，頁 399～409。

14. Mike Crang,*Cultural Geography.*, London: Routledge, 1998.中譯本：王志弘、余佳玲、方淑惠譯，《文化地理學》，台北：巨流，2004。

15. Stewart Lynn,"Bodies, Visions, and Spatial Politics: A Review Essay on

Henri Lefebvre's The Production of Space", *Environment and Planning D: Society and Space.*,Vol.13,pp.609〜618.

16. Tim Cresswell, *Place: a short introduction.*,Oxford: Blackwell,2004.中譯本：王志弘、徐苔玲譯，《地方：記憶、想像與認同》，台北：群學，2006。

17. Richard Peet,*Modern Geographical Thought.*, USA:Wiley-Blackwell,1998. 中譯本：王志弘、張華蓀、宋郁玲、陳毅峰合譯，《現代地理思想》，台北：群學，2005。

四、報　紙

1. 陳千武，〈台灣現代詩的演變〉，《自立晚報》，1970.9.20。

五、單篇論文

1. 王志弘，〈後現代的空間思考——愛德華・索雅思想評介〉，《流動、空間與社會：1991〜1997 論文選》，台北：田園城市，1998，頁 17〜33。

2. 王浩威，〈重組的星空！重組的星空？——林燿德的後現代論述〉，《林燿德與新世代作家文學論》，台北：文建會，1997，頁 295〜320。

3. 王浩威，〈偉大的獸——林燿德文學理論的建構〉，《聯合文學》137 期，1996.03，頁 51〜61。

4. 王威智，〈一個看不見的城市的誕生——花蓮作家私房花蓮地圖：以陳黎、林宜澐為例〉，《地誌書寫與城鄉想像：第二屆花蓮文學研討會論文集》，頁 143〜154。

5. 羊子喬，〈光復前台灣新詩論〉，《亂都之戀》，台北：遠景，1982，頁 1〜37。

6. 古繼堂，〈台灣後現代詩的重鎮——評陳黎《島嶼邊緣》〉，王威智編，《在想像與現實間走索：陳黎作品評論集》，台北：書林，1999，頁 185〜194

7. 李昌憲、孫陵，〈海與風的對話〉，《笠》244 期 2004.12，頁 75〜81。

8. 李瑞騰，〈六十年代台灣新詩評略述〉，文訊雜誌社編，《台灣現代詩史論》，台北：文訊雜誌社，1996，頁 265〜280。

9. 李豐楙，〈七十年代新詩社的集團性格及其城鄉意識〉，文訊雜誌社編，《台灣現代詩史論》，台北：文訊雜誌社，1996，頁 325〜355。

10. 呂正惠，〈台灣文學 v.s.後現代〉，《戰後台灣文學經驗》，台北：新地，1995，頁 147〜150。

11. 呂正惠，〈現代主義在台灣——從文藝社會學的角度來考察〉，《戰後台灣文學經驗》，台北：新地，1995，頁 3〜48。

12. 孟樊，〈台灣後現代詩的理論與實際〉，收入林燿德、孟樊編，《世紀末偏航：八〇年代台灣文學論》，台北：時報文化，1990，頁 145〜221。

13. 吳潛誠，〈閱讀花蓮：地誌書寫——楊牧與陳黎〉，王威智編，《在想像與

現實間走索：陳黎作品評論集》，台北：書林，1999，頁 195～201。

14. 林亨泰，〈從八○年代回顧台灣詩潮的演變〉，收入林燿德、孟樊編，《世紀末偏航──八○年代台灣文學論》，台北：時報文化，1990，頁 101～142。

15. 林淇瀁，〈五○年代現代詩風潮試論〉，《靜宜人文學報》11 期，1999.07，頁 45～61。

16. 林淇瀁，〈微弱但是有力堅持──從敘事詩看七十年代現代詩的回歸風潮〉，文訊雜誌社編，《台灣現代詩史論》，台北：文訊雜誌社，1996，頁 363～376。

17. 林淇瀁，〈康莊有待──七十年代現代詩風潮試論〉，《康莊有待》，台北：東大，1985，頁 49～86。

18. 林淇瀁，〈長廊與地圖──台灣新詩風潮的溯源與鳥瞰〉，收入林明德編，《台灣現代詩經緯》，台北：聯合文學，2001，頁 9～64。

19. 林淇瀁，〈八○年代現代詩風潮試論〉，「第二屆現代詩學研討會」，彰化：彰化師範大學，1997。

20. 林淇瀁，〈都市與後現代──講評意見〉，中國寫作青年協會編，《林燿德與新世代作家文學論》，台北：行政院文建會，1997，頁 215～218。

21. 林淇瀁，〈「台北的」和「台灣的」──八○年代以降台灣文學的「城鄉差距」〉，《書寫與拼圖──台灣文學傳播現象研究》，台北：麥田，2001，頁 179～191。

22. 林燿德，〈八○年代台灣都市文學〉，林燿德、孟樊編，《世紀末偏航──八○年代台灣文學論》，台北：時報文化，1990，頁 361～404。

23. 林燿德，〈台灣當代科幻文學〉，余光中主編，《中華現代文學大系（二）──台灣 1989～2003 評論卷（二）》，台北：九歌，2003，頁 1183～1198。

24. 林燿德，〈不安海域──八○年代前期台灣現代詩風潮試論〉，《重組的星空：林燿德評論集》，台北：業強，1991，頁 1～61。

25. 林燿德，〈都市：文學變遷的新座標〉，《重組的星空：林燿德評論集》，台北：業強，1991，頁 189～202。

26. 林燿德，〈八○年代現代詩世代交替現象〉，《世紀末現代詩論集》，台北：羚傑，1995，頁 51～62。

27. 林燿德，〈食夢的貘──劉克襄寫作芻議〉，《一九四九年以後──台灣新世代詩人初探》，台北：爾雅出版社，1986，頁 181～194。

28. 林燿德，〈藍色的輸送帶──李昌憲與其「加工區詩抄」〉，《笠》244 期，2004.12，頁 82～91。

29. 林燿德，〈羅門 v.s.後現代〉，《觀念對話》，台北：漢光，1989，頁 207～213。

30. 邱貴芬,〈後殖民之外——尋找台灣文學的「台灣性」〉,《後殖民及其外》,台北:麥田,2003,頁 111～146。

31. 邱貴芬,〈尋找「台灣性」:全球化時代鄉土想像的基進政治意義〉,《中外文學》32 卷 4 期,2003.09,頁 43～65。

32. 邱貴芬,〈「在地性」的生產——從台灣現代派小說談「根」與「路徑」的辨證〉,張錦忠、黃錦樹編,《重寫台灣文學史》,台北:麥田,2007,頁 325～366。

33. 邱貴芬,〈翻譯驅動力下的台灣文學生產——1960～1980 現代派與鄉土文學的辨證〉,陳建忠、應鳳凰、邱貴芬、張誦聖、劉亮雅合著,《台灣小說史論》,台北:麥田出版社,2007,197～274。

34. 沈曼菱,〈閉鎖與開放——論零雨詩作中的「房間」隱喻〉,《第四屆全國台灣文學研究生學術研討會論文集》,台南:國家台灣文學館,2007,頁 157～186。

35. 許甄倚,〈棲居的詩學——陳黎作品中的空間印象和人文關懷〉,第三屆花蓮文學研討會,2005.11.19～20。

36. 洛楓,〈從後現代主義看詩與城市的關係〉,《當代》62 期,1991.06,頁 54～71。

37. 洪淑苓,〈家・笠園・台灣——陳秀喜作品中的空間文本與身分認同〉,《台灣詩學學刊》6 期,2005.11,頁 39～76。

38. 奚密,〈本土詩學的建立——讀陳黎《島嶼邊緣》〉,王威智編,《在想像與現實間走索:陳黎作品評論集》,台北:書林,1999,頁 163～173。

39. 奚密,〈後現代的迷障——〈台灣後現代詩的理論與實際〉的反思〉,《當代》71 期,1992.03,頁 54～68。

40. 夏鑄九,〈全球經濟再結構的台灣區域空間結構變遷〉,《空間,歷史與社會:論文選 1987～1992》,台北:台灣社會研究季刊社,1993,頁 281～304。

41. 夏鑄九,〈空間形式演變中之依賴與發展——台灣彰化平原的個案〉,《空間,歷史與社會:論文選 1987～1992》,台北:台灣社會研究季刊社,1993,頁 165～232。

42. 夏鑄九,〈都市過程・都市政策和參與性的都市設計制度〉,《空間、歷史與社會:論文選 1987～1992》,台北:台灣社會研究季刊社,1993,頁 247～268。

43. 夏鑄九,〈台灣的文化編入與脫落——依賴城市都市象徵之初步研究〉,《空間、歷史與社會:論文選 1987～1992》,台北:台灣社會研究季刊社,1993,頁 305～328。

44. 莫渝,〈工業社會下不安定的牧歌詩人——讀李昌憲的詩〉,《台灣詩人群

像》，台北：秀威資訊科技，2005，頁 241～255。

45. 莫渝，〈關愛我們的生活空間──十年來「環境汙染」詩篇的回顧〉，《台灣文藝》87 期，1984.3，頁 19～25。

46. 莫渝，〈六十年代台灣的鄉土詩〉，文訊雜誌社編，《台灣現代詩史論》，台北：文訊雜誌社，1996，頁 199～224。

47. 馮品佳，〈創造異質空間──《無禮》的抗拒與歸屬政治〉，劉紀蕙編，《他者之域──文化身份與再現策略》，台北：立緒文化，頁 429～445。

48. 張錯，〈抒情繼承：八十年代詩歌的延續與丕變〉，文訊雜誌社編，《台灣現代詩史論》，台北：文訊雜誌社，1996，頁 407～424。

49. 張漢良，〈都市詩言談──台灣的例子〉，《當代》32 期，1988.12，頁 38～52。後收入孟樊編，《當代台灣批評大系（卷四）‧新詩批評》，台北：正中書局，1993，頁 156～186。

50. 張漢良，〈現代詩的田園模式──「八十年代詩選」序〉，《八十年詩選》，台北：爾雅，1976，頁 80～93

51. 張漢良，〈詩觀、詩選，與文學史──「七十六年詩選」導言〉，《七十六年詩選》，台北：爾雅，1987，頁 1～9。

52. 張惠娟，〈後現代與女性主義之糾葛──試論當代女性烏托邦小說〉，《中外文學》23 卷 11 期，1995.04，頁 26～39。

53. 陳黎，〈尋找歷史的聲音〉，王威智編，《在想像與現實間走索：陳黎作品評論集》，台北：書林，1999，頁 121～140。

54. 陳大為，〈台灣都市詩理論的建構與演化〉，《台灣詩學學刊》8 期，2006.11，頁 87～120。

55. 陳大為，〈台灣都市詩的發展歷程〉，收入陳大為、鍾怡雯編《20 世紀台灣文學專題Ⅱ：創作類型與主題》，台北：萬卷樓，2006，頁 72～117。

56. 陳大為，〈對峙與消融──五十年來的台灣都市詩〉，《亞洲閱讀──都市文學與文化（1950～2004）》，台北：萬卷樓，2004，頁 3～60。

57. 陳允元，〈命名、記憶與詮釋──戰後台灣現代詩的「街道命名」書寫〉，《台灣詩學學刊》6 期，2006.05，頁 57～84。

58. 陳芳明，〈後現代或或殖民──戰後台灣文學史的一個解釋〉，《後殖民台灣》，台北：麥田，2002，頁 23～46。

59. 開一心，〈空間、記憶與屬性認同：論《偶然生為亞裔人》〉，《中外文學》33 卷 12 期，2005.5，頁 155～188。

60. 廖咸浩，〈離散與聚焦之間──八十年代後現代詩與本土詩〉，文訊雜誌社編，《台灣現代詩史論》，台北：文訊雜誌社，1996，頁 437～450

61. 廖炳惠，〈在台灣談後現代與後殖民論述〉，《回顧現代》，台北：麥田，1994，頁 53～72。

62. 廖炳惠,〈台灣:後現代與後殖民?〉,《另類現代情》,台北:允晨文化,2001,頁 43～59。

63. 賴芳伶,〈追尋生命與詩意的顛峰〉,林明德編,《台灣現代詩經緯》,台北:聯合文學,2001,頁 351～412。

64. 賴芳伶,〈異質、流動的地誌書寫──山海花蓮與吳瑩、葉覓覓、何亭慧的相互銘刻〉,第三屆花蓮文學研討會,2005.11.19～20。

65. 顏忠賢,〈影像與空間的差異地學:從傅寇到巴赫汀的理論建構〉,《影像地誌學:邁向電影空間理論的建構》,台北:萬象圖書,1996,頁 80～94。

66. 郭恩慈,〈空間、時間與節奏:列斐伏爾的空間理論初析〉,《城市與設計》5～6 期,1998,頁 171～185,

67. 解昆樺,〈七〇年代鄉土文學論戰後臺灣左翼／勞工現代詩──七〇年代末李昌憲《加工區詩抄》、陌上塵「黑手詩抄」初探〉,《台灣詩學季刊》10 期,2007.11,頁 393～416。後收錄於解昆樺,《青春構詩:七〇年代新興詩社與一九五〇年世代詩人的詩學建構策略》,苗栗:苗栗縣文化局,2008,頁 131～154。

68. 解昆樺,〈情慾腹語──陳黎詩作中情慾書寫的譫史性〉,《當代詩學》2 期,2006.09,頁 170～213。

69. 葉秀菊,〈加工區生產線上的現代詩人──李昌憲〉,《笠》244 期,2004.12,頁 55～61。

70. 葉振富,〈一場現代詩的街頭運動──試論台灣八〇年代的政治詩〉,《台灣現代詩史論》,台北:文訊雜誌社,1996,頁 459～473。

71. 簡政珍,〈「現代詩」和詩的都市化傾向〉,《詩心與詩學》,台北:書林,1999,頁 77～82。

72. 簡政珍,〈八〇年代詩美學──詩與現實的辨證〉,《詩心與詩學》,台北:書林,1999,頁 326～361。

73. 簡政珍、林燿德,〈以書寫肯定存有〉,《詩心與詩學》,台北:書林,1999,頁 402～439。

74. 簡政珍,〈台灣都市詩的空間意象與隱喻〉,《台灣詩學學刊》6 期,2005.11,頁 7～38。

75. 簡政珍,〈現實與比喻──台灣當代詩的意象空間〉,《台灣詩學學刊》8 期,2006.11,頁 7～42。

76. 劉紀雯,〈城市──國家──愛人──《以獅為皮》和《英倫情人》中的疆界空間〉,劉紀蕙編,《他者之域──文化身份與再現策略》,台北:立緒文化,頁 399～428。

77. 劉紀蕙,〈林燿德與台灣文學的後現代轉向〉,《孤兒・女神・負面書寫:

文化符號的徵狀式閱讀》，台北：立緒文化，2000，頁 368～395。

78. 劉紀蕙，〈燈塔、鞦韆和子音：論陳黎詩中的花蓮想像和陰莖書寫〉，《孤兒‧女神‧負面書寫：文化符號的徵狀式閱讀》，台北：立緒文化，2000，頁 203～226。

79. 蔡秀枝，〈波特萊爾與現代都市〉，馮品佳編，《重劃疆界：外國文學研究在台灣》，新竹：交通大學外文系，1999，頁 165～184。

80. 蔡源煌，〈西方現代文學中的都市〉，《從浪漫主義到後現代主義》，台北：雅典，1989。

81. 蔡敦浩、張永佶，〈戰後高雄地區產業發展歷程〉，《高雄與文化》第 3 輯，1996.10，頁 214～230。

82. 蕭蕭，〈現代詩裡的城鄉衝突〉，《現代詩學》，台北：東大，1987，頁 135～145。

83. 蕭蕭，〈現代詩裡的時空設計〉，《現代詩學》，台北：東大，1987，頁 146～161。

84. 蕭蕭，〈論羅門的意象世界〉，《現代詩學》，台北：東大，1987，頁 409～443。

85. 蕭蕭，〈現代詩批評小史〉，《燈下燈》，台北：東大，1980，頁 13～25。

86. 羅門，〈無深度無崇高點的「後現代」〉，收於林燿德，《觀念對話》，台北：漢光，1989，頁 192～215。

87. 羅門，〈打開我創作世界的五扇門〉，《羅門創作大系：（卷八）羅門論文集》，台北：文史哲，1995，頁 5～20。

88. 羅門，〈現代人的悲劇精神與現代詩人〉，《羅門創作大系：（卷八）羅門論文集》，台北：文史哲，1995，頁 51～67。

89. 羅門，〈談都市與都市詩的精神意涵〉，《羅門創作大系：（卷八）羅門論文集》，台北：文史哲，1995，頁 91～110。

90. 羅門，〈「第三自然螺旋型架構」的創作理念〉，《羅門創作大系（卷八）‧羅門論文集》，台北：文史哲，1995，頁 113～144。

91. 羅青，〈現代詩的草根性與都市精神〉，《草根》復刊 9 期，1986.6，頁 1～2。

92. 羅青，〈詩與後設方法：「後現代主義淺談」〉，《詩人之燈》，台北：光復書局，1988，頁 261～271。

93. 羅青，〈後現代狀況出現了〉，《詩人之燈》，台北：光復書局，1988，頁 237～251。

六、學位論文

1. 方婉禎，《從城鄉到都市——八○年代台灣小說與都市論述》，台北：淡

江大學中國文學系碩士論文，2001。

2. 李建民，《八〇年代臺灣小說中的都市意象——以台北為例》，台北：台北市立師範學院應用語文研究所碩士論文，1999。

3. 林于弘，《解嚴後臺灣新詩現象析論（1987～2000）》，台北：台灣師範大學國文研究所論文，2000。

4. 胡龍隆，《台灣八〇年代都市小說的生活情境與批判語調》，台中：東海大學中國文學研究所碩士論文，2001。

5. 阮美慧，《笠詩社跨越語言一代詩人研究》，台中：東海大學中國文學系碩士論文，1996。

6. 張仁春，《陳黎後現代詩研究》，嘉義：嘉義大學中國文學研究所碩士論文，2004。

7. 陳大為，《亞洲中文現代詩的都市書寫（1980～1999）》，台北：台灣師範大學國文研究所博士論文，1999。

8. 陳大為，《羅門都市詩論》，台北：東吳大學中國文學系碩士論文，1996。

9. 陳威宏，《台灣戰後出生第三代詩人（1965～1974）之都市書寫》，桃園：中央大學中國文學研究所碩士論文，2007。

10. 楊翠，《鄉土與記憶——七〇年代以來台灣女性小說的時間意識與空間語境》，台北：台灣大學歷史學研究所博士論文，2003。

11. 劉志宏，《邊緣敘事與島嶼書寫：陳黎新詩研究》，台中：靜宜大學中國文學研究所碩士論文，2003。

12. 劉淑玲，《論現代詩中的工業化意象》，台北：輔仁大學中國文學研究所碩士論文，1994。

13. 鄭智仁，《苦惱與自由的平均律——陳黎新詩美學研究》，高雄：中山大學中國文學研究所碩士論文，2003。